COLLECTION ITINÉRAIRES

Traces pour une autobiographie. Écrits et parlés II
de Gérald Godin
est le vingt-quatrième titre de cette collection
dirigée par Jean Royer.

GÉRALD GODIN

Traces pour une autobiographie

ÉCRITS ET PARLÉS II

Édition préparée par André Gervais

l'HEXAGONE

Éditions de l'HEXAGONE
Une division du groupe Ville-Marie Littérature
1010, rue de la Gauchetière Est
Montréal, Québec H2L 2N5
Tél.: (514) 523-1182
Télécopieur: (514) 282-7530

Maquette de la couverture: Gaétan Venne
Photo de la couverture: Gérald Godin, rue Pontiac, février 1992
Photo: Alain Décarie
Mise en pages: Édiscript enr.

DISTRIBUTEURS EXCLUSIFS:
• Pour le Québec, le Canada et les États-Unis:
LES MESSAGERIES ADP*
955, rue Amherst, Montréal, Québec H2L 3K4
Tél.: (514) 523-1182
Télécopieur: (514) 939-0406
* Filiale de Sogides ltée

• Pour la Belgique et le Luxembourg:
PRESSES DE BELGIQUE S.A.
Boulevard de l'Europe, 117, B-1301 Wavre
Tél.: (10) 41-59-66
(10) 41-78-50
Télécopieur: (10) 41-20-24

• Pour la Suisse:
TRANSAT S.A.
Route des Jeunes, 4 Ter, C.P. 125, 1211 Genève 26
Tél.: (41-22) 342-77-40
Télécopieur: (41-22) 343-46-46

• Pour la France et les autres pays:
INTER FORUM
Immeuble ORSUD, 3-5, avenue Galliéni, 94251 Gentilly Cédex
Tél.: (1) 47.40.66.07
Télécopieur: (1) 47.40.63.66
Commandes: Tél.: (16) 38.32.71.00
Télécopieur: (16) 38.32.71.28
Télex: 780372

Dépôt légal: 1er trimestre 1994
Bibliothèque nationale du Québec
Bibliothèque nationale du Canada

Avant-propos

Contrairement au tome I qui contient plus d'écrits que de parlés, plus des années soixante et soixante-dix que des années quatre-vingt[1], ce tome II, le dernier, *plus nettement autobiographique,* contient plus de parlés que d'écrits, plus des années soixante-dix et quatre-vingt, voire quatre-vingt-dix, que des années soixante.

Le plus ancien écrit date de mars 1961, le plus récent parlé de novembre 1992[2]. Plusieurs sont méconnus, quelques-uns sont inédits.

Le tout a été choisi, parfois découpé — il n'en reste dans certains cas qu'un ou quelques extraits —, dans un vaste corpus non littéraire, et dûment organisé en cinq sections où, chaque fois, intervient l'ordre chronologique.

C'est dire la part privée, et même intime — ici présente — de bon nombre des pages du tome I (lui-même organisé en trois volets). Le tome II n'en est pas, comme on le verra, l'exacte contrepartie. Plusieurs échappées — du côté des femmes, des immigrants, des voyages et de la maladie, particulièrement — montrent sans détour l'ampleur inaperçue des arrière-plans.

C'est dire également l'importance que prennent les entretiens et entrevues parus dans la presse écrite ou diffusés à la radio et à la télévision. Toutes les transcriptions ont été faites par moi; les autres transcriptions, en conséquence, ont été quelquefois revues.

Tout a été relu et, quand cela était nécessaire (l'orthographe, la syntaxe, les dates, les chiffres, etc.), corrigé.

La référence bibliographique est donnée directement à la fin de chaque écrit et parlé; l'annotation, plus élaborée que dans les deux volumes du tome I, reste quand même succincte[3].

ANDRÉ GERVAIS,
mai 1992

---

1. *Écrits et parlés I*, lui-même scindé en deux volumes (le premier: *Culture*, le second: *Politique*), même éd., même coll. [avril] 1993.

2. Publiés pour une très bonne part à Montréal (sauf indication contraire) dans:
– des quotidiens ou des hebdomadaires: *Le Nouvelliste* (Trois-Rivières), *La Patrie*, *La Presse* (*Perspectives*), *Québec-Presse*, *Le Jour* et *Le Devoir*;
– des magazines ou des revues: *La Rotonde* (Ottawa), *Cité libre*, *Culture vivante*, *Québec chasse et pêche*, *Le Maclean* (qui deviendra *L'Actualité*), *L'Unité* (Paris), *Possibles*, *Vice Versa*, *La Vie en rose*, *Tribune juive*, *Guide Mont-Royal*, *Mœbius*, *Le Sabord* (Trois-Rivières), *Voir*, *Nuit blanche* et *MTL*.

3. Pour avoir une bonne idée de la biographie et de la bibliographie de Gérald Godin dans leur continuité, voir la «Chronologie» publiée à la fin du second volume du tome I des *Écrits et parlés* (p. 291-306).

Si tout ce que j'ai fait, dans vingt ans, c'est des bulletins de nouvelles ou des reportages, aussi bien crever tout de suite, ça vaut pas le coup. De moi, je voudrais qu'il reste quelque chose de structuré dans l'espace. Comme je ne veux pas avoir d'enfants, ça va être ça, mes enfants.

GÉRALD GODIN À JEAN O'NEIL,
La Presse, 4 avril 1964

Je pense que la seule vraie trace qu'on peut laisser de soi-même, une trace qui peut être accessible aux autres, le seul moyen de laisser cette trace, c'est la création, qu'il s'agisse d'un poème, d'un tableau, d'une pièce musicale ou d'un livre. J'ai constaté que le lecteur réinvente l'œuvre, la refait, la recrée, lui donne une seconde vie. Je laisse quelques traces, quelques morceaux de mon imaginaire pour qu'il puisse y avoir un autre témoignage de moi qu'un vote en Chambre sur une loi.

GÉRALD GODIN À SUSY TURCOTTE,
Nuit blanche, juin-août 1990

I

Trois-Rivières

Confessions d'un jeune bourgeois
Une auto-entrevue

Il nous a semblé intéressant, en cette période creuse de l'actualité littéraire, d'interroger un bon ami à nous, Gérald Godin, jeune poète mieux connu comme directeur de cette page littéraire. Il a bien accepté de nous recevoir avant-hier.

— Bonjour, monsieur Godin.

— Bonjour, monsieur Godin, quel bon vent vous amène?

— Celui de mon chef de rédaction qui m'a confié le soin de vous interroger rapport à votre prix Regain, rapport à vos activités d'écrivain, autant comme poète que comme critique et rapport à vos projets.

— Malheureux!

— Je ne vous dérange pas?

— Je le suis déjà.

— Je commence.

— C'est ça.

— Que pensez-vous de la jeune poésie canadienne-française?

— Bah! ça dépend des jours. Quand je file bien, je la trouve insipide et quand je file mal, je ne la lis pas.

— Et le roman?

— Demandez à Yves Thériault, il s'y connaît mieux que moi.

— Et la critique?

— Comme disent les gens: «Il faut que la critique soit constructive.» Dévorez vivant sur quatre feuillets n'importe quel auteur, écorchez-le, chantez-lui pouilles et tout et tout, vous êtes un mauvais critique. Ajoutez à vos injures la simple phrase: «Continuez, vous avez du talent.» À ce moment, vous aurez rendu service à la littérature canadienne, selon les gens. En un mot, on ne la conçoit qu'en tant qu'Embaumeur et compagnie. Ne dites pas de mal des morts, encore moins des vivants: vous aurez besoin d'eux tôt ou tard. Ce dont nous avons le plus grand besoin, disait un professeur montréalais de littérature, c'est de bons critiques. Sans bons critiques, pas de bonne littérature. Exemples: Homère et Platon.

Trêve de tout ça: je crois que les critiques ne sont utiles qu'à eux-mêmes et à leurs créanciers. Qu'entre-temps ils dérident le lecteur, c'est leur affaire.

Je suis partisan de la liberté en tout domaine, surtout en poésie, surtout en critique. Que le poète fasse ce qu'il lui plaît de faire, qu'il écrive de ce qui lui plaît, qu'il répète mille fois les mêmes choses, les mêmes mots, qu'il ne change jamais de thème, si cela lui plaît[1]. Qu'il ne s'intègre jamais à la société, ne chante jamais la «belle fraternité», si ça lui chante. C'est lui et lui seul qui forme son goût, qui l'affirme, qui choisit ses thèmes. Voilà ce qu'il faut répéter et répéter à tous ceux qui manient la plume. Qu'ils soient leurs seuls juges et, pour mieux se convaincre qu'ils ont raison, qu'ils trouvent des poux à tous ceux qui disent du mal de leurs écrits. Par exemple, dans *Liberté 60* (n⁰ 13), Michel van Schendel dit du mal de mes *Chansons très naïves*. Je me dis: «Il louche», et je dors content, comme rassuré dans mes convictions. Après tout, les erreurs d'aujourd'hui seront peut-être les règles de demain.

— Vous êtes bien prétentieux!

— Non, mais j'aurais toutes les raisons de l'être.

— Et quand on vous en dit du bien?

— Je ferme les yeux, tout attentif à savourer des paroles qui me coulent comme un baume dans les oreilles.

— Sérieusement, quelle idée vous faites-vous du critique? Ou plutôt, comment êtes-vous critique?

— Je suis partagé de semaine en semaine entre le plaisir de m'amuser aux dépens de telle œuvre qui m'a laissé froid et le souci de rendre justice à telle œuvre qui m'a plu. La critique que je fais est probablement impressionniste. Tout y est, en effet, question d'impulsion. Je lis une œuvre et laisse mon cœur, auquel se mêle, j'espère, un peu de goût formé chez les classiques, parler pour moi. Il est très important, de toute manière, que je sois enthousiasmé. Un roman comme *La corde au cou* m'a enthousiasmé, et c'est avec plaisir que j'en ai écrit quelques mots. Par contre, les poèmes de Jacques Godbout m'ont fait tout simplement sourire et j'ai dû me créer un enthousiasme qui se développait à mesure que j'écrivais, à mesure que j'accumulais des phrases qui me plaisaient à la relecture. N'oubliez pas que je suis né sous le Scorpion.

14

— Je ne vois pas le rapport.

— Il tourne sur lui-même quand il s'ennuie.

— Ah, bon! Mais dites...

— Je vous coupe la parole, il me vient une idée: tout ce qu'écrit le poète n'est pas poésie. Il pourra faire trente poèmes, du moins des écrits qu'il juge être des poèmes, avant d'écrire celui qui touchera le lecteur. Et encore, tel lecteur pourra être touché par un poème qui aura laissé tous les autres lecteurs froids: c'est affaire de sensibilité. Ce qui compte, c'est d'écrire sans arrêt, chaque fois que nous y sommes tentés.

— Car vous tenez compte du lecteur.

— Pas moi, mon poème, et vice versa, j'espère.

— Si vous nous parliez du prix Regain. Le fait d'avoir obtenu le deuxième prix et non le premier vous a-t-il humilié?

— Beaucoup, et l'idée m'est venue de tout refuser. Mais pourquoi se singulariser inutilement? Et puis, à tout calculer, je crois que de l'avoir accepté m'a permis d'avoir meilleure presse que si je l'avais refusé. Qui l'eût su, en effet, sinon les gens de Monte-Carlo? Je ferai ça quand je serai célèbre. Pour le moment, j'ai mis au point une belle phrase qui n'est malheureusement plus une primeur: «J'aurais bien aimé obtenir le premier prix, mais le second est plus salutaire à ma modestie.» Partagé encore une fois entre le goût que j'ai des belles phrases et le souci de dire la vérité, j'ai opté pour les beaux mots, c'est plus simple. La vérité est, en effet, très complexe. Comment dire, par exemple, que le deuxième prix m'a rendu fier et m'a satisfait, en même temps qu'un peu déçu de moi-même et du jury? C'était vrai, mais banal. L'art de l'écrivain consiste à bien mentir, et un beau mensonge est plus intéressant qu'une vérité banale.

— Cela est fort immoral.

— Je ne vous le cache pas, mais de cette forme d'immoralisme propre aux désœuvrés que nous sommes, nous qui avons le temps et les moyens d'être attentifs à tout ce que nous disons ou pensons. Certains nous appellent «intellectuels». J'ai eu la chance, ou peut-être le malheur, de naître dans une famille bourgeoise, de fréquenter les jardins de l'enfance où l'on apprend les bonnes manières, et le séminaire qui m'a fait autant de bien que de mal et dont je conserve le meilleur des souvenirs, justement depuis que je l'ai quitté. C'est très vivant, un séminaire, et on en reste marqué plus que de n'importe quel être, homme ou femme. On s'en souvient d'ailleurs comme d'une femme, avec ses sautes d'humeur aussi imprévisibles que ses gentillesses. Nous y nageons en plein arbitraire, soumis à l'humeur du prince, ou plutôt des princes que sont les professeurs, régents et autres. Un être un peu terrible, par conséquent, et dont on aime mieux se souvenir que partager l'existence. C'est probablement au séminaire, où j'étais fort inoccupé, d'une part, et où je lisais beaucoup, d'autre part, grâce au climat ambiant qui s'y prête admirablement, à cette période d'une vie où la sensibilité est à son comble, que se sont développées cette attention à moi-même et cette passion d'écrire, qui sont tout l'écrivain. Je ne pouvais lire, par exemple, une page de Montaigne ou de Pascal, que je ne sente en moi le besoin d'accoucher de la mienne.

Mais j'oublie mon propos: les désœuvrés que nous sommes et l'immoralisme. Je voulais dire qu'il n'y a pas beaucoup de danger que cet immoralisme se mette à courir les rues et présente quelque danger pour les pouvoirs et les idées établis. C'est donc sans remords que je suis ainsi.

— Vous ne croyez donc pas à l'influence des êtres et des idées?

— Mais oui, et comme le bien et le mal nous entourent depuis toujours et que l'action d'un saint homme peut nous être néfaste et celle d'un gangster nous rapprocher de Dieu, selon notre tempérament, je ne vois pas pourquoi quiconque attribuerait à quiconque telle ou telle influence. Même les enfants, vous savez, sont bien peu influençables. Autrement, par exemple, tous ceux qui fréquentent les séminaires deviendraient des prêtres...

— Vos projets?

— Nombreux: faire ce qui me plaît et j'ai les goûts les plus divers. Plus précisément des livres, avant longtemps.

— Je me vois dans l'obligation de vous quitter, l'opérateur me fait signe...

Le Nouvelliste, 25 mars 1961

---

1. Voir, une trentaine d'années plus tard, le dernier poème des *Botterlots*, l'Hexagone, coll. «Poésie», 1993.

Lettre à Jean-Yves Théberge

M. Jean-Yves Théberge
La Rotonde

Les étudiants n'ont pas fini de me faire chier.

Ils ont un papa, ils ont une maman qui ont bocoup bocoup de cennes et qui leur paient des cours dans les universités. Ils ont des amis dans la politique, où ils ont la chance d'obtenir des bourses d'études.

Mais moi, j'en ai pas eu. Les quatre dernières années de mon cours classique, j'ai entendu mes parents me dire et me répéter: «Organise-toi pour tes études, on a fait notre part. On te donnera pas un sou pour l'université.» Je les comprends, ils n'avaient pas un sou.

Je travaillais dans les loisirs à 20 $ par semaine pendant les deux mois d'été. Après les vacances, l'argent de la bière enlevé, il me restait environ 100 $ pour un an d'université…

Dans mon temps, Duplessis *rex,* il fallait être du bon bord. Mon père l'était, mais pas assez. D'autant plus qu'il avait déjà une petite fiole du gouvernement: une par famille, c'était assez.

C'est ainsi qu'on devient journaliste.

On ne contribue pas «par notre attitude à réveiller le Québec»! Vous avez menti, monsieur Théberge. On contribue à gagner notre vie. Le plus rapide moyen d'y arriver, avec les faibles ressources syndicales du *Nouvelliste,* c'était de travailler dans le sens du poil. Se rendre indispensable.

C'est ainsi que naissent les pages littéraires.

Ç'aurait bien pu être un reportage sur les bordels, si je n'avais pas vécu dans la pudique Trois-Rivières, où l'on ne parle pas de ces choses en public.

Il s'agissait d'attirer l'attention du patron sur moi. À chaque coup d'œil, il nous donne 10 $ de plus par semaine.

J'ai pas eu, comme les étudiants, le temps d'être inutile.

Il fallait que ça rapporte. Il fallait que ça donne. Je voulais une bagnole pour me déménager les fesses quand j'en avais assez d'être à la même place. Il fallait que je disparaisse, que je change de décor de temps en temps. J'ai eu ma bagnole.

Et j'arrive à votre papier[1] dans *La Rotonde*[2]!

Vous m'envoyez des fleurs. Des blagues. C'est ainsi qu'on établit des mythes. C'est ainsi que l'injustice s'installe. Vous avez des intentions droites, mais je ne suis pas comme vous dites.

Et je n'aime plus bocoup ce livre, sauf en quelques pages qui sont encore de moi. Qu'un curé me broie le crâne entre deux pierres plates ne suffit pas à faire la poésie, je m'en rends compte. Car alors on ne fait de la poésie, on ne peut écrire que parce que ces cons existent. Ça justifierait presque leur existence.

Il faut valoir plus que cela. Il faut exister, homme ou écrivain, autrement qu'en réaction contre les gens ou les choses, pour être véritablement poète.

Jean-Yves Théberge, le journalisme ne vous enlèvera pas un poète, j'ai trop besoin de la poésie. C'est ma bouée de sauvetage.

Je ne sens pas le besoin de la solitude, c'est pas vrai. La solitude m'est imposée comme une prison. Je cherche le moyen de m'en sortir. J'ai aimé des femmes qui m'ont botté le derrière. J'étais trop naïf. Ce que voyant, j'ai fait mes paquets et je me suis retiré dans mon trou.

En somme, vous n'avez rien compris du tout et vous avez aimé mon livre. La littérature vous a de ces monstruosités. Si mon livre vous fait passer une heure agréable, je ne suis qu'un con, car je n'ai pas réussi à faire de ces pages une œuvre déchirante. Non seulement mon propos était-il piètrement réactionnaire, mais encore la forme que je lui ai donnée n'aura jamais atteint l'efficacité que je lui voulais. J'ai donc raté deux fois mon coup.

De toute manière, j'aime le ton grave de votre papier. Vous avez pris tout ça au sérieux. Il est malheureux que ce soit plus à cause de vous que de ce petit livre. Dans quelques années, vous en rirez; vos amis, pour vous taquiner, vous appelleront «le critique». Ce sera tout.

Je vous écris cela pour publication. Évidemment.

Mettez des points de suspension au lieu des mots où vous voudrez. Je comprendrai.

Je m'aperçois que j'ai écrit longuement, peut-être trop, c'est vrai. Mais je me suis relu et ça m'a intéressé. Ça intéressera donc vos confrères lecteurs. Et pour cette fois qu'il y aura quelque chose d'un peu vrai dans un journal étudiant, ne laissez pas passer l'occasion.

La Rotonde, Ottawa, 23 novembre 1961

1. Jean-Yves Théberge, «Poésie canadienne (2). *Chansons très naïves»*, *La Rotonde,* 26 octobre 1961.
2. *La Rotonde* est le journal des étudiants de l'Université d'Ottawa.

Être ou ne pas être

Sans idées claires, aucune action n'est possible à quiconque. Le plus clair de mon temps se passe à la recherche d'idées claires, sur lesquelles établir, grâce auxquelles étayer, une action précise qui soit sans bavures, sans failles.

Ici, les terrains d'action ne manquent pas, semble-t-il. On peut être laïcisant, séparatiste, nationaliste, anticlérical, syndicaliste, etc.

Ces vocables sont autant de trompettes à emboucher pour se donner une contenance dans cette société où l'on vit, pour être entendu, pour être du dernier train.

Non que tous les séparatistes, laïcistes, anticléricaux, nationalistes et syndicalistes ne soient que des cabotins, mais je me pose tout de même la question, et avant de m'engager dans quoi que ce soit, ou même dans tout cela, il me faut m'interroger sur mes raisons, sur mes motifs.

Car depuis trop longtemps dépourvu d'une idée maîtresse, d'une idée force dans ma vie, d'une contenance sociale, ne me jetais-je pas aveuglément sur la première qui m'apparaissait? N'étais-je pas aveuglé par ma hâte?

Ce premier moment de réflexion passé, je m'interrogeais sur la gravité de mes engagements.

Comment peut-on être séparatiste sans acheter des armes et les distribuer la nuit à des amis fidèles pour que cette idée devienne un acte? Comment peut-on être anticlérical et ne l'être qu'entre anticléricaux? Comment être syndicaliste sans être prêt à en mourir?

Il était question d'aller jusqu'au bout d'une idée que l'on aurait choisie parce qu'elle convenait, nous semblait la plus importante au monde, pour le moment.

Et le courage? Me manquerait-il? Me manquerait-elle, la force de poursuivre mon propos jusqu'à son plein développement? Je le craignais.

C'est pourquoi j'y pense à deux fois avant de vous dire: j'ai décidé de ceci ou de cela. Pour le moment, je médite, je réfléchis. J'ai de grands projets que je ne suis pas dans une situation de réaliser. On ne peut pas tous être rédacteur en chef d'un grand journal.

Je me rabats sur de plus petits projets, qui sont à ma mesure et auxquels je travaille en silence, presque en cachette.

Car que nous reste-t-il, à nous, jeunes bourgeois, jeunes journalistes, trop conscients de n'être souvent que des dilettantes (et c'est là le nœud du drame)? Que nous reste-t-il à faire sinon réfléchir, méditer, travailler presque en cachette à des choses importantes, comme écrire un livre? Quoique ceci n'émeuve plus personne, nous avons toujours été déçus quand une œuvre «en préparation» nous était enfin donnée. Il y manquait tout un poids de vie, de chair, de chaleur, de souffrance. On fait trop de littérature et l'on ne vit pas assez. On dira ce que l'on voudra contre Saint-Denys Garneau, son œuvre rend compte de la vie. Cette vie est bien malade, d'accord, mais elle est vraie.

Le mot est lâché, je m'en aperçois maintenant: être vrai, voilà mon obsession, ma hantise. Savoir qu'il faut être vrai est simple. C'est découvrir comment l'être qui est compliqué.

Pour moi, j'ai vingt-trois ans et je cherche toujours, même alors que j'ai peut-être trouvé. Mais je me méfie tellement de ces idées qui ont cours et je me méfie tellement de ce qu'elles ne soient que des oreillers pour mieux dormir parmi «ceux qui pensent».

Cité libre, janvier 1962

La vie discrète et riche
des écrivains de province

Mon frère Ivan savait par cœur des poèmes que mon père écrivait en alexandrins entre deux voyages de pêche. Il savait «La truite», «La ouananiche», «Le brochet» et «Le doré». Quand on avait de la visite à la maison, mes parents appelaient Ivan et Ivan récitait les poèmes. Quand il avait fini, les trente sous pleuvaient et ma mère disait: «Non, non, ce n'est pas nécessaire.»

Je me suis toujours demandé, moi qui ne savais pas de poèmes et qui étais d'ailleurs trop timide pour en dire, comment on était, comment on se sentait quand on disait des poèmes au beau milieu de la visite disposée en demi-cercle, ne disant mot, les yeux braqués sur le récitant, observant, admirant, écoutant le ronron de ces histoires de poissons étendus dans des vers de douze pieds.

Aujourd'hui, je le sais.

Depuis cinq ans déjà, je me braque debout au milieu de la visite que constituent les lecteurs d'un journal et je fais mon numéro. Et les gens m'écoutent, me regardent, s'ennuient ou admirent, me détestent ou m'aiment. Et les trente sous pleuvent.

Au début, je ne savais rien et mon ignorance me faisait écrire des choses qui passaient pour de l'humour ou de la provocation. J'avais écrit par exemple, en toute naïveté, qu'une chanteuse de chez nous était promise à un bel avenir et elle avait quarante ans.

Je connaissais la littérature par voie de lieux communs. J'établissais des contradictions bruyantes entre ces lieux communs et les œuvres, et je dormais sur la satisfaction de moi.

Je voulais sentir le lecteur autour de moi, éprouver du doigt sa présence. Je voulais me sentir entouré, lu, et je prenais les moyens pour. Il s'agissait d'accrocher le lecteur, de l'écorcher au besoin, de venir en conflit avec des idées installées. Je le faisais consciemment et j'y étais porté en outre par un penchant naturel.

Or je sentis le lecteur et j'appris, ou du moins je le crois, ce qui peut le retenir et ce qui ne le retient pas.

D'ici, évidemment, tout cela semble clair. Tout cela peut sembler s'être déroulé selon mon plan et ma volonté. Il n'en est probablement rien. Il est fort possible qu'en voulant provoquer, j'émouvais, et vice versa. Il y a si peu de choses qui marchent comme on l'entend.

Aujourd'hui, ce n'est plus ce que je cherche. Je fais de grands efforts pour passer derrière mon sujet. J'essaie de prouver ce que je dis, de l'illustrer, de le démontrer par voie de culture et d'informations, tout en conservant mes petites trousseries et gamineries du début, sans lesquelles, à mon gré, un article est plat.

J'ai découvert aussi que le plus provocant, le plus révolutionnaire n'est pas ce qui procède d'une volonté de provoquer ou de révolutionner, mais ce qui puise dans la plus vaste culture possible. Car toute culture est une guerre permanente à l'ignorance et au mépris de la culture.

De toute manière, aujourd'hui tout comme hier, je me taille une place dans la société. Je construis une définition de moi pour les gens qui m'entourent.

Car contrairement à ce que l'on croit, un jeune bourgeois éprouve toujours certaines difficultés à se tailler une place dans l'univers, surtout s'il est insatisfait par nature. Il peut évidemment choisir de rester dans son monde à lui: prendre la relève de son père, fréquenter les fils et les filles des gens que ses parents fréquentaient. En d'autres termes, assurer la continuité de son milieu. Prendre du service dans la même armée que son père et vivre partiellement de l'acquis que la continuité implique.

Mais il me semblait qu'il y avait autre chose et que la vie était ailleurs, parmi les gens qui ne nous connaissent pas et qui n'ont pas une idée toute faite de soi avant même qu'on vienne au monde.

J'eus, sous ce chef, la chance d'être d'une famille bourgeoise depuis fort peu de temps. Mon père était médecin, avait sa maison et son bureau dans le centre de la ville, qui est le quartier de la haute bourgeoisie; mais il était le premier du nom à s'installer là. La famille n'avait pas encore de traditions bourgeoises. Le monde de mon père était encore dans le quartier Saint-Philippe. Ajoutez à sa fraîche transplantation un naturel peu communicatif qui fit qu'il ne s'intégra pas au monde dont les portes lui étaient ouvertes grâce à sa situation, et vous verrez comment les choses se présentaient pour moi. De plus, ma mère était de Sainte-Anne-de-la-Pérade: j'étais ainsi à cheval sur trois mondes.

J'aurais pu m'intégrer à la vie bourgeoise, mais je ne voyais là que des lendemains mornes: épouser une fille de bonne famille, visiter et recevoir inlassablement les mêmes amis, vieillir tous ensemble, se regarder pourrir, me semblait-il, faire des petits, gagner un peu d'argent, m'acheter un jour une maison, toujours être suffisamment riche pour vivre à l'aise à Trois-Rivières, mais jamais assez pour vivre comme ma nature l'entendait: en ne refusant rien de la vie, en étant disponible à tout.

Je ne voulais pas être sur mon lit de mort à soixante ans et, me retournant en arrière, ne voir qu'une plaine sans relief et sans histoire.

Je devins donc journaliste après avoir voulu être peintre. Comme quoi je voulais une vie en marge des habitudes de ma famille et de mon milieu.

Je voulais être peintre, mais je ne regrette pas d'être journaliste: cet éternel touriste qui sait tout et n'a pas le temps de rien approfondir. Rencontrant aujourd'hui des urbanistes et se rangeant résolument sous leurs drapeaux, et demain des commissaires industriels et devenant un soldat de la planification économique. Le journaliste est le dernier des condottieres.

Hier, c'était autre chose et demain, ce sera autre chose encore.

Mais pourquoi à Trois-Rivières?

Parce qu'en cinq minutes et en traversant les rues où je l'entends et non pas quand les feux de circulation me l'imposent, je me rends de chez moi au journal. Parce qu'au cours de ce trajet, je croise vingt amis. J'ai ma place ici et j'y trouve mon miel.

Trois-Rivières est une ville de 60 000 personnes. Le monde entier est présent dans une ville de 60 000 personnes et on peut en faire le tour. Je veux dire: à Trois-Rivières, il y a tout ce qui constitue l'univers et ce tout reste accessible.

L'écrivain que j'essaie de devenir y trouve son compte: l'écrivain montre des réalités. Or elles sont là, dans leur infinie diversité, comme à portée de ma main. Il n'y a qu'à tendre l'oreille et à écrire.

L'homme a besoin des hommes et de les connaître et d'être connu d'eux. Or il ne se passe pas un jour que je ne noue connaissance avec un Dubois de Champlain qui me raconte qu'il ne travaille jamais en hiver, qu'il gagne suffisamment en été pour prendre chaque année quatre mois de repos, comme la fourmi de La Fontaine. Il ne se passe pas une semaine que je ne rencontre un Pintal de la rue Saint-Paul, que je ne connais pas et qui me demande à brûle-pourpoint comment on fait pour écrire un poème.

Que demander de plus à la vie que tout cela!

La Patrie, 4-10 avril 1963

Entretien avec Pierre Olivier

G. G.: Les personnages importants dans ma vie, à part ceux que je voyais tous les jours (mon père et ma mère), c'étaient mes oncles. Du côté de ma mère, j'avais des oncles qui avaient tous six pieds et qui venaient régulièrement à la maison.

Mon oncle Jean-Marie travaillait au Bell Téléphone et, chaque fois qu'il venait, je me souviens, il nous apportait du *tape,* c'est-à-dire du ruban gommé noir. On l'attendait avec grande impatience pour mettre du *tape* neuf sur nos hockeys.

P. O.: C'étaient les cadeaux, les oncles!

G. G.: Chaque fois qu'il arrivait, il déballait ça. Un peu comme, dans *Séraphin*, l'oncle du Montana. Mais on retrouve ça partout.

Du côté de mon père, j'avais d'autres genres d'oncles. Mon oncle Antoine, par exemple, qui avait des hôtels, des clubs, qui était propriétaire de chevaux de course.

P. O.: Qu'est-ce qu'il apportait, lui?

G. G.: Lui, il racontait des histoires.

Tous mes oncles passaient tour à tour dans la maison et chacun arrivait avec tout un bagage différent de l'autre. Tout naturellement, d'ailleurs, et sans poser rien. Nous, on était là, les yeux tout écarquillés, et on écoutait ce que chacun avait à raconter sur un monde qu'on ne connaissait pas du tout.

Ces oncles-là étaient tous répartis le long du fleuve Saint-Laurent, de Trois-Rivières à Sainte-Anne-de-la-Pérade où il y a les poissons des chenaux. Ma mère vient de là. Entre les deux, il y a Batiscan, où je travaillais dans la ferme de Jean-Marie Marchand à échetonner le tabac ou à démarier les choux de Siam. Et on avait un chalet d'été à Champlain.

Tout ce dont je me souviens, étant jeune, c'est à Trois-Rivières, le fleuve (voir, le dimanche, la traverse, les glaces qui passaient), à

Champlain, les vacances (se baigner, bâtir des radeaux, aller à la pêche), à Batiscan et à Sainte-Anne-de-la-Pérade, les poissons des chenaux. Chaque fois, il y avait un oncle qui incarnait les activités de ce bout-là du fleuve.

P. O.: Une sorte de vie échelonnée le long du fleuve...

G. G.: ... sur une distance de trente milles, qu'on faisait toutes les fins de semaine.

Je me souviens de Trois-Rivières comme étant une ville où il y avait des groupes sociaux qui frayaient peu entre eux. Nous, on était de la classe moyenne, si je puis dire, et je me souviens de l'agressivité, chez nous, à l'égard de la classe supérieure, des grandes familles trifluviennes. Agressivité, mais pas hostilité: on ne se parlait pas. Et d'une espèce d'indifférence, de l'ignorance de ce qui se passait en bas, des gens de la Canada Iron, par exemple: je ne savais pas que ça existait, qu'il y avait des travailleurs à Trois-Rivières, des ouvriers dans le fer ou dans le papier. Je l'ai appris plus tard, en travaillant au *Nouvelliste*.

Il y avait donc une espèce de ghetto moyen. Mais je pense qu'il y avait le même ghetto dans les trois groupes sociaux qu'on peut identifier. Il y avait peu d'interpénétration.

G. G.: On habitait au coin de Hart et de Bonaventure, et Duplessis était sur Bonaventure, à deux pas du coin. Il habitait l'ancienne maison de mon grand-oncle, Narcisse, un industriel genre XIXe siècle, c'est-à-dire qui avait bâti de ses propres mains, en travaillant beaucoup, une entreprise florissante de vente de marchandises en gros (biscuits, «paparmanes», etc.). Une maison assez luxueuse, donc.

On allait chez Narcisse une fois par année, au jour de l'An, et il nous donnait ce qu'il appelait lui-même une image: c'était une piasse neuve, repassée ou fraîchement sortie des presses de la Banque du Canada.

Je me souviens que Duplessis, qui avait acheté cette maison-là quelques années après — il y avait une sorte de continuité —, nous pinçait la joue en passant sur notre rue. Il avait un truc; il disait «C'est quoi ton nom?», je disais «Godin», il disait «Non, je veux dire ton prénom, ton nom je le sais». Ne sachant ni l'un ni l'autre, il avait le moyen de faire semblant qu'il en connaissait la moitié, de sorte que tout le monde s'imaginait que Duplessis se souvenait personnellement d'eux.

Une autre chose dont j'ai un souvenir assez fort, c'est au moment du fameux scandale du gaz naturel. C'était peut-être en 1955.

P. O.: C'était à la fin des années cinquante.

G. G.: À l'époque, j'étais étudiant au séminaire et j'étais déjà, disons, un esprit indépendant. J'aimais emmerder les professeurs en leur posant des questions stupides ou imbéciles pour casser leurs cours ou pour faire rire les gars[1]. Chez nous, ça se transposait dans une opposition à Duplessis, sans savoir trop pourquoi, sans savoir trop qui le remplacerait. Juste pour mettre mon père en maudit. Tout d'un coup arrive le scandale du gaz naturel qui donne un fondement à cette opposition-là qui commençait à se manifester chez moi. J'ai tiré la pipe de mon père, qui était un vieux bleu[2], pendant des mois et des mois là-dessus. Sa réponse était celle de tous les bleus à l'époque: «Ça s'est fait sûrement à l'insu du chef, il ne le sait sûrement pas; il se passe des choses très noires dans le gouvernement, mais c'est dans son dos.» Duplessis était trop parfait, c'était Dieu le Père.

Un jour, Duplessis avait appelé pour offrir une job à 1600 $ par année à mon père pour aller pratiquer, deux jours par semaine, je pense, dans tel hôpital. Je me souviens de l'émoi que ç'avait été dans la maison. Ma mère répond et, tout affolée, vient en avant: «Paul, Paul, c'est Duplessis, c'est Duplessis!» Dieu le Père téléphonant à la chaumière modeste et simple, c'était comme Henri IV promettant la poule au pot à je ne sais quel habitant français!

Cela te montre, si tu veux, l'impérialisme de Duplessis sur Trois-Rivières. Et ça s'est incarné un peu plus tard d'une autre façon. J'avais commencé à travailler au *Nouvelliste* comme journaliste et, un jour, je rencontre Jules Leblanc du *Devoir* qui était venu à un congrès à Trois-Rivières. Il me dit: «Filion se cherche un jeune journaliste; aimerais-tu ça venir travailler au *Devoir*?» Montréal, ç'avait toujours été mon rêve...

P. O.: ... comme chez tous les p'tits gars de province, ou à peu près.

28

G. G.: Oui, c'est ça. Revenu chez nous, je dis à mes parents: «Il y a peut-être une job pour moi au *Devoir.*» Ma mère, alors, m'avait dit: «Vas-y pas, parce que ton père va perdre sa job.»

G. G.: Il y avait dans la cuisine de grandes armoires jusqu'au plafond et, sur les petites tablettes du haut, auxquelles on n'a jamais accès et qui sont poussiéreuses en principe, il y avait des livres. C'était plein de livres là-dedans. Je me souviens, il y avait des livres sur la rébellion de 1837-1838, il y avait *La nausée* de Jean-Paul Sartre, beaucoup de romans. Mon père soulignait dans les livres et moi, je ne lisais que ce qu'il avait souligné. Je me disais: «Il a résumé.» Je trouvais assez étonnant que mon père, avec qui, au fond, j'ai peu parlé de littérature, ait lu des livres qui étaient, comme on disait, à l'*Index*. Il m'était apparu comme étant une espèce de personnage qui était peut-être beaucoup plus libéré qu'il n'y paraissait et qui cachait une partie de ses idées ou de ses opinions parce qu'il était à Trois-Rivières, parce que ce n'était pas la place pour manifester ce genre d'idées-là.

Mon père faisait un peu de poésie et j'étais son dactylo, son secrétaire. Je recopiais ses poèmes, d'une part[3]. D'autre part, j'avais un oncle, Louis-Georges, qui avait publié un livre intitulé *Les «dicts» du passant*[4]. Il était presque considéré comme normal, dans une famille de la petite bourgeoisie, qu'il y en ait au moins un qui écrive. L'artiste de la famille, chez nous, ce n'était pas un musicien, c'était un écrivain. C'est peut-être cette succession-là que j'ai prise, par goût et parce que ça me semblait naturel qu'il y ait une succession là-dessus.

Pour venir à Montréal[5], j'avais décidé de gagner ma vie, de ramasser un peu d'argent. J'étais entré au *Nouvelliste* pour travailler la nuit[6]. Après trois, quatre mois de correction d'épreuves, je m'intéressais beaucoup, évidemment, à la salle de rédaction qui était à côté. Je traversais, je parlais aux gars. Comme j'avais la réputation d'être le fils d'un écrivain, les gens se disaient: «Le fils d'un écrivain, ça va donc faire un journaliste.»

P. O.: Il faut lui donner une chance…

G. G.: C'est ça. À un moment donné, ils m'ont demandé: «Aimerais-tu faire du journalisme?» J'ai dit «oui». «On a des nouvelles pour toi: à partir de la fin de semaine, on va t'essayer deux, trois semaines, sans te payer, pour voir si tu es bon.» J'imagine que ç'a été satisfaisant puisqu'ils m'ont fait passer dans la salle de rédaction[7].

Série *Tel quel*, CBF-FM,
Janine Kirby réalisatrice, 14 janvier 1973
(enregistré le 15 décembre 1972)

---

1. Le scandale de la Corporation du gaz naturel a été dévoilé par *Le Devoir,* le 13 juin 1958. À cette époque, Gérald Godin n'étudie plus au séminaire (qu'il a quitté au cours de l'hiver 1958) et vient de publier ses premiers articles au *Nouvelliste* (mai 1958).
2. Un partisan de l'Union nationale, parti politique cofondé et dirigé par Maurice Duplessis, alors premier ministre du Québec.
3. Voir plus loin la préface que Gérald Godin a écrite en 1982 pour l'édition en recueil d'un choix des poèmes de Paul Godin.
4. Louis-Georges Godin, *Les «dicts» du passant*, Trois-Rivières, Éditions du Bien public, 1921.
5. Afin d'étudier à l'École des beaux-arts.
6. En février 1958.
7. Premier article non signé le 5 mai 1958; premier article signé le 27 mai.

Trois-Rivières

1. Trois-Rivières, petite ville. J'y ai vécu, jadis, poète de province. Je publiais tous les deux ans ma plaquette. «Ce n'est pas de la poésie, c'est de la sclérose en plaquettes», disait-on dans les soirées.

2. Le premier Blanc qui parle de cette ville, c'est Jacques Cartier. Le 7 octobre 1535, en revenant de Montréal, Cartier raconte qu'il «passa par le travers d'une rivière qui vient de vers le nord, sortant au fleuve Saint-Laurent, à l'entrée de laquelle il y a quatre petites Iles pleines d'arbres. Nous nommâmes icelle rivière de Fouez.» La rivière se nomme aujourd'hui le Saint-Maurice, c'est le chemin de la pitoune de La Tuque. Pour un temps, on l'appela les Chenaux, parce qu'elle en comptait trois, entre les îles. Et c'est elle qui donne son nom à ma ville.

3. Il y avait Louis-Delavoie Durand. La taille d'une puce, mais terrible amoureux, disait-on dans les salons. L'image qu'on en avait, c'était celle d'un chihuahua grimpant après les femmes.
Il y avait Maurice Le Noblet Duplessis. Il fouettait des foules dans des salles grandes comme des aéroports. Je me souviens d'un de ses discours, prononcé au Colisée de Trois-Rivières: «J'aimerais ça, moi aussi, au temps des Fêtes, être avec ma femme et mes enfants. J'aimerais ça. Mais non. J'ai préféré me donner à ma province. C'est avec ma province que je vis. Ma femme, c'est le Québec.»
Il y avait des vies ratées. Untel, disait-on, s'il ne buvait pas autant, il serait devenu très riche. Ou très bon médecin. Ou très bon avocat.
Il y avait des sports de riches, comme le tennis au club Radisson, ou au Bellevue. Il y avait le ski au Cap-aux-Corneilles et le

tremplin où Luce Laferté et Coco Charland s'entraînaient avant d'aller sauter aux Jeux olympiques.

Nous avions nos Marylin Monroe et nos Clark Gable. Ils jouaient pour les Compagnons de Notre-Dame des pièces de Roussin ou de Tennessee Williams.

Nous avions nos Louis Cyr; ils s'appelaient Tarzan Babin, Glen Parks et Bert Berthelet.

Nous avions nos Picasso et nos Rembrandt. Ils s'appelaient Raymond Lasnier et Aline Piché.

Nous avions nos Aragon et nos Baudelaire. Ils s'appelaient Clément Marchand et Alphonse Piché.

Nous avions nos Al Capone et nos Frank Cotroni. Je ne les nommerai pas.

Nous avions notre *bookie,* à l'hôtel Saint-Maurice, aujourd'hui fermé. On allait porter nos mises en cachette pour les départs de Roosevelt Downs ou Pimlico.

Nous avions notre Carnegie Hall. C'était le cinéma Capitol où, six fois par année, les Rendez-vous artistiques présentaient des concerts classiques. À l'entracte, les jeunes gens de la belle société jaugeaient les jeunes filles qui seraient leur épouse et les jeunes filles échangeaient entre elles des confidences sur leur dernier *french-kiss.* Immanquablement, pendant le concert, quelque béotien applaudissait avant la fin des pièces. Sans compter les époux qui dormaient d'un profond sommeil pendant qu'un quatuor à cordes de Vienne accouchait de Brahms en grinçant.

Nous avions nos Cosaques du Don, c'était l'Orphéon.

Nous avions nos Dodgers de Los Angeles, c'était les Royaux de Trois-Rivières. Nous avions notre Jackie Robinson, il s'appelait Roy Partlow et il venait de voler un but à la sixième manche, en 1953, quand le haut-parleur apprit à l'assistance que la guerre venait de se terminer. Ce fut le délire. Je ne sus que plus tard qu'il s'agissait de la guerre de Corée. J'avais quatorze ans.

La ligue de baseball était américaine. Elle s'appelait précisément «La ligue canado-américaine». Tous les joueurs étaient américains. Trois-Rivières jouait contre des clubs aux noms aussi étranges que les Electrics de Pittsburgh et les Blue Jays de Schenectady. Ce soir-là, j'avais vu des milliers de Québécois se réjouir de la victoire d'une armée américaine, en mangeant des hot-dogs «steamés».

Nous avions nos Bruins de Boston, on les appelait les Reds de Trois-Rivières. Jean-Guy Talbot et Miche Perrault furent les seuls à devenir des vedettes. Les Reds jouaient à l'époque contre Dickie Moore et Scotty Bowman du Canadien junior, Jean Béliveau des As de Québec et Boum Boum Geoffrion des Royals de Verdun. Et le samedi soir, si on avait été sage, on avait la permission d'écouter à la radio Michel Normandin décrire avec passion, fureur et lyrisme une partie de la Ligue nationale et les tours du chapeau de Maurice Richard.

4. Borné à l'ouest par la tête du lac Saint-Pierre, à l'est par Deschambault-les-Falaises, au nord par La Tuque et au sud par Saint-Léonard d'Aston, tel est mon pays, la Mauricie, ce qu'on appelait pompeusement dans le temps le «Cœur du Québec».

5. Benjamin Sulte, gloire littéraire locale, écrivait au début du siècle: «Peu d'endroits sur ce continent, ou ailleurs, renferment autant de cours d'eau importants, réunis de si près, que les dix-sept lieues du "gouvernement des Trois-Rivières" comme on disait encore à la fin du XIXe siècle. Les rivières du Loup, Machiche, Saint-Maurice, Champlain, Batiscan, Sainte-Anne, Gentilly, Bécancour, Nicolet, Saint-François et Yamaska viennent du nord et du sud verser leur trop-plein au fleuve majestueux qui descend des plus grands lacs du monde pour aller grossir les océans.»

6. Mon grand-père se prénommait Édouard, on l'appelait capitaine Godin parce qu'il aimait le fleuve et qu'il avait une chaloupe avec laquelle il allait à la pêche sur la rivière Godefroid, en face de Trois-Rivières.

7. Un traversier, bateau-passeur ou *ferry-boat,* reliait Trois-Rivières à la rive sud. C'est au restaurant de la traverse qu'on trouvait les meilleures patates frites en ville. On pouvait marcher une demi-heure au gros froid pour aller se caler ce qu'on appelait «une patate de la traverse».

8. Chaque année, la traverse avait son drame. Une voiture stationnée dans la pente qui menait au bateau manquait de freins pendant que le chauffeur était allé chercher une frite ou ses billets pour le prochain départ, et elle dévalait doucement, arrachait la chaîne garde-

fou et plongeait dans l'eau glacée, entre les immenses blocs de glace qui venaient du lac Saint-Pierre, et il y avait cinq ou six noyades d'un coup. Les trois enfants, la mère, la grand-mère ou l'oncle.

Et les recherches commençaient: un scaphandrier au casque de cuivre boulonné explorait le fond pendant des heures. Des centaines de curieux, grelottant et frappés de stupeur par la bêtise du destin, se massaient le long de l'eau et attendaient les signaux du scaphandrier. Après quelques jours ou quelques heures de recherches, quand la voiture était retrouvée, un treuil la sortait de l'eau et on s'arrachait les yeux pour voir les noyés dans des poses grotesques et figées, accumulés dans le pare-brise.

9. Mon oncle Bizou regarde par la fenêtre de sa cuisine passer des voiliers de canards, de huards ou d'oies sauvages qui suivent le fleuve comme la rue Notre-Dame suit le fleuve, à deux pas de l'usine de «paparmanes» de mon oncle Narcisse Godin.

«Le plus beau voilier qu'on a vu passer icitte, c'était en 1923.»

Il avait jeté une ombre sur la ville comme un immense nuage.

Un peu plus loin vivait un nommé Put Arel, qui élevait des lamproies dans sa baignoire.

De Nanane Godin à Bezo Dumont
sans compter Put Arel
ils ont tous, t'en souviens-tu
dans leur bain gardé des lamproies
deux fois transpercés comme la vierge
à la pêche aux sept dorés[1]

10. «Guenille-Bouteille, Guenille-Bouteille, Guenille-Bouteille», il passait une fois par mois dans sa charrette pour ramasser les souvenirs d'une époque où rien ne se jetait. L'aiguiseur de ciseaux passait lui aussi, agitant une clochette à bout de bras. Le laitier et le boulanger avaient de petites voitures couvertes dans lesquelles, en hiver, un petit poêle à bois les gardait au chaud pendant que leur cheval mangeait de l'avoine dans un sac en toile.

11. Ce matin-là, le huissier du Palais de justice de Trois-Rivières appela pendant une heure dans tous les corridors, toutes les salles d'attente, toutes les cours et sur tous les étages, le témoin Azildor Lamothe.

Azildor Lamothe était décrit par les journaux comme un «témoin important». Témoin clé, en fait, puisqu'il était soupçonné d'être à la tête de tout le réseau de fabricants d'alcool frelaté, illégal et interdit, de la vallée du Saint-Maurice. Ce qui devait s'ouvrir ce matin-là, c'était la plus importante «cause d'alambic» de l'année.

Mais Azildor n'était pas présent. Un mandat d'amener fut émis contre lui dans l'heure qui suivit et, aussitôt, toute une meute policière se mit en branle pour lui mettre le grappin dessus.

Mais le mandat d'amener ne fut jamais exécuté. On retrouva Azildor dans sa voiture, sur une route déserte, ensevelie sous la neige, loin dans les bois entre Mont-Carmel et Saint-Luc-de-Vincennes, une route de chantier abandonnée, une route pour chasseurs de lièvres et mesureurs de bois, une route à *necking*. Azildor Lamothe s'était suicidé.

Il avait percé un trou dans le plancher de sa Meteor 1955. Il avait branché un boyau de caoutchouc au tuyau d'échappement et l'avait fait déboucher dans la voiture, sous son siège. Quand la voiture fut retrouvée, le contact était encore dessus.

Ainsi périt Azildor Lamothe, petit roi des alambics de la Mauricie.

À ses côtés, on retrouva deux choses: une bouteille de coke à moitié vide et une lettre destinée à sa mère.

«Ma chère maman,

J'ai rien à me reprocher. J'ai jamais vendu de baboche de mauvaise qualité, contrairement à d'autres que je nommerai pas. Mon seul regret a été d'avoir fait du tort au nom des Lamothe, qui a toujours été respecté, dans la vallée du Saint-Maurice. Pour être sûr de te revoir un jour au ciel, j'ai été confesser tous mes péchés à la basilique de Notre-Dame-du-Cap. Aussi, en mourant, je monte au ciel tout droit, où je t'attendrai.

Ton garçon qui t'aime tant,

Azildor»

Pour attester de ses propos, Azildor Lamothe avait attaché à sa lettre un billet de confession de l'oblat qui avait entendu ses derniè-res paroles. Une sorte d'affidavit du repos éternel.

Batiscan chef indien
mangeur de tabac sans timbre
Champlain mon alambic
jus de ciel et de pique-nique
gens de peu, Philippe de rien
rue Badeaux, la bien-nommée[2]

12. Dans les hautes eaux du printemps, dans les chenaux
de l'île Valdor, passent la sarcelle en criant
et la cane avec ses petits
pendant que les chalets d'été dorment encore
dans leur toilette d'hiver
grands panneaux et gros cadenas
comme l'Indien jadis en canot passait
un chasseur file en silence
entre les roseaux séchés

13. La femme du doc est sur les planches
et il se promène en ville
coiffé d'une casquette insolente
Terrasse Turcotte

La traverse et les glaces d'avril
Délisle Auto Alphonse Piché
Banane Blanchette à Saint-Léonard d'Aston
vend du blé d'Inde en épi
à deux pour dix cents chaque
l'OTJ, parc Pie XII
Maurice Duplessis sort de chez lui rue Bonaventure
il me donne un dix cents en me pinçant la joue
Monseigneur Comtois part en chaloupe avec l'abbé Carignan
sur le lac artificiel
rue Laviolette passe la parade de la Fête-Dieu
quatre tenanciers portent le dais
grands pantalons deux mille pieds de long

Mère Marianne et la sœur Marcelle
talochent quelques oreilles au réfectoire
en mangeant du bœuf à spring
Ti-Co Béchard et Clément Marchand
se croisent rue des Forges
l'un est arbitre dans la Ligue nationale
l'autre est poète dans la Ligue des nations
chez Jos Guay, tetante Thérèse me fait des signes
on ira tout à l'heure chez Caumartin
rue Saint-François-Xavier les pins mughos du Séminaire
se cramponnent comme des traditions
pendant qu'aux six heures
la cloche du Précieux-Sang sonne
le parc Champlain, les Rouleau, les frites
les cornets de crème en glace
les bonbons à la cenne avec des cheveux dedans
la gomme baloune de chez Guillette
au coin de la rue Haut-boc et Laviolette
le Club touristique et chez Christo
où la télévision attirait les foules en 57
rue Radisson, Trois-Rivières
il y a plus de vrai dans l'énumération que dans le roman
où l'invention au vague à l'âme se marie
et nous partions en Desoto pour Sainte-Angèle
et les achigans de la Bécancour
Chrysler a discontinué le modèle
et le soir tombant nous ramenait
par le *gangway* le pont de fer
tout se mélange
les maudits bétails de Cyrenne
et les lamproies de Put Arel
les paparmanes de Narcisse
et les draffes de la Chapelle
les cantiques et motets de Dom Delogne
tantum ergo laudate eum omnes gentes
les retraites fermées
avec prédicateurs des Philippines
la contrition le silence le jeûne

les corridors éteints et l'heure des poules
les confessions générales et les envolées mystiques
les vocations tardives et les
«je donne mon cœur au bon dieu»
les premières amours pour des inconnues
de préférence
Champlain l'île Valdor
l'accident de Bégin
qui se déchargea une carabine dans le bras
les sarcelles qui couraient sur l'eau
les pluviers les huards
les esturgeons la pitoune
et quelques noyades annuelles
le marché des *ball bearings*
à la basilique du Cap
les trains de pèlerins
les groupes de Buffalo
la fête des Mères et les danses écossaises
un-deux-trois un-deux-trois un-deux-trois
sur des épées de bois mises en croix

Guy H., Honorat Larochelle
Projectile, Whiskaway Direct
le bonhomme Veillette de Grand-Mère
qui fouettait les chevaux des autres
dans le *home stretch* ou dernier droit
pour les faire casser

C'était avant l'*exacta*
on gageait sur le nez
Piton Direct en une cinquante-neuf au premier demi-mille
Piton Direct in one fifty-nine at the first half-mile
il mourait au cinq milles
à la fin de l'été

On servait le salut
je portais l'encens
j'agitais la clochette

Dieu soit béni
Béni soit Son Saint Nom
Béni soit Dieu dans Ses Anges et dans Ses Saints
la peur des majuscules
n'étranglait personne

Des désespoirs de quinze ans
se terminaient dans les livres d'Ivan Goll
qu'on piquait avec Gandhi
chez Houle ou chez Goulet
Trois-Rivières, rue des Forges
Club Saint-Louis l'Oasis
des trous sans conséquence
où pourtant l'on a tué
par passion par amour par vengeance

Les choses suivaient leur cours
le port le trou des yachts
les moments de folie
le beurre à dix cents la livre
l'échetonnage du tabac
chez Jean-Marie à Batiscan
ma première paie
trois piastres et cinquante-huit cennes par semaine
le démariage des choux de Siam
chez Oscar et chez Gaston
l'engin d'Israël passait à quatre heures dix
et Camille assommait un siffleux
avec sa pioche au bout du rang

Septembre revenait
la maison des *blazers* bleus
et des manuels de philosophie en latin
de monsieur l'abbé Grenier
«une chose ne peut pas être et ne pas être en même temps»
c'était le fondement du thomisme
pendant que l'hypoténuse reliait sans fin les côtés

d'un triangle équilatéral
et que trois point quatorze seize
poignardait dans le dos
ceux qui n'avaient pas
la bosse des mathématiques

La pêche aux dorés de Mékinac
on pêchait avec des mitaines
jusque tard en octobre
on leur parlait entre quat-z-yeux
les soirs où on ne baisait pas la vieille
tu n'as jamais aimé la chasse
mon vieux père
mais la pêche oui
aux dorés bleus aux amygdales
il pleuvait tu m'avais
à cause d'un brochet échappé
dans les joncs les ajoncs
des plages à lamproies
déshérité[3]

14. Le 27 juin 1603, Samuel de Champlain parla ainsi de Trois-Rivières: «En cette rivière, il y a six îles. Il y en a une au milieu de ladite rivière qui regarde le fleuve et commande aux autres îles. Elle est élevée du côté du sud et va quelque peu en baissant du côté du nord. Ce serait, à mon jugement, un lieu propre pour habiter et on pourrait la fortifier car sa situation est forte en soi. Cette habitation serait un bien pour la liberté de quelques nations indiennes qui n'osent venir par là à cause des Iroquois. Mais étant habitée, on pourrait rendre lesdits Iroquois et autres sauvages amis ou, tout le moins, sous la faveur de ladite habitation, lesdits sauvages viendraient librement sans crainte et danger, d'autant que ledit lieu des Trois-Rivières est un passage.»

15. Tout ce qui reste aujourd'hui dans cette ville, c'est le parc Champlain. Dans mon temps, il y a une vingtaine d'années, c'était là que se tenait une fois la semaine ce qu'on pourrait appeler la plus grande, la plus complète et la plus variée des expositions de femmes de toute la région du «Cœur du Québec».

Mais commençons par le commencement: il y avait au centre du parc Champlain un kiosque à musique, en tous points semblable à celui que décrit Julien Green dans son roman *Adrienne Mesurat*, à cette différence près que le nôtre était à deux étages, le premier étant occupé par un restaurant et le deuxième par le kiosque. Le tout commençait par une affiche qui disait: «Ce soir à huit heures, concert de l'Union musicale de Trois-Rivières».

J'imagine que, dès lors, des plans de campagne extrêmement détaillés étaient élaborés et que tout un arsenal était mis à contribution parce que, le soir tombant, quelque temps avant que l'Union musicale n'entame le premier morceau de la soirée, les endroits stratégiques étaient investis par des groupes compacts de jeunes filles en tenue guerrière. Elles portaient de surcroît les maquillages des périodes d'hostilité: lèvres d'un rouge sanglant, les yeux ombrés, les peignures travaillées pour frapper en plein cœur.

Nous, les garçons, par groupes de cinq ou six, on faisait semblant de déambuler avec nonchalance et indifférence devant la ligne de feu, entre les mines explosives et les tranchées sentimentales. Les premières manœuvres consistaient à reconnaître le territoire et à identifier les forteresses contre lesquelles nous allions par la suite lancer nos assauts.

Ensuite, on se retirait dans nos terres, on s'échangeait nos renseignements et, surtout, on s'entendait sur une cible. L'objectif était clair: il fallait qu'avant la fin du concert chacun de nous se soit emparé d'une amazone.

Ce soir-là, le 12 juin 1955, nous avions repéré des cibles de première grandeur et jamais, de mémoire de parc Champlain, six jeunes filles d'un même groupe n'avaient atteint un tel niveau de beauté. Car c'était une des règles du jeu: il ne fallait pas défaire les groupes, ni d'un côté, ni de l'autre. Et les contrevenants étaient sévèrement punis. Quand un groupe était conquis, il y avait forcément en son sein des pitons ou des *long shots* ou des *underdogs* ou, enfin, une ou deux minounes qui étaient moins jolies que les autres. Le partage des filles se faisait conformément à une sorte de loi non écrite aux termes de laquelle un observateur impartial aurait pu déceler la hiérarchie dans notre groupe. La plus belle fille allait toujours au même. Ce n'était qu'au bas de l'échelle qu'il y avait quelquefois des changements. Un peu comme dans la société, il y avait de la mobilité parmi les démunis et une stabilité à toute épreuve parmi les nantis.

Ce soir-là, donc, à l'angle du parc Champlain qui correspond à l'intersection de la rue Royale et de la rue Radisson, nous avions repéré une des plus belles hardes de toute l'histoire du parc Champlain.

Nous étions fin prêts pour la victoire décisive et complète. Sauf que, quand nous sommes arrivés au ravage en question, le gibier avait déjà été complètement circonvenu par un autre commando.

Nous étions arrivés deux minutes trop tard. Le temps que nous avions pris à nous préparer nous avait fait perdre l'avantage du terrain. Comme l'écrit Zun Tsu dans son célèbre *Art de la guerre*: ce n'est pas tout de surprendre l'ennemi, il faut quelquefois se surprendre soi-même. C'est l'aphorisme que nous ruminions ce soir-là, après nous être rabattus sur des fins de série, des bouts de comptoir et des minounes en solde, dans les coins d'ombre.

En cas de victoire, le rituel était toujours le même. Bras dessus, bras dessous, ou la main dans la main suivant le degré de débarrage de la jeune fille en question, il fallait faire lentement le tour du parc, avec un air important. Il fallait entrer en propos sur la pluie et le beau temps, pour passer ensuite aux sujets scolaires:

À quelle école que tu vas?

Aimes-tu ça?

Qu'est-ce que tu veux faire à la fin de ton cours?

Et cetera, pour en venir, en troisième lieu, au sujet clé: les grandes randonnées.

— Montes-tu avec nous autres à Shawi? On va aller manger une frite.

Quand ça marchait, on partait vers dix heures dans le char «de p'pa», coude à coude avec nos blondes d'un soir dans la chaleur de l'été, et nous humions les parfums féminins avec délices comme des prisonniers qui passeraient leurs bras à travers les barreaux pour toucher une petite parcelle de liberté.

Quelquefois, ces rencontres d'un soir se transmuaient en histoires d'amour. Et ceux d'entre nous qui étaient ainsi frappés par la grâce, on ne les revoyait plus au parc Champlain. Des fois le soir, au cinéma Impérial, on les apercevait enlacés dans les sièges doubles, s'échangeant des baisers français, pendant que Randolph Scott, shérif de Gulch Creek, échangeait quelques balles avec le vilain Glenn Ford, natif de Portneuf, à quarante milles de chez nous.

Et quand on les croisait le soir après souper, ils avaient, avant la lettre, l'air absent des grands drogués. L'amour faisait son œuvre.

Quelques-uns se marièrent même avec celles que l'on appelait les «noix» du parc Champlain.

Aujourd'hui, le kiosque à musique est rasé. L'Union musicale existe-t-elle toujours? Et où donc se rencontrent les jeunes gens quand ils veulent jouer à se plaire, à monter à Shawi et à s'aimer?

16.   Trois-Rivières mon beau passé

ce soir je repense à toi ma douce oubliée

était-ce à Mékinac ou autre part

le soir venait de naître
des blancs méplats de ce souvenir de femme
dont le torse disjoint le vent avait basculé
comme à une injure une gifle répond
Mèré Mèré disait-elle appelant sa fille
tombée de son socle
comme une phrase sentencieuse et grave
de la bouche d'Hilaire Belloc

le vent ramenait les vagues sous ses ailes
comme une mère poule avant l'orage
au coude de la rivière la Windigo
la Mattawin peut-être
seules quelques touffes de poil avaient survécu
à son âge était-ce à Mékinac ou autre part
nous étions trois l'orage avait passé
comme un voilier de canards
au fond de la rivière

Mèré ne reviendra plus
tu ne la verras plus de sitôt
beau joual triste faraud
gravir ce chemin depuis lors désert à jamais
cette route cette vallée désormais

tu ne les verras plus
de sa présence illuminées
jamais elle n'ira plus à la fenêtre
ombre parmi les ombres tulle parmi le tulle
si ce souvenir au moins m'exaspérait

Mèré Mèré c'était en une autre vie
ce n'est pas toi ce n'est pas vous
les herbes folles déjà nous séparent un peu plus
c'était en une autre vie que celle-ci
ce qui reste de toi repose au cœur des roseaux
quelque part à l'île

je n'aurai vu qu'une fois, l'espace de ne pas l'oublier
le signe que d'une autre vie que d'ailleurs
tu me faisais

qui es-tu ma perdue

tu n'étais pas que déjà tu n'es plus[4].

Texte lu par Benoît Girard et Robert Rivard,
série *Un écrivain et son pays*, CBF-FM,
Jean Lacroix réalisateur, 21 avril 1975

—————

1. Fragment, avec variantes, du «Cantouque pour les amis».
2. Autre fragment, avec variantes, du même.
3. L'ensemble de la section 13 se compose de «Banane Blanchette & Cie» auquel est ajoutée, à la fin, une strophe du «Cantouque pour les amis», le tout avec variantes.
4. L'ensemble de la section 16 est fait, toujours avec variantes, d'«À Mary», autre «cantouque».

Premier entretien avec Jean Royer
(*extraits*)

Je suis venu à la conscience de ce qui se passait ici par des gens qu'aujourd'hui je récuse: ceux de *Cité libre*. À l'époque duplessiste, au Québec, c'était le vide à peu près absolu de la pensée. La première critique sociale que j'ai lue, c'était une tentative de compréhension du pays dans *Cité libre*. La vraie dimension du pays, c'est en lisant *Cité libre* que je m'en étais fait d'abord une idée, mais elle était polluée par une vision fausse de ce qu'est le peuple québécois.

[...]

J'ai été accouché politiquement par de mauvais médecins: Trudeau et Pelletier.

Cela a été d'autant plus dramatique que ça répétait un mécanisme que j'avais eu à subir dans mon contexte familial. Mon père était un duplessiste acharné. L'image du père dans la maison chez nous n'était pas celle que j'aurais voulue. Je me suis trouvé d'autres pères, en Trudeau et Pelletier, et encore là je me suis floué...

Alors, je me suis toujours senti — comme je le dis dans beaucoup de *Cantouques* — dépourvu de racines autres que celles que je me donnais moi-même. Il n'y avait pas eu de transmission de connaissances, de mes prédécesseurs jusqu'à moi. J'ai dû quasiment repartir à zéro. C'est pourquoi je n'ai pas d'enfant, je n'ai pas voulu faire des petits. N'ayant pas eu de père, je n'ai pas d'enfant. Un jour, j'ai été profondément bouleversé par un film d'Arthur Penn. Dans une scène de *Little Big Man,* le père transmet ses connaissances à son fils. Je me suis dit que c'était peut-être au fond ce qui manquait au Québec: quelqu'un qui transmettrait l'acquis à ceux qui viennent, pour la suite du monde...

J'ai donc trouvé, par mon effort personnel, mes racines, mon histoire, mon lieu, mon appartenance. Dans ce cheminement, Gaston Miron a joué un rôle important. À l'époque, vu de Trois-

Rivières, le nationalisme était pour moi un détournement d'énergie — comme on dit détournement de fonds. Consacrer son temps au nationalisme, c'était pour moi perdre son temps et fourrer le peuple. Miron me disait que je ne comprenais rien. On s'engueulait pendant des heures. Jusqu'au jour où je me suis rendu compte qu'il avait raison fondamentalement à l'égard de la réalité. Et comme Mao disait aux étudiants de l'Université de Pékin pendant la révolution culturelle: «Quand deux groupes ne s'entendent pas sur les détails, un seul a raison: trouvez-le!» De nous deux, c'est Miron qui avait raison! Effectivement, le seul avenir pour le Québec, c'était d'être un pays, d'être lui-même.

Aussitôt que tu reconnais l'existence du peuple québécois, tu ne peux reconnaître autre chose que sa nécessité d'exercer un contrôle sur sa vie. C'est le seul moyen de faire apparaître à la lumière, dans ce monde, les potentialités du peuple québécois, au même titre que les grottes de Lascaux, que les pyramides d'Égypte, que tout ce qui constitue l'infinie diversité de la nature humaine et de ses richesses.

[...]

Quand Jean Le Moyne écrivait, dans *Convergences,* sur l'homme et la femme du Québec, il le faisait en homme pogné, impuissant. Il était loin de l'idée que j'en avais. J'étais plus près de Robert-Lionel Séguin[1], pour qui l'homme québécois n'était pas différent de tous les hommes de tous les pays du monde, avec ses défauts et ses qualités. Il ne confondait pas le super-ego inventé par la bourgeoisie avec l'ego réel du peuple. Moi aussi, j'étais au niveau de l'ego, contre le super-ego que voulaient imposer comme modèle Le Moyne et d'autres.

«Gérald Godin. Le Québec possible», octobre 1976;
dans Jean Royer, *Pays intimes. Entretiens 1966-1976,*
Leméac, 1976

---

1. Ethnologue, il a publié entre 1955 et 1963 quatre monographies (sur l'équipement de la ferme canadienne aux XVIIe et XVIIIe siècles, sur les granges du Québec du XVIIe au XIXe siècle, par exemple) et un livre d'histoire: *Le mouvement insurrectionnel dans la presqu'île de Vaudreuil 1837-1839,* Montréal, Librairie Ducharme, 1955.

Entretien avec Vincent Nadeau

V. N.: Gérald Godin, vous êtes né, semble-t-il, sous deux auspices: à l'ombre de la cathédrale de Trois-Rivières...

G. G.: Oui, effectivement, à l'ombre de cette cathédrale qui est l'une des belles églises du Québec avec sa nef plutôt haute. Et près du parc Champlain, ainsi nommé en l'honneur de Samuel de Champlain. L'autre mamelle, si vous voulez, serait la proximité de la maison de Maurice Duplessis, qui était notre voisin, sur la rue Bonaventure. Moi, je suis venu au monde au coin des rues Hart et Bonaventure, à deux pas de la maison que Duplessis devait occuper un peu plus tard.

V. N.: Vous étiez en quelque sorte à jamais déterminé par ces deux pôles du Québec: l'Église et la politique!

G. G.: Ah, à jamais... je ne le sais pas.

V. N.: Vous êtes né au centre de la ville et vous êtes allé à l'école chez les religieux.

G. G.: Oui, mon père m'a envoyé chez les Filles de Jésus, au Jardin de l'enfance comme on disait à l'époque, à deux pas de chez moi, il n'y avait qu'une rue à traverser. C'était, si vous voulez, l'école des fils de famille, pendant que les Ursulines, c'était l'école des filles de la bourgeoisie trifluvienne. Les Filles de Jésus, c'était à côté du flambeau et on avait vue sur le fleuve. Plus tard, j'irai au séminaire Saint-Joseph, rue Laviolette, mais, encore là, il n'y avait que deux rues à traverser. On peut dire que le quartier de la cathédrale était, comme vous l'avez dit, le cœur de la ville, à deux pas de tout ce qu'il y avait dans Trois-Rivières.

V. N.: Dans tout ça, vos premières explorations, escapades, comment ça s'est passé?

G. G.: Mes premières explorations, ça s'est passé en allant vers le terrain de jeu qu'on appelle le parc Pie XII où, d'ailleurs, chaque année, venait Maurice Duplessis pour rencontrer les jeunes et leur distribuer des dix cennes. Et je me souviens très bien qu'il fallait faire la queue, tous les enfants de l'OTJ et du parc Pie XII étant invités à aller donner la main au premier ministre du Québec et à recevoir de lui un dix sous.

V. N.: Est-ce que ça laisse une impression indélébile?

G. G.: Ça laisse une impression assez indélébile, effectivement, et c'est peut-être ce qui explique la longévité du régime de Duplessis dans la région de Trois-Rivières. Il était vraiment omniprésent. On disait, au petit catéchisme: «Dieu est partout», et on pouvait dire de Duplessis à Trois-Rivières: «Il est partout.»

V. N.: Et vous sentiez ça déjà, très jeune?

G. G.: Écoutez: étant enfant, allant au parc et recevant de Duplessis chaque année, pendant les premières années de ma vie, une visite, une poignée de main, une question («Comment va ton père? Ta mère va bien?») par laquelle, j'imagine, il prenait des nouvelles de la famille, il laissait l'impression d'un parrain, d'un parrain protecteur, tout-puissant et, en plus, affectueux.

V. N.: Alors que l'évêché était moins présent dans la vie plus concrète de tous les jours…

G. G.: Il y avait quelques fois dans l'année — Pâques et Noël, par exemple — où, à la cathédrale, Mgr Pelletier participait aux offices, mais, pour un jeune qui se souvient de l'époque, sa présence était plutôt discrète: on voyait bien qu'il existait et qu'il intervenait de temps en temps dans des problèmes locaux. Le grand personnage de l'époque, c'était le député, c'était le premier ministre.

V. N.: Est-ce que déjà vous vous intéressiez aux éléments, au fleuve, aux rivières. Est-ce que cela a été très tôt important pour vous?

G. G.: Trois-Rivières est une ville portuaire, au confluent de plusieurs rivières: pas seulement le Saint-Maurice qui se divise en trois branches (d'où le nom de Trois-Rivières), mais aussi, sur la rive sud, la rivière Godefroid et la rivière Saint-François. Et, à Trois-Rivières, il y avait le marché où l'on vendait les perchaudes, anguilles, barbotes, etc., pêchées dans ces eaux-là. Je me souviens des immenses bacs sur le bord du quai dans lesquels il y avait des poissons vivants. Pour un enfant, c'était tout un spectacle quand on les tuait, que le sang giclait. Ce sont des images qui restent.

Il y avait une intégration très grande de Trois-Rivières à son réseau de rivières et de ruisseaux qui courent autour.

Trois bateaux faisaient le lien entre la rive nord et la rive sud. En été, ils servaient aussi à faire des danses sur le fleuve. Je me souviens que, passant l'été à Champlain, onze milles en aval de Trois-Rivières, on voyait passer ces traversiers avec l'orchestre et les lumières, les gens qui criaient et dansaient en pleine nuit, enfin, vers neuf heures du soir probablement: à l'âge que j'avais, c'était en pleine nuit. Ils allaient jusqu'à Sainte-Anne-de-la-Pérade peut-être et remontaient le fleuve pour arriver vers deux heures du matin.

Le fleuve était un lieu très présent, et on s'en servait même pour s'amuser, pour s'emparer de la course de canots La Tuque — Trois-Rivières qui, chaque année, amenait des milliers de visiteurs le long du Saint-Maurice et à Trois-Rivières.

V. N.: Et peut-être déjà le rêve du départ?

G. G.: Effectivement, on peut dire qu'une ville d'eau incite au voyage: soit en remontant vers l'arrière-pays, vers les chantiers de La Tuque, soit en descendant vers Québec, vers le golfe et la mer ou en remontant vers les Grands Lacs et les États-Unis, vers, si vous voulez, le Haut-Québec (quelque part en haut de Montréal) par opposition au Bas-Québec, comme on dit Haute-Égypte et Basse-Égypte.

V. N.: Et les pharaons?

V. N.: Au séminaire Saint-Joseph, Gérald Godin, vous avez fait vos études classiques.

G. G.: Oui, jusqu'en Philo junior, que j'ai doublée à cause de la trigonométrie[1]. J'avais commencé à faire un peu de peinture, à cause des influences subies au contact de certains peintres de la région. Je voulais devenir peintre dans ce temps-là. Et le seul moyen de devenir peintre, c'était ou d'avoir une bourse du gouvernement du Québec, ou d'avoir un emploi qui me permette de ramasser mon année en quelques mois. J'étais d'ailleurs allé voir Auréa Cloutier, la secrétaire de Maurice Duplessis, lui demandant quel était le chemin à prendre pour avoir une bourse de Raymond Douville du Secrétariat de la province, je pense que ça s'appelait ainsi. Et ça m'avait été refusé. Je m'étais donc trouvé un emploi à compter de février 1958 pour devenir peintre à Montréal, à l'École des beaux-arts.

V. N.: Pour aller étudier, somme toute…

G. G.: C'est ça. Je suis donc entré au *Nouvelliste* comme correcteur d'épreuves, la nuit, de neuf heures du soir à quatre heures du matin. Tant que le journal n'était pas sorti, on restait là. Puis ils m'ont demandé, une fin de semaine au mois de mai de la même année, de couvrir quelques événements: le congrès d'un club 4-H, si je me souviens bien, et, la semaine suivante, le congrès des unions musicales de la région[2]. C'est comme ça que je suis devenu journaliste. Et ç'a duré dix-huit ans, pas au *Nouvelliste*, mais le journalisme.

V. N.: Je suppose que, déjà comme correcteur mais surtout comme journaliste-reporter, vous avez dû porter un nouveau regard sur votre région. Cela a dû vous révéler un nombre considérable de choses.

G. G.: D'autant plus que mon premier emploi de journaliste a été de couvrir la cour municipale, là où les robineux, les filles de rues et les bagarres de coins de rues passent devant le juge. C'est là que j'ai découvert la réalité sociale de Trois-Rivières et de sa région, réalité qui m'était inconnue du fait de mon âge et du fait que j'étais peu sorti du quartier où j'étais venu au monde. J'ai donc découvert la réalité, telle que Francis Carco la décrit, la réalité de la vie de nuit, et la misère de ceux qui vivaient du secours direct, du minimum d'aide sociale qui pouvait exister dans le temps.

Je dois dire que ç'a contribué à me faire découvrir non seulement la réalité de Trois-Rivières, mais la réalité sociale du Québec dans son ensemble. Et comme *Le Nouvelliste* rayonnait sur toute une région, j'allais couvrir (et découvrir) ce qui se passait à Saint-Barnabé, à Shawinigan, à Grand-Mère, à Nicolet, à Manseau, qui est de l'autre côté de la rivière. J'ai donc acquis une connaissance assez intime, si vous voulez, de l'ensemble de la région, connaissance qui s'ajoutait à celle que je pouvais en avoir par la famille de mon père qui est de Trois-Rivières et celle de ma mère qui est de Sainte-Anne-de-la-Pérade. Entre les deux familles, il y avait des échanges constants. Et en pleine nuit arrivait tout d'un coup mon oncle Jean-Marie, le frère de ma mère.

La fin de semaine, nous allions à Sainte-Anne-de-la-Pérade. D'un côté, il y avait interpénétration de la petite vie de village avec celle d'une petite ville de province. De l'autre, j'allais chaque semaine à la pêche au doré et à l'achigan sur le Saint-Maurice, à Saint-Roch-de-Mékinac, vers La Tuque. Dans la saison de l'achigan, on allait sur la rivière Bécancour, sur la rive sud, avec mon père qui était un amateur de pêche, sinon un passionné de la pêche. Encore là, on rayonnait autour de l'eau, sur toute une région. Il y avait les guides, il y avait les gens qui louaient des chaloupes, les gens qui disaient «va pêcher là»... Toute cette vie de loisirs et d'intégration à la nature, cette vie qu'on appellerait maintenant écologique.

V. N.: Avez-vous souvenir d'événements importants que vous avez révélés au public en tant que journaliste dans les premières années? Avez-vous fait la manchette par hasard ou volontairement?

G. G.: Une chose qui revenait chaque année, c'était la fameuse question du pont qui devait relier Trois-Rivières à la rive sud, en l'occurrence Sainte-Angèle-de-Laval. Il s'est fait peut-être cinquante élections aussi bien fédérales, provinciales que municipales sur la question. Il y avait d'ailleurs un slogan qui disait: «Le pont, il nous le faut et nous l'aurons.»

Je me souviens que, ayant acquis un certain sens critique au contact des vieux journalistes de la boîte (parce que les journalistes étaient parmi les rares, dans une ville comme Trois-Rivières très contrôlée par Duplessis ou par l'évêché, à courir le risque d'avoir un sens critique), j'avais fait en première page un billet disant, à la veille d'une campagne fédérale, que certainement M. Léon Balcer, député fédéral conservateur, annoncerait pour la quatrième fois la construction du pont. Effectivement, il l'a annoncée. Et le titre que j'avais donné à mon billet, c'était: «Un bébé bleu[3]». À la fois, comme vous le savez très bien, l'enfant qui a peu de chance de vivre et la couleur du parti. Là, ç'a été les téléphones au *Nouvelliste*, les pressions de Balcer, etc. À l'époque, comme maintenant, le Parti conservateur et l'Union nationale[4] étaient très liés. J'ai donc fait le test, rapidement, du contrôle de la presse locale par les hommes politiques, avec le résultat qu'il y a eu des contre-articles au mien disant que la promesse était sérieuse cette fois-là et que le pont on l'aurait tôt ou tard. On l'a eu, effectivement, mais grâce au gouvernement Lesage, longtemps après. J'avais donc raison de dire à l'époque que c'était un bébé bleu.

V. N.: Est-ce que la radio jouait alors un certain rôle, se mettait de la partie dans cette question?

G. G.: La radio, en fait, était assez peu écoutée. C'était CHLN, le petit poste qui engageait à rabais des jeunes, futures vedettes, qui a été une pépinière de plusieurs grands noms: André Rufiange, Mme Lise Payette, Jacques Normand, Roger Baulu aussi, je pense.

Mais au-delà de la radio, il se faisait beaucoup de théâtre. L'une des plus anciennes troupes du Québec, c'était les Compagnons de Notre-Dame. Et nous-mêmes, comme étudiants, on avait fait du théâtre au séminaire et, en été[5], on s'était regroupés dans une troupe, les Triboulets, qui avait présenté des pièces dans plusieurs municipalités rurales de la région.

V. N.: Quelle sorte de spectacles?

G. G.: On avait monté *La cuisine des anges*, je ne sais pas si ça vous dit quelque chose. On montait des comédies françaises de l'époque et ça avait un grand succès. On jouait dans des salles où, quelques semaines après ou avant, avaient lieu des expositions agricoles, des démonstrations d'artisanat, etc. Ça faisait partie du patrimoine…

V. N.: Le théâtre était intégré.

G. G.: Oui. Le théâtre était intégré et c'était dans les mêmes salles.

V. N.: Vous avez même failli faire une carrière radiophonique!

G. G.: Après mon expérience dans le théâtre au séminaire et dans les Triboulets, le poste CKTR, le tout jeune concurrent de CHLN, avait décidé de me demander pour travailler à une émission. Mon personnage était un cheik d'Arabie. Remarquez qu'à l'époque les cheiks étaient moins connus que maintenant.

V. N.: Moins reliés au pétrole.

G. G.: C'était, en fait, une émission pour enfants. Mais ça n'a pas duré très longtemps. Je n'étais pas très bon dans ce rôle de composition.

V. N.: Peut-être fréquentiez-vous déjà des écrivains de la région?

G. G.: Sur le chemin entre chez moi et *Le Nouvelliste*, il y avait, rue Royale, *Le Bien public*, hebdomadaire fondé par Raymond Douville et le poète Clément Marchand. J'arrêtais très régulièrement chez Clément, et on échangeait des propos sur la littérature et surtout sur le microcosme social qu'était Trois-Rivières.

Clément, qui a un sens de l'humour assez extraordinaire, me faisait bien rire en me donnant sa vision un peu cynique des rapports entre l'évêché, Duplessis et la vieille bourgeoisie trifluvienne. Un jour, il m'a dit: «Est-ce que tu fais de la poésie? Je serais intéressé à te publier.» C'est grâce à lui si j'ai publié, à un tout jeune âge, mes premiers poèmes. Il publiera trois de mes recueils[6]. Et comme il avait des «contacts», le lancement avait eu lieu à Montréal. Côte à côte: Jacques Godbout, Jean-Guy Pilon, les «grands noms» de l'époque, et moi, le p'tit dernier, l'habitant, le paysan du Danube qui arrive avec ses poèmes[7]. Et là, il y avait les filles de Montréal qui étaient...

V. N.: Attirantes...

G. G.: Attirantes et plus libres, hein. C'est d'ailleurs là que j'ai perdu ma virginité (rires). Ce qui n'aurait pas pu se passer à Trois-Rivières, je présume. C'est comme ça, c'est grâce à Clément Marchand et aux poètes locaux comme Alphonse Piché[8]. On avait constitué une sorte de petit foyer, de petit noyau littéraire. À l'époque, Le Bien public publiait des gens de Québec (Suzanne Paradis) et de Montréal (Yves Préfontaine)[9]. Cette période «internationale» n'a pas duré longtemps, sauf que des gens d'en dehors de Trois-Rivières venaient régulièrement chez Clément Marchand pour parler de poésie avec lui. On peut dire que Trois-Rivières était une espèce de foyer culturel entre les deux grandes villes du Québec.

V. N.: Vous avez d'ailleurs réussi, à votre arrivée, à faire intégrer au Nouvelliste une page culturelle et littéraire ou, du moins, quelques rubriques.

G. G.: J'ai obtenu de la direction du Nouvelliste la permission, à titre expérimental, de publier chaque semaine, le samedi, une page de critique littéraire, une page «arts et spectacles». C'est grâce à l'appui des gens du journal que j'ai réussi à l'avoir[10]. Je pense que ça dure encore.

Je faisais des «bi», un peu d'«éditorial» sur la qualité du français parlé ou sur des problèmes locaux. Et il y avait eu, à Trois-Rivières, un discours de Jean-Marc Léger, président de l'Union canadienne des journalistes de langue française (UCJLF), dénonçant la langue populaire dans les journaux. Moi, j'avais pris parti pour la langue populaire, pour la langue parlée, en 1961[11], longtemps avant la création de l'«école joual», du *Cassé*, avant Michel Tremblay, etc. C'est un vieux débat qui, à tous les vingt ans, reprend du poil de la bête.

V. N.: Ça passionnait le public déjà.

G. G.: Beaucoup. J'avais colligé un certain nombre d'expressions propres à Trois-Rivières[12].

V. N.: Par exemple?

G. G.: Il travaille «à [la] planche» et, par extension, je t'aime «à [la] planche». Passage d'un niveau à un autre. Et j'expliquais au lecteur de cette page-là ce qu'était la poésie, ce qu'étaient la portée des mots et, surtout, la richesse d'invention du peuple par rapport aux mots. Autre exemple: «l'affaire est ketchup», impliquant un mot anglais dans un sens tout à fait inconnu des Anglais. L'appropriation de la langue des contremaîtres des compagnies de papier par les travailleurs et le nouveau sens qu'ils donnaient à un mot comme celui-là montraient à quel point il y a un génie populaire inventif dans la langue.

V. N.: Qu'est-ce qu'il reste, Gérald Godin, d'une ville comme Trois-Rivières quand il s'est passé vingt ans après qu'on l'a quittée. Ça reste important?

G. G.: Oui, c'est très vivant dans mon subconscient, c'est très vivant dans le matériau dont je me sers pour écrire soit des poèmes, soit des nouvelles. Et j'ai commencé plusieurs textes où j'évoque cette époque-là. Il y a quand même eu des choses assez frappantes comme les funérailles de Maurice Duplessis qui ont été un événement politique considérable dans le temps[13]. J'écrirai un jour certainement un roman ou quelque chose qui fera le résumé de tout ça, parce que c'est un microcosme assez inouï qu'on ne retrouve pas dans une ville comme Montréal où il y a beaucoup d'îlots. La circonscription de Mercier, jusqu'à un certain point, est un peu de Trois-Rivières, à cause du réseau de connaissances autour des paroisses. Mais le microcosme que j'aime le mieux explorer étant Trois-Rivières, c'est celui-là qui m'inspire le plus. Et c'est là que j'ai découvert tout du Québec et peut-être tout du monde.

V. N.: Y compris la vie ouvrière?

G. G.: Surtout, et la vitalité, le dynamisme de la base pour créer des mots, pour s'amuser, pour prendre un coup, pour vivre de façon intense par rapport à un autre groupe social qui est plus réservé, plus circonspect, plus prudent. La folie, l'invention, l'imagination, dans une ville comme Trois-Rivières, elle est, elle était dans le peuple. On s'en rend compte quand on est journaliste, on ne s'en rend pas compte quand on est étudiant.

Moi, je dis que le résumé du monde, en ce qui me concerne, c'est la ville de Trois-Rivières, où j'ai vu, j'imagine, tout ce que je pouvais voir de la vie. Et ce que je revois après, dans d'autres pays ou dans d'autres réalités, ne fait que me confirmer dans ce que j'avais déjà observé dans une petite ville ouvrière au point de rencontre entre la Haute-Égypte et la Basse-Égypte!

V. N.: (*Rires.*) Est-ce plutôt la métallurgie, les pâtes et papier, le port ou les filatures qui mettaient votre imagination en travail?

G. G.: C'étaient les pâtes et papier surtout. Il y avait, à la porte de la ville, de chaque côté, aussi bien venant de Québec que venant de Montréal, une immense affiche disant: «Trois-Rivières est la capitale mondiale des pâtes et papier.» Du haut de La Tuque descendait le bois, les machines tournaient, la pollution et l'odeur sulfureuse envahissaient la ville, les bateaux partaient, chargés de papier, et s'en allaient au loin. Moi, je suivais ça, je voyais ça. Dans le port, que je fréquentais beaucoup comme peintre, comme dessinateur, pour travailler sur le motif comme on dit, je voyais les cargaisons de papier qui partaient vers le monde et qui montraient à quel point aussi Trois-Rivières était intégrée au globe.

Entretien de Vincent Nadeau avec Gérald Godin,
série *Le temps d'une ville*, CBF-FM,
Michel Gariépy réalisateur,
13 janvier 1980 (enregistré à la mi-décembre 1979[14])

---

1. Gérald Godin, qui est en Philo junior (ou Philo I) en 1956-1957, échoue en effet, recommence en 1957-1958, mais ne complète, en fait, que le premier semestre.

2. Selon toute vraisemblance, il s'agit d'«Une extraordinaire vitalité des 4-H» (*Le Nouvelliste*, 5 mai 1958), article anonyme, effectivement publié trois semaines avant le premier «vrai» article, signé celui-là («Vingt-quatre familles jetées sur le pavé. On évite de justesse une conflagration», 27 mai).

3. *Le Nouvelliste*, 25 octobre 1963.

4. Le premier est un parti fédéral, le second un parti provincial.

5. Été-automne 1958: voir *Le Nouvelliste*, 11 août et 24 novembre 1958.

6. *Chansons très naïves*, 1960; *Poèmes et cantos*, 1962; *Nouveaux poèmes*, 1963.

7. Il s'agirait du lancement de *Chansons très naïves*, recueil déjà lancé à Trois-Rivières le 8 novembre 1960, mais je ne puis confirmer le fait.

8. Lors d'un lancement aux Éditions du Jour, vraisemblablement la même année.

9. Yves Préfontaine, *L'antre du poème*, 1960; Suzanne Paradis, *La chasse aux autres*, 1961.

10. Cette page prend forme entre janvier et avril 1959.

11. Voir «Langage d'ici, langage d'ailleurs», dans *Écrits et parlés I*, vol. 1, «Culture», p. 19-21.

12. «Les chantiers du langage», dans *Écrits et parlés I*, vol. 1, «Culture», p. 25-27.

13. Septembre 1959.

14. Les archives de CBF (Québec) ne remontant plus, actuellement, aussi loin, il faut compter, m'explique-t-on, trois à quatre semaines entre l'enregistrement et la diffusion.

Préface à *Poèmes* de Paul Godin

Ma vie a son secret, mon âme a son mystère

Ainsi commence le célèbre sonnet d'Arvers, et ces mots, cette musique me reviennent, déterrés de trente ans de vie, à la relecture des poèmes de mon père. Car, pour lui, c'était là la plus haute forme de poésie. Il y avait d'abord les règles du vers classique, l'alexandrin et la césure à l'hémistiche, comme on l'apprend en rhéto, mais avec, en prime, un sens, un contenu et une émotion.

Aussi fit-il, en son temps, quelques variations sur le sonnet d'Arvers, comme un pianiste virtuose qui s'amuse à paraphraser les grandes œuvres.

Et je le revois encore, se promenant dans la maison de la rue Hart, avec ses poèmes à la main, mesurant les pieds de ses alexandrins, en les marchant, cherchant le rythme en le martelant de chacun de ses pas.

Vous ne me dites pas ce que je veux savoir
Et vous ne voulez point que dans vos yeux je lise

écrit-il dans «Le secret».

Et j'avais l'honneur, étant le seul de la famille à maîtriser la méthode dite «à deux doigts», de me voir confier le soin de taper à la machine, une vieille Underwood carrée comme un pont de fer, ces alexandrins.

En relisant aujourd'hui ces poèmes, je suis frappé par la beauté de certains vers, tels:

J'ai cherché d'autres lieux, j'ai connu le désir,
J'eus la force d'aimer, j'eus la peur de haïr.

Je dis bien «frappé», car je me souvenais plutôt qu'ils me semblaient pieds et poings liés par les fameuses maudites règles de la métrique. Qu'y a-t-il de son moi profond, qu'y a-t-il de lui dans ces alexandrins à la métrique travaillée jusqu'au martyre? Était-ce exercice ou confessions? Nul ne le saura jamais, probablement. Mais certains accents baudelairiens ne peuvent mentir. Il y a quelque chose de son tourment dans ce livre, et derrière le médecin de petite ville, comme on dit le curé de campagne, il y avait un être qui vibrait et c'est peut-être parce que son âme avait vraiment son secret et sa vie, son mystère, qu'il aimait tant le sonnet d'Arvers.

On retrouvera donc, dans ces pages, le poète, mais aussi le peintre de la nature, qui travaillait sur le motif, comme en fait foi son «étincelle vivante», pour décrire la ouananiche.

Ce qu'on ne retrouvera pas, par ailleurs, et qui manquera sans doute à ses confrères, ce sont ses poèmes humoristiques, où il faisait servir sa virtuosité à caricaturer la vie de collège, les professions ou métiers de ses confrères, y compris le sien, où, dans des sortes de fables comiques, il traçait des portraits à faire mourir de rire et qui lui valaient des succès à la Yvon Deschamps dans des conventums, des soupers d'anciens au séminaire ou des parties de pêche avec les plus fidèles de ses amis.

Verlaine avait dit, lui qui se sentait aussi ficelé par la rime, qu'il fallait lui tordre le cou. Paul Godin ne le fit pas, car pour lui, la poésie n'allait pas sans ces contraintes qui forçaient le poète à la musicalité. Ces poèmes que je craignais de trouver froids, je les trouve, aujourd'hui que j'ai trente ans de plus dans le corps, plus vrais, plus vécus, plus révélateurs de la réalité de l'homme que je ne l'avais imaginé. Ils vous toucheront aussi.

Paul Godin, *Poèmes,* Trois-Rivières,
Éditions du Bien public, 1982

II

Écriture

Entretien avec Jean O'Neil
(*extrait*)

— Conçois-tu une carrière d'écrivain?

— Ah! oui. La seule chose qui compte, c'est de tirer du néant des structures littéraires, des personnages. Construire des objets dans le néant, faire de l'architecture avec des mots. Se manifester jusqu'au sang. À mort.

— Parallèlement à autre chose?

— Non. Je vais tout c... là dès que j'aurai des «gutts». Que veux-tu? Si tout ce que j'ai fait, dans vingt ans, c'est des bulletins de nouvelles ou des reportages, aussi bien crever tout de suite, ça vaut pas le coup. De moi, je voudrais qu'il reste quelque chose de structuré dans l'espace. Comme je ne veux pas avoir d'enfants, ça va être ça, mes enfants.

— Juges-tu essentiel que tes œuvres débordent les frontières du Québec?

— Je m'en contre-c... Je juge essentiel de faire des œuvres. Ça arrête là. Les frontières, ça existe pas pour une banquise. Une banquise, ça fait son chemin. Et comme je veux faire des banquises...

Pour une littérature vraie, il n'y a pas de frontières, et la vérité dans la littérature, je pense l'atteindre en faisant usage du langage canadien-français. Avec les mots de la colonne «Ce qu'il ne faut pas dire». Ces mots-là sont le reflet de ce que je suis et de ce que les Canadiens français sont. Des mots brisés par l'usage. Une des revanches du colonisé, c'est qu'il arrache son langage au colonisateur pour lui donner un sens autre.

Quand on entre dans un mot, il devient ce qu'on est. Il n'existe pas seul. Le purisme, c'est bon pour la radio et les journaux. Mais quand tu fais une œuvre littéraire et que tu te butes aux mots, tu n'en sors pas! T'essaies toujours d'arracher quelque chose de rien!

La carrière d'écrivain, c'est comme un pelleteur de neige devant l'Antarctique.

— Sisyphe?

— Sisyphe. Tant que tu pellettes pas huit heures par jour, tu fais rien. Si tu écris cent pages, il y en a une ou deux qui restent. Si t'en écris rien que deux, t'es bien obligé de les garder.

— Et les obstacles à la carrière?

— Tous les écrivains sont des inadéquats, des déphasés. On se cherche une niche et ça s'incarne dans la vie par l'engagement politique ou social. Tous ceux qui ne sont pas écrivains et qui écrivent dans les journaux ou ailleurs, on les voit comme de vivants reproches de notre inutilité. Alors, on fait de la poésie révolutionnaire, et c'est mauvais.

On veut toujours être autre. On veut se blanchir, se purifier de la saleté d'être un artiste. On voudrait justifier son existence devant les moralistes que sont les révolutionnaires et les réactionnaires. En face des sorciers, des *vates,* des devins qui ont raison parce qu'ils ont une structure mentale très stricte, l'écrivain ne se sent pas à l'aise. Et il a tort. Car l'œuvre d'art, c'est tout. Tout est dans tout. Il n'y a plus de morale, il n'y a que la structure. Il n'y a que l'acte de foi que constitue la mise en forme d'une œuvre d'art. L'œuvre d'art abolit les contingences, abolit la mort, abolit l'idée que le monde évolue bien lentement.

— Et les obstacles en toi?

— Je veux reconquérir ma liberté de pensée. Sortir des embarras que les curés nous mettent en tête. Et à cause de la révolution, je suis pris avec une autre gang, une autre sorte de curés. Je deviens moi aussi un prédicateur…

L'engagement reste nécessaire. Tant qu'on ne sera pas sorti de la colonisation, on va oublier notre égoïsme d'écrivain et la littérature qu'on veut faire parce que cette littérature, au fond, si elle satisfait un homme, elle est une perte d'énergie pour le travail qu'il faut faire avant tout.

— En continuité ou en rupture avec la littérature canadienne?

—Je pense que je t'ai tout dit!

La Presse, 4 avril 1964

Entretien avec *Culture vivante*

Dix minutes après le début de l'entretien, il aborde de lui-même le sujet qui lui tient le plus à cœur. Ici, dit-il, la lutte se livre entre les porteurs de tombe du Québec, les arrivistes de toutes sortes et les profiteurs du système fédéral, et nous qui n'avons aucun intérêt personnel à défendre. Le problème est que c'est nous qui sommes discrédités aux yeux du public.

Comme poète, il reconnaît ne rien devoir au mouvement de l'Hexagone.

G. G.: Ou, plutôt, je leur dois de m'opposer à eux. Eux, ils font une poésie ésotérique, qui se veut plus profonde que la vie. Moi, je veux faire une poésie de la quotidienneté. Ma thématique amoureuse a quelques points communs avec celle de Gaston Miron, mais je n'écris pas dans l'esprit de l'Hexagone. Je veux faire une poésie triviale, qui poétise l'autobus, le métro, les choses de tous les jours. La poésie de l'Hexagone donne l'impression d'étrangeté et d'aliénation. Ces poètes ont peut-être rejoint la réalité d'ici au niveau de l'inconscient. Moi, ça ne m'intéresse pas. Ils veulent se transmuer; moi, je veux m'incarner, je veux rejoindre le réel. Eux, ils se situent dans l'intouchable, l'impalpable, l'inconscient. Moi, j'ai voulu faire reculer les frontières de la poésie non au niveau du langage, mais au niveau des thèmes. J'ai voulu vulgariser — au sens latin du terme — la poésie.

C. V.: La recherche d'une identité, thème caractéristique de la génération passée, ne vous touche pas?

G. G.: Au lieu de m'identifier, j'ai voulu identifier le monde qui m'entoure. J'ai justement écrit joual pour permettre aux gens de se retrouver. En grande partie, *Les cantouques* est une poésie faite au nom des autres plus qu'en mon nom propre. C'est même la partie de mon livre dont je doute le plus, la plus contestée et la plus contestable d'ailleurs. Le joual, c'est le peuple du Québec photo-graphié à l'infrarouge; ça lui révèle qu'il a des maudits problèmes. Un jour, on fera la carte de la psychologie du Québec à partir des œuvres que nous écrivons.

C. V.: Vous faites une poésie nécessairement engagée.

G. G.: Toute œuvre digne de ce nom est engagée. Bien que Du-charme n'ait jamais écrit sur le Québec proprement dit, il exprime le Québec. Y a-t-il plus «avalé» que le Québec? Le Québec est en train de devenir «l'avalé des avalés», comme l'a dit Marteau (de la revue *Esprit*) à un ami. Bref, sans idéologie préalable — et je dis bien idéo-logie, non pas vision du monde —, tu ne peux pas être un écrivain.

C. V.: Vous n'acceptez sans doute pas les recherches formelles des jeunes poètes…

G. G.: C'est une fuite devant la réalité effrayante qui tue l'art. À une époque où l'on croyait à la Toison d'or ou au paradis perdu, la poésie était possible; elle était portée par des mythes. La dispari-tion de ces mythes, c'est autant de perdu pour la littérature et de ga-gné pour la vie. Les jeunes recherchent précisément de nouveaux mythes pour y asseoir leur poésie. Je m'oppose à ça. Que le conte-nant porte le contenu, que l'inconscient ou que la vision de l'homme futur (comme chez Péloquin) porte la littérature, je trouve cela aberrant. Le grand mythe américain a donné une grande littérature, je sais; mais il bouffe le Vietnamien aussi. Dans la mesure où le mythe est important, l'homme est choséifié. En ce sens, toute œuvre traîne une partie de fausseté. Elle est même souvent grande parce qu'elle est fausse. Dans la mesure où elle n'est pas la vie. Moi, je veux refermer l'abîme qu'il y a entre la vie et l'art. Faire que l'agenda d'*Aujourd'hui*[1] — deux cents coups de téléphone par jour — constitue un roman.

C. V.: Si le joual n'avait une portée critique très précise, je di-rais que vous êtes très près du pop art.

G. G.: En effet. Dans la mesure où le pop est une tension pour rejoindre le réel quotidien, il m'intéresse beaucoup.

C. V.: Cette tension pour rejoindre l'actualité ne risque-t-elle pas de faire éclater le moyen d'expression que vous utilisez: le poème?

G. G.: Il faut douter de l'efficacité de ce qu'on fait, sans quoi on ne fait rien. Quant à moi, je n'écris plus de poésie depuis un an.

Je termine un roman[2]. Poésie ou roman, je pense qu'il s'agit de deux moyens pour accéder à la liberté.

Culture vivante, [janvier] 1967

---

1. Émission de la télévision de Radio-Canada pour laquelle Gérald Godin a été recherchiste, puis chef de l'information (1963-1968). Les animateurs en étaient Jacques Languirand, Wilfrid Lemoyne et Michelle Tisseyre.
2. *Job à plein temps*, inédit.

Le jour où chaque être humain sera un pays indépendant…
(entrevue d'Alain Pontaut)

Et il enfourche le premier dada, dada qu'il ne faut pas confondre avec joual, même si, inévitablement, ce dada se nomme la langue.

— Le premier problème est évidemment d'ordre linguistique et indique déjà que, dans mon esprit, le politique et l'économique sont, ici, aujourd'hui, inséparables des préoccupations spécifiques de l'écrivain. Comme en Inde, où l'on a vu fleurir les conflits linguistiques, la langue, outil de l'écrivain, est chez nous problème politique. C'est du reste un «point de vue» particulièrement propice à embrasser une situation nationale dans son ensemble. Qu'est-ce qui fournit le décalque idéal de la situation d'un peuple? Sa langue. Par l'anglais, notre communauté est envahie dans son intégrité linguistique, disloquée et presque dissoute. Je peux bien m'en aller passer dix ans en France et, de surcroît, être linguiste de métier: dès mon retour chez moi, à chaque instant, la vie quotidienne pollue mon langage, m'imposant par exemple des formules aussi bâtardes que «Supportons Expo 67»!

C'est un problème économique et qui pourrait à coup sûr être réglé par le coup de barre énergique que consentiraient à donner nos politiciens. On sait trop que ces politiciens, par leur réflexe le plus habituel et qui s'appelle la peur d'effrayer les capitaux étrangers, nous placent et se placent à la remorque d'une économie qui envahit tranquillement notre langue, c'est-à-dire notre esprit.

D'autant qu'il y a, chez nos élites, cette ignorance et ce mépris, lointains, traditionnels, du phénomène culturel en général, qu'elles ne considèrent pas comme la respiration même d'un peuple mais comme supputations plus ou moins malsaines d'enfileurs de perles. Il y a ce larbinisme de «gérants», cette acceptation de l'anglais, véhicule de la vie économique interaméricaine, cette religion du dollar. Ceux-là semblent considérer que s'il y a prospérité, il ne peut pas y avoir aliénation, alors que, socialement, si l'on donne tout au dollar, la base va être de plus en plus décalée, notre champ d'existence de plus en plus nié.

En fait, cela n'importe guère à nos élites, que le problème linguistique laisse à peu près indifférentes. J'ai souvent constaté que ce problème occupe une place beaucoup plus grande chez les Canadiens anglais. Car chaque affirmation de notre part, en ce domaine, ne peut pas ne pas déranger l'idée factice qu'ils se font du Canada, attise leur peur d'une différenciation. Parlant français, on est indépendant. Ça leur fait constater une évidence, et que la négation de cette évidence est purement illusoire. Leur peur est plus vive que la nôtre: il suffit de lire leurs journaux. Lisant sur un panneau «sortie» et pas *exit,* ils voient qu'on est séparé. Et cela les touche plus que nous.

— Devant cette situation de la langue, quelle attitude ou quels remèdes?

— Il y a deux attitudes possibles: le *statu quo* ou la révolution. Le *statu quo,* c'est en somme ce qu'on nous a toujours prêché: maintenir mais ne pas bouger, alors qu'il est trop évident qu'à ne pas avancer, on recule. Et l'on n'a pas cessé de reculer. Et c'est le fruit inévitable du *statu quo.* Je pense que le Québec, ce n'est pas l'Algérie, c'est l'Espagne. Ça fait deux cents ans que l'élite dit au peuple qu'il faut rentrer en soi et se maintenir, qu'on a tort de vouloir s'affirmer, que l'on doit remercier les Anglais de ne pas nous avoir «génocidés». Et chaque génération nouvelle, dès son apparition, a été trompée. Mon père était un duplessiste. J'ai, moi, considéré comme mes dieux des gens tels Pelletier et Trudeau qui s'opposaient à la stagnation, avant que nos maîtres à penser antiduplessistes ne nous lâchent à nouveau et nous obligent, une fois de plus, à tout réinventer. En fait, ce n'est pas de *statu quo* ou de révolution qu'il s'agit. C'est de lente agonie, ou de révolution. À chaque génération, on a été floué, comme disait S. de B. Traduction québécoise: «On a été fourré.»

Et cette religion du compromis et de l'acceptation, cette philosophie de la compromission, au nom du «réalisme»... J'ai entendu

Charles Taylor donner un jour cette définition au cours d'une réunion: «*Cité libre*, ce sont les notables qui pactisent; *Parti pris*, c'est le maquis.» Soit. Je crois le maquis plus générateur d'avenir que la compromission des notables... Et puis le dialogue est fait si souvent avec des hypocrites, des gens qui cachent libéralement leur jeu, plus ou moins des fumistes à la solde et qui traitent en même temps de fumistes les seuls éléments qui soient honnêtes. Des gens — j'en ai vu — qui, pour mieux s'intégrer ou se vendre à l'anglophonie, de Jacques qu'ils étaient se font appeler Jack ou contraignent leurs proches à prononcer Simard à l'anglaise...

— On en était resté au *statu quo* ou à la révolution. Et vous prévoyez ma question: les chances de la révolution?

— Je crois bien que le jour où l'unilinguisme sera fait, cela aura demandé tellement de courage de la part de nos vaillants politiciens que ce jour-là, ce sera la révolution. Je sais bien qu'ils nous disent que nous sommes des pseudo-intellectuels; ils sont, eux, de pseudo-politiciens téléguidés. Pour atteindre cet objectif, il suffit de quelques gars qui se tiennent debout, de gens qui n'affirment pas: ceci est irréalisable parce que je ne le veux pas. Comme les Américains à Cuba, qui imposent un blocus et disent que, sous Castro, les Cubains ne mangent pas. Ou comme nos chapelles littéraires qui ont tant méprisé leur milieu que, devant Blais ou Ducharme, ils disent: ça n'existe pas.

— Du point de vue de l'écrivain québécois, et par exemple par rapport à la compétition des littératures étrangères, où se situent les difficultés?

— Disons que j'ai tendance actuellement à me sentir assez optimiste. Mais c'est parce que je viens de finir mon roman[1]: je suis dans un moment décontracté... D'une part, je pense qu'il faut se débarrasser d'un vieux mythe: écrire pour le peuple. C'est un faux problème.

D'autre part, s'il existe un lieu spatio-temporel où l'on ait la liberté, il n'y a pas de doute: c'est ici. Il faut aussi, sur le plan artistique, en profiter. Que font des gens comme Ducharme? Ou comme Godard? Ils font reculer des frontières que l'on croyait inamovibles. Ils montrent que les possibles sont plus nombreux qu'on le pouvait imaginer. Une œuvre est valable dans la mesure où elle fait reculer les limites, ou bien dans la mesure où elle montre qu'il n'y en a pas.

Sur le plan mondial, je pense que plus on parlera de nous, et avec le plus de sincérité possible, plus on fera une littérature originale. Nous sommes, Berque ne cesse de le répéter, à l'époque des particularismes. Non seulement chaque pays, mais chaque être, doit être indépendant. Le jour où chaque être humain sera un pays indépendant... Est-ce que chaque être d'ici n'est pas aussi important que partout ailleurs? Le reste est affaire de talent, de destruction aussi de ce sentiment anémiant de créer pour personne et pour rien...

— Ce roman?

— J'ai cherché des années un roman à ma convenance. Je n'en ai pas trouvé. J'en ai fait un. J'ai fait exactement le roman que je voulais lire. Si j'avais trouvé ce roman-là, je ne l'aurais pas écrit. Seul un Québécois pouvait l'écrire, travaillant pour le fédéral, indépendantiste... Si chaque être humain faisait son roman, ça ferait une situation nationale fantastique, non? Voilà. Compte tenu que j'ai pour projet d'écrire tous les quatre ans ce qu'est devenu ce personnage que je connais le mieux, et qui est moi-même, j'affirme et je soutiens que le Québec existera le jour où le plus grand nombre de Québécois possible auront fait le plus grand nombre de romans possible...

La Presse, 11 mars 1967

---

1. *Job à plein temps,* inédit.

Vœux d'impuissance et prise du pouvoir

Il n'y a pas d'incompatibilité entre l'écrivain et l'État. Mais entendons-nous! pas n'importe quel État. Pas l'État-locomotive qui a défoncé trois mille portes de résidences privées en octobre 1970. Pas l'État infirme du Québec, dont les représentants n'ont d'autre recours que de coucher avec le fédéralisme le plus étroit ou de se battre à armes inégales et refaire le coup du pot de terre et du pot de fer à perpétuité.

Il y a effectivement peu de communauté d'intérêts et d'objectifs entre les États actuels qui coiffent le Québec et les écrivains du Québec, encore que si c'est une agressivité inaltérable que m'inspire le gouvernement d'Ottawa, c'est plutôt de la sympathie que je nourris à l'égard de l'État du Québec.

Tout simplement parce que l'État du Québec peut devenir l'État des Québécois et que c'est en vertu de cette potentialité que je suis plus près de lui que de quelque autre État que ce soit dans le monde.

Et même le jour où l'État québécois sera unitaire et, partant, pourra être le garant de notre culture québécoise, il lui restera, pour lever toutes les hypothèques de notre méfiance à son égard, à devenir l'incarnation et la réalisation non plus des intérêts d'une classe dominante capitaliste, mais des besoins d'abord et des désirs ensuite de la majorité québécoise, c'est-à-dire des travailleurs.

À ce moment, l'État démocratique réel, l'État où, de façon permanente, la majorité jouera le rôle prédominant, devra être aussi celui des écrivains qui ne doivent pas se voir ni se situer dans la société comme dissidents.

Déformés peut-être, traumatisés même par la seule expérience que nous ayons, celle d'États au service de minorités possédantes, ou tout simplement voués à notre disparition comme peuple et comme nation, nous réagissons comme si nulle autre forme d'État ne pouvait exister et, si j'en juge par les interventions faites jusqu'à maintenant, nous voulons nous situer au-dessus du commun, nous ne voulons jamais être intégrés, engagés dans la construction du pays. Nous rêvons du pays, mais nous ne voulons pas nous y engager. Et pour la majorité d'entre nous, l'écrivain doit rester cet être marginal, fidèle à lui seul et n'ayant de comptes à rendre à personne.

Or en ce qui me concerne, l'écrivain n'est pas un travailleur différent des autres. Il doit s'exprimer librement comme n'importe quel citoyen dans l'État futur que nous devons tous travailler à construire, mais, en même temps, il doit participer à le construire et, comme dans toute assemblée démocratique, respecter les vœux de la majorité. L'écrivain n'est pas, pour moi, cet éternel dissident romantique qui conserve son quant-à-soi dans toutes les circonstances, de peur de casser sa plume.

Ce dont je parle au fond, c'est de l'égalité des citoyens.

Dans cette perspective, il ne me répugne nullement que l'écrivain fasse partie du pouvoir.

(Plus tard, après samedi soir)

Non seulement l'écrivain doit faire partie du pouvoir, il doit prendre le pouvoir. Ce que j'ai vu et entendu lors de cette IXᵉ Rencontre, c'est, dans la majorité des cas, des aveux d'impuissance. Et même des vœux d'impuissance, comme on disait des vœux de chasteté.

On dit souvent: «Le Québec aux Québécois». Ça signifie une chose bien simple: le pouvoir au peuple québécois. Or je fais partie de ce peuple, au même titre que tous. Et c'est le peuple qui doit prendre le pouvoir, donc tout le monde.

Les écrivains vont-ils passer leur temps à récriminer contre des ministres ou des fonctionnaires qui appliquent mal ou trop tard des politiques conçues par des gens qui ignorent tout des problèmes et des besoins réels de la littérature québécoise? Ou les écrivains vont-ils prendre le pouvoir en ce qui les concerne?

La majorité des écrivains présents envisageaient, me semble-t-il, le pouvoir comme un étudiant envisage l'autorité scolaire: avec une agressivité respectueuse et, surtout, un profond sentiment d'hostilité mêlé d'une sorte de respect pour les magiciens de l'administration. Or chacun, dans l'activité qu'il connaît le mieux, peut faire mieux que quiconque. Les écrivains doivent prendre le contrôle de la littérature. Tout comme les entrepreneurs, les ingénieurs et les architectes ont pris, dans le système politique actuel, le contrôle du ministère des Travaux publics au moyen de contributions à la caisse électorale.

Ce moyen nous est interdit, faute de fric, mais nous en avons un autre à plus long terme plus efficace: changer le pouvoir et l'État, et travailler à ce que l'État futur soit la propriété des forces démocratiques dont nous faisons partie.

L'écrivain et les pouvoirs,
IXe Rencontre des écrivains,
Sainte-Adèle, 27-30 mai 1971;
Liberté, juillet 1971

À propos de *Libertés surveillées*
(entretien avec Jean Sarrazin)

J. S.: Maintenant, Gérald Godin, vous venez de publier, également à Parti pris, *Libertés surveillées*, un nouveau recueil de poèmes.

G. G.: Mon cinquième recueil.

J. S.: Il se divise en trois parties: «Cantouques», «Dix ans de ma vie» et «Libertés surveillées». Est-ce que cela correspond à des étapes chez vous?

G. G.: Effectivement, les cinq ans que j'ai été dans l'aventure de *Québec-Presse*[1], une aventure très militante, très accaparante et très peu poétique, en fin de compte, m'ont permis de prendre contact avec un tas de réalités, humaines et autres, dont je fais le bilan dans ce livre.

Il y a eu aussi cette fameuse Crise d'octobre[2], dont on a beaucoup parlé il y a quelques semaines et qui m'a évidemment marqué, parce que c'était du totalitarisme dans un pays normalement paisible qu'on appelle le Québec ou même le Canada: j'ai été profondément marqué par ce qui s'est passé à ce moment-là et il y a cinq, six poèmes qui découlent directement de cette expérience.

«Dix ans de ma vie», c'est les dix dernières années, incluant surtout celles de *Québec-Presse* où j'ai perdu de grands amis et j'en ai acquis d'autres, où j'ai été martelé par certains faits et caressé par d'autres. C'est le bilan de ça que ce livre-là fait.

J. S.: Et *Libertés surveillées*, est-ce la situation actuelle?

G. G.: Aussi bien personnellement que comme citoyen, nous sommes tous, effectivement, en liberté surveillée. C'est la raison de ce titre.

J. S.: Il y a tout de même des éléments extrêmement nets et très forts dans vos poèmes. Je voudrais citer: une bonne santé québécoise, un certain sens de l'humour, une certaine tendresse aussi, et un peu d'amertume.

G. G.: L'humour, je peux en parler, parce que c'est plus conscient que le reste. L'humour, c'est la seule attitude qu'on peut avoir dans le monde actuel, du moins dans ce qu'on en connaît. Je serais en Russie soviétique, je serais russe, j'aurais probablement plus d'humour que j'en ai ici, parce qu'il semble que la répression, d'une certaine manière, y est presque pire qu'ici. Je serais en Chine, j'aurais tellement d'humour que je serais probablement en prison. Je suis au Québec, j'ai également de l'humour, ça m'a foutu en prison aussi. Je pense que, pour éviter de devenir complètement cinglé, il faut avoir un peu d'humour: il faut replacer les choses dans une perspective très relative, même les choses qui sont les plus importantes pour les gens.

J. S.: Est-ce que vous avez un poème que vous pourriez nous dire?

G. G.: Oui. Un poème très court qui s'appelle «Hôtel»: «Il descendit à l'Hôtel des Bouts de Christ / Rue des Bâtards / la nuit du 15 octobre / […] / vers une prison moderne / dont les cellules n'avaient jamais servi».

J. S.: Merci, Gérald Godin.

G. G.: Il s'agit de Parthenais, évidemment[3] (*rires*).

Entretien de Jean Sarrazin avec Gérald Godin,
série *Carnet arts et lettres*, CBF-FM,
Raymond Fafard réalisateur, 10 décembre 1975

---

1. 1969-1974.
2. Octobre-décembre 1970.
3. Voir plus loin «Journal d'un prisonnier de guerre».

Entrevue de Donald Smith
(*extrait*)

Le joual est un instrument utile, indispensable. Godin s'explique: «Le poète a, dans son coffre d'outils verbaux, tous les outils possibles: le français écrit, le français parlé, et le français dans son avatar québécois. Je me suis renseigné sur l'origine des mots. À Trois-Rivières, ville industrielle, j'ai appris la langue du fôremane avec les bûcherons descendant à La Tuque et les marins qui débarquent. À la ferme de Batiscan, pendant les vacances au bord de la rivière, j'ai appris le langage du terroir. C'est un beau transfert, de la main du bûcheron au poète. J'ai vécu ces mots-là. Cantouque, c'est un mot merveilleux qui rappelle cantique, chant, cantate, cantos, c'est du chant, quoi. Il y avait déjà dans *Poèmes et cantos* un refus de lyrisme littéraire.» Godin précise ensuite que l'emploi des trois niveaux de français n'est venu qu'après sa «prise de conscience idéologique». Il se devait d'utiliser la langue parlée ainsi que l'«avatar» québécois pour décrire la condition de l'ouvrier. C'est en lisant un poème d'Apollinaire où l'auteur peint un simple autobus, me confie Godin, qu'il a compris qu'«il faut des autobus dans la poésie», et qu'il a mis «l'autobus 150 Dorchester» dans le cantouque «Cinq heures du soir». C'est le «collectivisme», l'«identification avec ses concitoyens», qui sont les mots d'ordre du poète: «Les écrivains et les poètes ont peur de parler de sujets qui, dit-on, ne sont pas poétiques. Mais la fonction du poète, c'est de contribuer à la liberté des autres poètes, de défricher le terrain.»

Lettres québécoises, mars 1976

«La vraie voie, c'était celle-là»
(entretien avec Gaëtan Dostie — *extrait*)

Moi, je voudrais qu'on entre dans ma poésie comme on entre dans une clairière, qu'il y ait de l'espace, que ce soit simple et clair autant que possible. J'ai toujours eu une sorte d'admiration pour le peuple québécois et une affection très grande pour le langage parlé. C'est, au fond, une option *nationalitaire* et non pas nationaliste (un terme restrictif), nationalitaire dans le sens de prendre en main, de classer des mots à titre de monuments historiques. Et le meilleur moyen pour ce faire, c'est de les mettre dans un poème. Le recours à ce langage a été mal reçu par une critique abusive et ça m'a ancré encore plus dans le sentiment que la vraie voie, c'était celle-là. J'ai systématiquement cherché dans le dictionnaire, dans la colonne de ce qu'il ne faut pas dire. Les mots à éviter étaient les plus vivants, ceux qui avaient du jus!

Cette opération de reconstruction, de collage, à un moment donné, j'y ai consacré la majeure partie de mon travail poétique. Je travaille toujours avec quatre ou cinq glossaires québécois anciens, en plus de mon glossaire personnel. C'est ça qui m'inspire le plus, comme d'écouter les gens[1]...

Le Jour, 23 juin 1976

---

1. Sur cette question des glossaires et dictionnaires, voir «L'époque des "cantouques". Entretien d'André Gervais avec Gérald Godin», dans Gérald Godin, *Cantouques & Cie,* l'Hexagone, coll. «Typo», 1991, p. 159-167.

Entrevue de Jean Blouin

Au début des années soixante, j'étais journaliste au *Nouvelliste* de Trois-Rivières, mais je venais à Montréal régulièrement. En tant que provincial, je me méfiais de tous les intellectuels de Montréal et, surtout, de leurs déclarations théoriques et idéologiques. Inutile de vous dire que le premier numéro de la revue[1] m'avait beaucoup irrité. Les auteurs se qualifiaient de Front de libération intellectuelle du Québec, ce qui me paraissait prétentieux et un peu confortable quand je comparais la situation des vrais felquistes qui, eux, risquaient leur peau et la prison, à celle de ces professeurs de salon.

Il faut dire aussi qu'à l'époque j'étais encore fédéraliste. Les écrits de Trudeau dans *Cité libre* m'influençaient beaucoup. C'est la polémique Trudeau-Aquin de 1963 et le texte de ce dernier, «La fatigue culturelle du Canada français», qui m'a fait tout reconsidérer[2]. En 1963, j'étais en transition.

Ma première contribution à *Parti pris* a été une nouvelle, «Alberts», parue au début de 1964[3]. J'y ridiculisais la prétention des «partipristes» de se croire le Front de libération intellectuelle et j'attaquais ouvertement le vrai FLQ à qui je reprochais de vouloir nous faire passer pour une vraie colonie, situation qui exigeait en retour un vrai terrorisme. Or nous n'étions pas l'Algérie française: nous disposions d'un demi-gouvernement, il n'y avait pas de fascisme ici, pas de torture dans les prisons, etc. Les prises de position de départ de la revue me paraissaient donc excessives.

Entre-temps je m'installe à Montréal; et, en dépit de ma vision critique quasi blasphématoire à leur égard, les directeurs de la revue me demandent d'autres textes.

Le temps passe. Je participe peu à peu aux réunions. Des discussions intellectuelles s'y tiennent dont je ne comprends pas un traître mot. Mais j'abandonne ma superficialité de provincial complexé et je me mets à lire Frantz Fanon, Jacques Berque, Albert

Memmi, les écrits de Maheu et de Chamberland, toute la bibliothèque du parfait décolonisé, par conséquent. Là, j'ai commencé à comprendre l'aliénation québécoise. En sortant de mon ignorance théorique, j'ai aussi révisé mon jugement sur la revue et opté définitivement pour l'indépendance du Québec. Et c'est encore sur cette base que je vis intellectuellement. Mieux: mes lectures ont été mobilisatrices. Une fois que tu as compris, tu te demandes: qu'est-ce qu'on fait pour sortir du cercle infernal néo-colonialisme-sous-développement dans lequel le Québec se trouve encore en partie? D'où mon engagement politique.

Au début, je me confinais à la partie littéraire et à la partie «notules» sur le colonialisme comme il est vécu quotidiennement par les Québécois[4]. Étant très sensibilisé au problème linguistique, c'est à partir de là que le joual m'est apparu comme décalque de notre situation coloniale. Vous savez, il n'y a rien de purement linguistique. Le premier lieu où se manifeste l'oppression économique, c'est la langue. Je me rendais compte que tous ceux qui n'analysaient pas en profondeur la réalité débouchaient sur le mépris des Québécois. À l'égard de la langue, ils disaient: les Québécois parlent mal, il faut donc des campagnes de bon parler français pour qu'ils arrêtent de dire «beans» et disent «haricots-z-au-porc». Voilà le genre de solution que trouvaient notre aristocratie et notre bourgeoisie à un problème historique, économique et sociologique. Même raisonnement dans le domaine des affaires: c'était la faute aux Québécois, pas au colonialisme. Et ainsi dans tous les domaines de notre sous-développement. Ils manifestaient un vrai sentiment de racisme et se plaçaient, comme Trudeau, et Ryan maintenant[5], dans la logique du colonisateur.

La langue est une réalité très importante. En Chine, le régime de Sun Yat-sen, qui a marqué la rupture avec les empereurs[6], a été annoncé par une revue qui défendait la langue populaire contre celle des mandarins. Les jeunes intellectuels de la revue disaient: les mandarins empêchent le peuple d'avoir accès à la culture, l'infériorisent, alors que la vraie langue est celle du peuple. C'est donc elle qu'il faut valoriser. De cette prise de conscience du premier seuil d'aliénation est venu le mouvement qui a porté Sun Yat-sen au pouvoir et ensuite Mao Tsé-toung, qui fut poète en son jeune âge.

Aujourd'hui, le joual n'a plus de portée politique, il n'est qu'un matériau littéraire parmi d'autres.

Je suis devenu responsable des éditions Parti pris, maison toujours vivante, dès les premiers mois, au départ de Laurent Gi-
rouard[7]. L'objectif des éditions était plus large que celui de la revue.
Berque a écrit: «Il n'y a pas de société colonisée, il n'y a que des
sociétés sous-analysées.» Nous avons publié, en proportion, plus de
textes pour analyser le Québec que tout autre éditeur d'ici. Exposer
aux Québécois leur aliénation, leur montrer la culture réelle, celle
des patenteux, faire parler des non-écrivains, tout ça pour les mobi-
liser[8]. On a publié, côte à côte, *On n'est pas des trous-de-cul* de
Marie Letellier et le Gibraltar littéraire que représente Gauvreau.
Les deux doivent être connus, et je ne cracherai jamais sur un non-
écrivain ou un patenteux.

À la fin, la revue avait pas mal fait le tour de son jardin, de
telle sorte qu'elle était moins ressentie comme une nécessité. Elle
ne pouvait que se répéter. C'est dans ce cadre que le schisme est apparu.

En effet il y a eu deux *Parti pris,* reflet de deux tendances bien
représentées encore aujourd'hui dans la société québécoise. La tendance «nationalitaire» — nationalisme d'un peuple qui veut se libé-
rer — et la tendance «socialiste internationaliste». Moi j'étais pour
la décolonisation d'abord, pour le socialisme ensuite. L'autre groupe
considérait la décolonisation comme une chose secondaire. Il disait
qu'on ne changeait rien en remplaçant les capitalistes anglais par des
capitalistes autochtones, ce qui est faux à tous égards. À la fin, un
clan a dit: «Si l'autre reste, je pars.» La revue est tombée.

Le grand mérite de *Parti pris* reste d'avoir «dédouané le nationalisme à gauche», pour reprendre l'expression de Gérard Pelletier. Trudeau et sa revue représentaient le nationalisme comme étant
automatiquement fasciste, automatiquement autoritaire, automatiquement brimeur des libertés individuelles. On a démontré, et le PQ
continue à le faire, qu'il pouvait être ouvert et démocratique. De
toute manière, et c'est une des grandes ironies de l'histoire récente du
Québec, ce sont les fédéralistes qui ont vidé les droits de l'homme
avec la Loi sur les mesures de guerre, et ce sont les nationalistes qui
ont été mis en prison sans mandat, sans cause et sans jamais être
amenés devant un tribunal.

La Presse (Perspectives), 7 octobre 1978

---

1. *Parti pris,* vol. I, n° 1, octobre 1963.

2. Hubert Aquin, «La fatigue culturelle du Canada français», *Liberté,* juillet-août 1963; repris dans son recueil *Blocs erratiques,* Quinze, 1977.

3. «Alberts, ou la vengeance», *Parti pris,* vol. I, n° 5, février 1964.

4. «Les colons et le fric», *Parti pris,* vol. I, n° 5, février 1964, par exemple.

5. Claude Ryan, directeur du *Devoir* (1964-1978) et chef du Parti libéral du Québec (1978-1982).

6. Sun Yat-sen fonde en 1911 le Kouo-min-tang, parti révolutionnaire antimanchou, renverse la dynastie impériale et devient président de la République chinoise.

7. Gérald Godin dirige les Éditions Parti pris de 1965 à 1976.

8. Entre autres: Charles Lipton, *Histoire du syndicalisme au Canada et au Québec (1827-1959),* 1976; Louise de Grosbois, Raymonde Lamothe et Lise Nantel, *Les patenteux du Québec,* 1978; Thérèse Hardy, *Mémoires d'une relocalisée,* 1975.

Les mots citoyens

La poésie peut-elle changer le monde? La politique peut-elle changer le monde? La poésie peut-elle changer la politique? La politique peut-elle changer la poésie?

On n'écrit pas ce que l'on veut. Ce que l'on écrit, c'est ce qui, en nous, veut devenir de l'écrit.

Le Québécois qui invente, qu'il soit Réjean Ducharme, Jacques Godbout ou Louis Saia, n'invente pas de la même manière que Julio Cortazar, Witold Gombrowicz ou Ernest Hemingway.

Exemple: en 1973, ou peut-être avant, un jeune écrivain québécois inconnu du nom de Jean-François Bonin écrit un court texte qui s'intitule «La vraie vie d'Henri Bourassa». Une œuvre de pure imagination. Le troisième paragraphe de ce texte se lit ainsi: «Je travaille au journal *L'Argenté d'Argenteuil,* fondé en l'an 1885 par MM. John McDonald et Claude Ryan.»

Voilà de l'imagination, de l'intuition, pour ne pas dire du prophétisme québécois. Jean-François Bonin savait, quatre ans avant le fait, que Claude Ryan choisirait Argenteuil comme sa circonscription. Il avait deviné aussi qu'il serait argenté, de par sa caisse électorale. Il avait prévu, pour ne pas dire prédit, que Claude Ryan serait intimement lié à John McDonald, par sa défense acharnée du fédéralisme, dont il est devenu le dernier rempart au Québec. Bonin est-il un poète ou un politique?

Chacun de nous qui écrit, qu'il soit éleveur de moutons comme Rémillard, qu'il soit cinéaste comme Lefebvre, qu'il soit mère de famille comme Michèle Lalonde, qu'il soit chauffeur de taxi comme Soudeyns, qu'il soit médecin comme Bigras, sociologue comme Dumont, écologiste comme Dansereau, prêtre pratiquant comme Grand'Maison ou député, n'est pas unidimensionnel[1]. Chacun de nous est lourd de contradictions. Chacun de nous est également une partie d'un tout social qui nous fait plus que nous ne le faisons.

Dans ces conditions, le rapport du poétique au politique est une sorte de faux problème. On demanderait à Roland Giguère s'il pensait à la renaissance du peuple québécois sur les derniers vestiges du colonialisme britannique (qui aura survécu même à la Rhodésie), quand il écrivait *Le défaut des ruines est d'avoir des habitants*[2], et il répondrait non.

On demanderait à Saint-Denys Garneau s'il pensait à la question québécoise quand il écrivait qu'il «marchait à côté d'une joie, d'une joie qui n'est pas à moi», il répondrait non[3]. Et pourtant, c'est lui qui écrit dans son *Journal*: «Le patriotisme [...] peut être un motif d'action. Un climat pour l'action dans la mesure où il nous rapproche de la réalité [...], où il favorise un contact réel avec la réalité.»

Il n'y a donc pas ce qu'on appelle dans les livres ou dans la mythologie de «purs poètes». Lamartine a été député. Et Hugo aussi. Dante a déjà été élu. Alfred de Vigny a même écrit au sujet du Québec, à l'époque du rapport Durham[4]. Parlant des Canadiens français, il a dit: «C'est donc de cette nationalité mourante qu'il s'agissait ce soir au Parlement [de Londres]. On parlait froidement de lui donner le coup de grâce devant moi, Français inconnu, debout au pied du trône vide de la Reine.»

La question n'est pas de savoir ce que les poètes font en politique, mais bien plutôt ce que la politique fait aux poètes. Quant à moi, au cœur d'une mêlée dont je n'imaginais pas la millième partie, je n'ai plus le choix. Je suis dans la politique comme d'autres sont sur la finance. Je ne me possède plus.

Alors qu'on croit déguster la politique, c'est elle qui vous mange. Alors qu'on croit changer le monde, c'est le peuple qui vous met à sa main. Alors qu'on croit s'exprimer, ce sont les citoyens qui écrivent votre partition. Et ne jouez pas faux! Sinon vous êtes pas mieux que morts.

L'homme politique croit peut-être qu'il est quelqu'un. Il n'est qu'un piano que le peuple accorde. Là où il croit maîtriser la situation, il n'est que le jouet des événements. L'homme politique ne s'appartient plus. Il est taillable et corvéable à volonté.

Le rapport de la politique à la poésie, dans ce contexte, c'est, dans le moment présent, le rapport du discours en laisse avec le discours qui s'autodétermine. C'est le rapport du discours-licou au discours-montgolfière. C'est le rapport du discours de commande au discours qui a la bride lousse sur le cou.

Dans le discours politique, il faut toucher, informer, convaincre ou séduire sur-le-champ. Tandis que dans la poésie, le temps n'existe plus, ni l'utilité. Le discours politique, c'est comme les légumes, les œufs, le beurre et le pain; meilleur avant, *best before* telle date.

Ce peut être un exercice poétique que de faire pousser des primeurs qui marchent et qui surclassent les autres, mais sur le plan technique seulement.

Le vrai plaisir, la vraie liberté, le vrai fun, c'est dans le discours qui se joue d'aujourd'hui, qui se fout du rapport émetteur-récepteur, qui s'abandonne à vau-l'eau, comme un fétu sur un rapide.

Ce qui fait qu'on pose la question que l'on pose aujourd'hui et à laquelle je tente ici de répondre, c'est probablement qu'il y a du mystère dans la politique, pour un poète comme Jean Royer. Tout comme il y a du mystère en poésie.

Ce par quoi les deux se ressemblent, en fait, c'est en ce que les mots sont les citoyens de la poésie. Innombrables, imprévisibles, vivants, dynamiques, changeants, intraitables et qui, au fond, dominent absolument ceux qui croient s'en servir.

Le Devoir, 19 avril 1980

1. Jean-Robert Rémillard, *Sonnets archaïques pour ceux qui verront l'indépendance,* Éditions Parti pris, 1972; Jean-Pierre Lefebvre, *Le révolutionnaire,* Les films J.-P. Lefebvre, 1965; Michèle Lalonde, *Speak white,* l'Hexagone, 1974; Maurice Soudeyns, *La trajectoire,* l'Hexagone, 1974; Julien Bigras, *Le psychanalyste nu,* Paris, Laffont, 1979; Fernand Dumont, *La vigile du Québec,* HMH, 1971; Pierre Dansereau, *Harmony and Disorder in the Canadian Environment,* Ottawa, Canadian Environment Advisory Council, 1977 (trad. fr., 1980); Jacques Grand'Maison, *Nationalisme et religion,* Beauchemin, 1970; Gérald Godin, *Libertés surveillées,* Éditions Parti pris, 1975.
2. Roland Giguère, *Le défaut des ruines est d'avoir des habitants,* Erta, 1957.
3. Saint-Denys Garneau, *Regards et jeux dans l'espace,* s. é., 1937.
4. Voir Gérald Godin, «Alfred de Vigny et le Québec», présentation d'Alfred de Vigny: «Les Français au Canada», *Possibles,* automne 1976.

Cette vie d'appétits (notes)

La poésie est le champ de la liberté totale. Est-ce le seul? Peut-être.

Le poète écoute les gens qui parlent comme s'il ouvrait, chaque fois, un coffre au trésor. Il y en a qui nous sortent de joyeux joyaux!

Les fins de semaine, quand il est loin de la foule en délire, *the maddening crowd,* le poète se contente quelquefois de fouiller dans d'autres coffres au trésor, ce sont les dictionnaires. Dictionnaires du parlé, de l'écrit, des *four-letter words,* du *rhyming slang,* de la géographie, de la psychologie, de la météorologie, des cervidés, de la sauvagine, de la flore, de la faune.

Ou encore, il lira ses congénères. «Ce sont des drôles de types qui vivent de leur plume.» Et il agira comme récepteur, comme capteur solaire. Certains liront Prévert et deviendront Prévert. Prévert agira sur eux comme le démarreur ou l'étrangleur, et la machine se mettra en marche. Pour d'autres, ce sera Oscar Vladislas de Lubicz-Milosz: «Les morts de Lofoten sont au fond moins morts que moi.»

Pour d'autres, ce sera Tzara ou Gauvreau ou Paul-Marie Lapointe. Mais les échos qu'ils donneront de ces auteurs qui les boostent peuvent ne ressembler en rien à l'influence subie. Car celle-ci est aussitôt transmuée. D'or, elle peut devenir plomb. Ou d'aile, elle peut devenir nageoire, refaisant en sens inverse le trajet de l'air à l'eau.

D'autres mettront un mot par page. Ou mille mots à la suite, pourquoi pas. C'est suivant l'humeur et le goût du moment.

D'autres feront des variations sur «Au clair de la lune mon ami Pierrot» comme le fit, me dit-on, Rimbaud.

D'autres traduiront de langues étrangères en la leur «les sanglots longs des violons de l'automne blessent [et non pas bercent, malheureux] mon cœur d'une langueur» *et cetera.*

Ce que je, me, moi ai voulu faire dans les pages qui suivent[1], c'est un festin de mots. Mots qui poudroient, mots qui rougeoient, mots qui chatoient, mots que je tournais au soleil comme un achigan dans le crépuscule, sur la Bécancour, dans l'espoir secret de découvrir un achigan bleu, comme il me fut donné de pêcher un doré bleu à Mékinac dans les années cinquante.

30 avril 1981; inédit

---

1. Ces notes sont probablement une esquisse d'«avertissement» à un recueil ainsi intitulé, qui deviendra *Sarzènes*, ou une brève introduction à une lecture publique des poèmes de ce recueil alors en préparation.

Second entretien avec Jean Royer
(*extraits*)

«La politique me ramène à la poésie pour deux raisons, dit-il: elle ne nourrit pas son homme sur le plan de l'esprit et le métier de député me ramène à l'humanité à chaque heure du jour. Je n'ai jamais autant écrit que depuis que je suis politicien. D'autre part, à défaut de substance, en politique, on se retourne vers autre chose. Pour d'autres, c'est la boisson ou la finance. Pour moi, c'est la poésie.»

[...]

«Pour moi, deux choses sont importantes en poésie: le vécu et le rythme. Un peu comme du jazz, le rythme du poème t'amène à poursuivre la lecture du poème. Dans le roman, le maître de cette manière serait Réjean Ducharme. En poésie, je pense surtout à Verlaine. Pound, que j'ai beaucoup lu à l'époque, Mathias Lübeck, Tristan Corbière et Jules Laforgue. Sans oublier T. S. Eliot, qui fut le premier poète à utiliser entre guillemets des bribes de conversations et de paroles de rue. De même, mon nouvel ami en poésie est le Tchèque Seifert.

«Il faut que j'apprenne quelque chose de la culture vécue du monde, quand je lis un poème. Ce que savent les bergers du climat, du paysage et du pays, ce que savent les pêcheurs de la mer, a place dans un poème parce qu'aucun autre livre n'en parle. La poésie est une bibliothèque où l'on peut trouver des mots, des phrases, des livres qu'on ne trouve pas ailleurs.

«J'aime aussi qu'un poète m'apprenne ce qu'on peut faire de plus dans un poème. J'aime lire un poème qui m'apprend un nouvel espace de liberté. Tennessee Williams m'a appris qu'on pouvait parler du stress de bégayer dans un poème. J'espère qu'il y a dans mes poèmes quelques vers devant lesquels les jeunes poètes vont découvrir une nouvelle idée de faire un poème, pour que la liberté la plus totale puisse exister pour celui qui écrit.

«En poésie, il faut oser être simple, modeste et familier. Je ne suis pas un poète de laboratoire. Je suis dans la ruelle derrière. Là où passent les piétons. Je fais une poésie de piéton. Et ce qui me plaît le plus dans la poésie des autres, c'est qu'ils me parlent de choses quotidiennes.

«En fait, *Soirs sans atout* est le premier livre où je parle vraiment de ce que j'ai vécu. C'est relié à une opération chirurgicale au cerveau, à la suite d'une tumeur, et cela m'a ramené à la simplicité[1]. D'ailleurs, je me rends compte, d'après les échos que j'en ai, que les gens aiment qu'on parle de soi. Ils se reconnaissent mieux, je pense, dans une poésie où l'on parle sans apprêt, sans détour et sans mentir. Beaucoup de gens ont vécu aussi, dans leur vie quotidienne, ce qui m'est arrivé comme convalescent. Combien de gens cherchent leur clé à la porte de leur maison? Je pensais que cette situation était reliée à l'opération que j'avais subie mais, en réalité, c'était relié au désordre du monde, qu'on porte en nous, dans notre tête. Et cela est universel. Au fond, mon expérience de convalescent m'a ramené au tourment de vivre et au désordre du monde qu'on a dans sa tête.»

[...]

«C'est ce que j'aime le plus de la culture. L'histoire d'un mot à travers les peuples, les personnes, les patois et les dialectes, qui, tout à coup, arrive à une sorte de consécration en accédant à un dictionnaire sérieux comme le *Littré* ou le *Robert*. C'est peut-être la plus belle aventure humaine qui existe. Je dis «humaine» parce que les mots sont le produit de l'être humain. La plus belle aventure, c'est celle-là, qui est comprise dans l'aventure des personnes. Car, moi aussi, en tant que mot faisant partie du grand dictionnaire québécois, j'ai été soumis à une sorte de stress qui m'a fait me sentir comme un mot transformé. Je me dis que, quand on comprend mieux l'histoire des mots, on comprend mieux l'histoire du monde et de la personne.

«Les mots changent autant que des rochers au bord de la mer battus par les vagues, autant qu'un bois qui pourrit ou qu'un fruit qui tombe. Au fond, l'usure des objets, des personnes et des mots est très révélatrice de ce qui se passe dans le monde. Chaque mot est un artefact. Si on en prend un et qu'on l'examine sous toutes ses formes, on se rend compte qu'il nous parle beaucoup, qu'il nous révèle ce qu'il a vécu. En ce sens, chaque mot est une pierre précieuse, dans la couronne du poème.»

[...]

«Aucun de mes poèmes n'est vraiment terminé, dit le poète. Je dois les retravailler, les polir, comme on dit. La poésie des Grecs, des Latins et des Européens est celle du "faire", rappelle Godin, contrairement à celle des Arabes, par exemple, qui se définit comme "le chant des colombes" et comme une improvisation spontanée. Moi, je peux dire qu'il y a beaucoup de travail dans mes poèmes, il n'y a pas une ligne d'un poème qui n'est pas comptée. Dans la perspective, justement, d'une plus grande vélocité de lecture ou d'un ralenti nécessaire au rythme général du poème. Je compte mes pieds comme tout le monde.»

[...]

«Je sens plus mon public lecteur menacé. Si tout le monde se met à écouter Michael Jackson, qui va écouter Gérald Godin? Je me dis qu'il n'y a pas une institution littéraire francophone — que ce soit *La Presse* ou *Le Devoir* — qui ne puisse pas ne pas appuyer la loi 101. Si on a un public lecteur de quatre millions et demi, on a peut-être une chance d'avoir un début de marché. Je ne comprends pas que *La Presse* ne soit pas sensible à cela — *Le Devoir* l'est plus. Les grands journaux francophones ont besoin d'une loi 101 et d'un public exclusivement francophone dans ce pays. Leur marché est là. Leur marché en dépend. De même, tous les écrivains que nous sommes ont besoin d'une base de lecteurs, protégée par le fait que le Québec est encore francophone. Le bilinguisme serait la fin du marché francophone québécois.

«Mais le succès en librairie des livres français me rassure. C'est une preuve qu'il y a encore des lecteurs de livres en français, même s'ils ne choisissent pas surtout le livre québécois, pour l'instant. Cela prouve, au moins, que le marché est encore là et qu'on peut continuer à écrire. D'ailleurs, je vais publier mes poèmes en coédition, à Paris, en février[2]. J'en suis assez heureux. Il faut croire que le vivier s'agrandit.

«Dans la situation actuelle, il faut continuer à écrire. J'admire beaucoup les VLB et Jacques Godbout qui pondent leur œuvre à tous les deux ans. Je me dis: quel optimisme, quel courage, quel enthousiasme! J'ai une grande admiration pour tous ceux qui n'arrêtent pas de faire leur œuvre, quelle qu'elle soit. Celui qui se met à écrire une page d'un roman ou d'un poème chaque matin, il est comme l'avion qui s'arrache à l'attraction terrestre: il se soulève de terre avec toute l'énergie que cela requiert, avec toute la confiance en soi ou en un lecteur. Et, surtout, avec quelle fragilité se fait cet exercice. N'importe qui peut, en fait, tuer un écrivain. N'importe quelle injure, n'importe quelle injustice peut faire qu'un écrivain cesse d'écrire. Un écrivain a cent raisons d'écrire, il en a mille pour ne pas écrire.»

[...]

«Mais tous ceux qui continuent d'écrire, je les admire énormément. Parce qu'ils attestent de leur foi en la vie et de leur foi en un public lecteur qui les attend. J'admire ceux qui continuent à attester qu'il y a de la vie en eux, qu'il y a de la vie au Québec. Car je pense que ce qui mourra en dernier au Québec, ce sera une œuvre. *Le dernier des Mohicans* sera un roman ou un poème. Et je dis merci à Godbout, Beaulieu, à des éditeurs comme Jacques Lanctôt, de continuer à publier nos œuvres malgré le désordre du monde.

«Je suis pessimiste quant à l'ensemble de l'humanité, mais non quant à la spécificité québécoise, dans la mesure où elle a été beaucoup éprouvée dans son existence et qu'elle est encore là. Elle a résisté à tout. Au régime militaire anglais, à l'échec de 1837-1838, qui est pire que l'échec du référendum parce qu'il y avait eu des morts. Elle a résisté à tout. Pour parler en politicien, disons qu'il y a toujours des braises sous la cendre et que le feu de brousse va reprendre dans l'esprit des Québécois et des Québécoises. Mais, pour parler en tant que poète, disons qu'il y a constamment du travail à faire pour l'écrivain, il y a des œuvres à écrire. Chaque fois qu'un poète écrit, il fait naître un des aspects de la spécificité québécoise. Je pense que la poésie va nous sauver dans la mesure où elle va attester que nous sommes toujours là. Je suis vraiment optimiste. Il y a encore des lecteurs de poésie et des poètes. Je suis un optimiste. Forcené.»

Le Devoir, 11 octobre 1986

---

1. Cette opération chirurgicale a eu lieu le 1er juin 1984.
2. *Soirs sans atout,* Trois-Rivières, Écrits des Forges, et Cesson [plutôt que Paris], La Table rase.

Un parti de poète
(entrevue de Jacques Paquin)

J. P.: La rétrospective que vous avez publiée à l'Hexagone porte un titre magnifique mais un peu énigmatique: *Ils ne demandaient qu'à brûler.* Pouvez-vous m'en parler?

G. G.: Je parle des poètes, des amoureux et des militants politiques. Il faut prendre des risques. Le vrai poète en prend en poésie, le vrai militant en prend en politique tout comme l'amoureux véritable en amour. Il faut se donner pour mieux recevoir et brûler pour mieux se donner. En fait, ça reflète une époque au Québec où les éditeurs, les poètes, les militants politiques, les hommes et les femmes, se jetaient au feu et risquaient tout.

J. P.: Des gens comme vous, comme Gaston Miron, ont été portés par une ferveur nationale, de sorte que les poètes ont pris une place capitale à cette époque-là; alors qu'aujourd'hui, des poètes comme André Roy, par exemple, n'ont pas cette reconnaissance auprès du public. Cela tient sans doute à des conditions sociopolitiques différentes?

G. G.: Disons que la poésie actuelle est une poésie de l'approfondissement du langage. Elle n'a pas l'ampleur sociale qu'elle avait au moment où Miron et moi-même écrivions à nos débuts. Est-ce que ce sont les circonstances ou les poètes qui donnent naissance à ce genre d'écriture? Il faut préciser qu'aujourd'hui, le statut du Québec est différent, il est devenu un pays à mon sens.

À l'époque, souvenons-nous qu'il y avait la Nuit de la poésie. Les poètes parcouraient le Québec pour faire entendre leur voix; ils avaient aussi développé une poésie orale, «oralienne», comme dirait Miron. L'époque se prêtait à cela. (Il y avait des gens en prison.) En montant sur la scène, les poètes se liguaient pour ramasser des fonds qui étaient versés au comité d'aide à Charles Gagnon, alors prisonnier politique. Il y avait des tournées à travers tout le Québec, c'étaient donc des circonstances assez exceptionnelles. Ces années-là nous nourrissaient énormément avec leurs sujets, leurs thèmes, leurs mots. On faisait salle comble au Gesù, ça débordait de monde dans chaque cégep où on allait. La conscience politique était beaucoup plus développée que maintenant. Les idées nous portaient et nous les portions à notre tour. C'était l'âge de la poésie publique.

Mais, est-ce qu'il y a un bon poème qui reste de cette époque? La question reste ouverte. Le plus grand peintre du XXe siècle, Pablo Picasso, n'a fait qu'une seule œuvre politique: *Guernica*. Ça pose d'ailleurs un problème au créateur: comment rendre un message politique en art? Ça prend une maîtrise extraordinaire pour réussir à faire à la fois un poème qui dure et qui soit politique, parce que la politique est très marquée par le temps. Le message politique est destiné à périr comme les tomates qui viennent de mûrir. Ça ne dure d'ailleurs pas très longtemps, un poème. L'idéologie est continuellement datée. La Résistance française est un événement historique très connu, avec un début et une fin. Elle a même inspiré des poèmes. Mais l'anthologie de Seghers en comporte peu qui passent l'examen. Parmi les poèmes engagés, je ne connais que ceux d'Aragon qui passent la rampe. Mais ça demeure très difficile, ça demande un métier extraordinaire et un sujet qui dépasse, en quelque sorte, une époque.

Quant à moi, je pense que le sujet universel, c'est la douleur. Mon recueil, *Soirs sans atout*, porte principalement sur la douleur. Il a été beaucoup plus lu que mes livres à sujet proprement politique. Je pense donc que le Québec ne peut être traité comme sujet universel, parce que c'est un événement qui a eu lieu, qui est daté. Ce sont plutôt les thèmes universels comme la douleur et l'amour, ou la résistance à l'empire américain. Ces thèmes durent plus longtemps que le Québec des années soixante-dix.

J. P.: Mais vous, qui êtes à la fois poète et homme politique, comment conciliez-vous ces deux aspects que vous venez de nous présenter: la tendance pour le poète à s'inscrire dans l'universel, et celle, pour l'homme politique, d'être irrémédiablement lié au daté, à l'événementiel?

G. G.: Pour moi, c'est la même chose, ça rejoint le même élan dans le même individu. Je n'ai pas de tourments de ce type-là. Je suis bien dans ma peau pour toutes sortes de raisons personnelles que je n'énumérerai pas ici, mais je n'ai jamais connu ce genre de déchirement. Un jour, Antonine Maillet m'a posé la question: «Ça doit être difficile d'être député et de devoir se soumettre à un parti politique?» Non, ce n'est pas ça qui m'a torturé comme homme politique. C'est beaucoup plus, par exemple, lors d'une grève des Postes, cet homme qui attendait un chèque du bien-être social et qui ne l'a pas reçu. Il est venu à mon bureau et m'a demandé une avance sur son chèque. À ce moment-là, le problème que j'ai eu s'est posé de la façon suivante: cette avance de deux cents dollars ne va-t-elle pas polluer nos rapports puisqu'il y a dette à rembourser? Le vrai tourment est lié à la misère des démunis que j'ai pu observer dans ma circonscription. Au fond, ça aussi, c'est un sujet littéraire et universel: cette impuissance à régler les problèmes réels, concrets. Voilà le véritable problème du politicien; beaucoup plus que l'adhésion à une ligne de parti, la liberté ça implique ou non l'emprisonnement ou dans un principe ou dans un programme.

J. P.: Est-ce que des poètes vous ont reproché de vous soumettre à une ligne de parti ou d'être lié au pouvoir?

G. G.: En fait, les problèmes vécus par un politicien ne sont pas du tout opposés à la poésie ou à la création littéraire, parce qu'on se rapproche dans les deux cas de l'être humain. N'importe quel grand écrivain a décrit, compris et montré la réalité humaine. Le politicien, quant à lui, a l'avantage d'être très près de cette réalité dans sa circonscription, dans son pays, et de voir les gens dans leurs splendeurs, grandes et petites. Dostoïevski, dans ses romans, parle de l'être humain déchu. Le député, de son côté, rencontre des gens démunis qui non seulement le rapprochent de la réalité humaine, mais lui font voir la façon dont ils réagissent à cette misère. Certains députés deviennent obséquieux, se vendent; d'autres, au contraire, deviennent plus fiers qu'ils ne l'ont jamais été. La coexistence de ces deux réalités constitue la principale expérience humaine de ma vie. Ça m'a permis de comprendre le comportement humain dans son infinie diversité, comme disait Sinclair Lewis.

J. P.: Vous avez défendu ardemment la culture québécoise toute votre vie tant comme homme politique que comme poète. Pardonnez la naïveté de cette remarque, mais on retrouve de nombreux mots anglais dans vos poèmes; cela n'entre-t-il pas en contradiction avec votre militantisme en faveur de la culture d'ici?

G. G.: Je constate que, dans ma vie quotidienne, il y a beaucoup de mots anglais et de plus en plus chez les jeunes. À l'époque, quoi qu'on dise, c'était moins présent qu'aujourd'hui cette imprégnation de l'anglais dans le langage quotidien des francophones du Québec. À ce moment-là, je le faisais beaucoup plus par provocation. J'ai écrit un poème en anglais durant la Crise d'octobre: les Anglais du Canada se sont battus dans la ville de Montréal contre la guerre du Viêt-nam, contre mille et un événements politiques nord-américains, mais ils n'ont pas levé le petit doigt contre le fait que le gouvernement fédéral suspende les droits des Québécois pendant un ou deux mois. Je leur ai dit dans leur propre langue ce que je pensais d'eux.

Dans un autre ordre d'idée, j'ai utilisé des mots allemands aussi. J'ai toujours cru que les langues venaient d'une langue unique. D'ailleurs, quand je fais la recherche des mots, je me rends compte que les racines des langues sont les mêmes, latines ou grecques ou sanskrites en Europe. Je suis maintenant, non plus au stade du «joual», de la langue parlée au Québec, mais près de ce qui unit entre elles toutes les langues, ce qu'elles ont en commun. C'est bien sûr aussi très poétique et c'est la création humaine la plus fabuleuse. J'accorde ainsi plus d'importance à la communion qu'à la différence.

J. P.: Quel regard jetez-vous aujourd'hui sur l'ensemble de votre production poétique?

G. G.: Ce qui me frappe le plus, c'est que les gens qui me lisent sont touchés; parce qu'on ne sait jamais, on lance une bouteille à la mer. Et dans mon cas, vingt-six ans de poésie, ça fait beaucoup de bouteilles! Ça m'émeut toujours que des gens disent avoir aimé tel ou tel poème. Mais peu de gens peuvent me dire pourquoi.

Au début, quand je publiais un recueil et qu'il se faisait «planter», ça me décourageait. Mais après sept recueils et un huitième en cours, je suis encouragé plus que jamais à continuer. Je me rends compte aujourd'hui que trois cents pages de poésie, c'est important. En me relisant, je retrouve les raisons d'écrire que j'avais alors, et qui m'étaient complètement sorties de l'idée. Je me demande moi-même comment j'ai pu écrire ces lignes. Qu'est-ce qui m'a amené à écrire de telle manière? J'ai dû subir des mutations comme poète en vingt ans.

Ce qui me plaît dans ces poèmes d'alors, c'est que je suis tenté de retrouver les moments de conscience qui les ont inspirés; il m'arrive d'essayer de les reproduire pour de nouveaux poèmes à venir. Aussi, ce qui me porte à écrire maintenant, c'est le plaisir. Je veux étendre mon registre de poète.

J. P.: Est-ce que vous êtes, comme certains auteurs, poussé à rechercher le «poème parfait»?

G. G.: Malraux dit: «J'ai toujours mieux aimé la création que la perfection[1].» Je considère, après vingt-six ans de poésie, qu'il a raison parce que, si je m'étais écouté, un grand nombre de mes poèmes n'auraient sans doute pas été publiés. D'autre part, après tant de temps, les gens les lisent encore. Et comme disait un grand faussaire: «Dans quelle mesure un faux Modigliani ne devient-il pas, en réalité, un authentique Modigliani[2]?»...

J. P.: Avez-vous l'habitude d'envoyer certains poèmes dans des revues avant de les publier en recueil?

G. G.: Oui, j'ai publié certains poèmes dans quelques revues. En ce qui concerne mon avant-dernière publication, j'en ai envoyé au *Bulletin* de l'Association des cérébro-lésés du Québec. J'ai développé une amitié avec ces personnes qui sont passées par la même épreuve que moi. Je leur envoie souvent mes textes qui portent sur ce sujet parce que ce sont tout de même les meilleurs lecteurs de cette poésie. Des passages de *Soirs sans atout* racontent les tourments d'une réhabilitation à la suite d'une aphasie partielle et d'un trouble du langage. Mon meilleur public, c'est donc celui-là. C'est dire que je choisis mes publics, tout simplement.

J. P.: Pouvez-vous vous représenter facilement le profil de vos lecteurs et de vos lectrices?

G. G.: Quand je lis certains auteurs que je ne nommerai pas — et je ne leur enlève pas cependant l'importance qu'ils ont dans la littérature québécoise et francophone —, je me rends bien compte que leurs textes ne me disent strictement rien et même qu'ils ont un effet très négatif sur la poésie. Quant à moi, je veux que mes textes soient compris par mes voisins de la rue Pontiac et dans ma circonscription. Et d'ailleurs, j'ai autographié deux de mes recueils à mes voisins: c'est ça, à mon avis, la gloire littéraire.

Je vais vous dire mon rêve: c'est que les électeurs choisissent quelqu'un parce qu'il est poète, avant toute chose. Je souhaite que tous les poètes deviennent députés. Je veux que mon exemple soit suivi par beaucoup d'autres. Ça peut arriver et ça peut être tentant parce qu'au fond, j'ai vendu plus de livres comme député et ministre que si j'avais été journaliste. Ça peut convaincre les poètes que le plus court chemin vers les lecteurs, c'est de se faire un nom ailleurs. Je souhaite qu'on fasse un parti de poètes, pourquoi pas? Un parlement de poètes, puisque nous sommes des «oraliens», des oraux.

J. P.: Comme dernière question, je vous demanderai de nous parler de votre prochain recueil qui est en cours de publication.

G. G. J'ai un titre mais mon éditeur me le refuse: *Le S S Mihalis Lomis*. C'est un bateau grec que j'ai vu passer devant moi, à Québec. Je l'ai pris comme symbole du rêve dans mon prochain recueil. Dans mon enfance, il y avait le port, ici à Trois-Rivières, où j'ai vu défiler des bateaux qui allaient vers où? vers quoi? qui m'approvisionnaient en rêves. C'est donc le titre que j'ai choisi; mais je serai peut-être obligé de le modifier si mon éditeur persiste à le refuser[3].

Le Sabord, Trois-Rivières, printemps 1988

1. Voir la note 2 de la page 268.
2. Voir la note 3 de la page 239.
3. L'éditeur persistant, le livre paraîtra sous le titre de *Poèmes de route*.

Poésie et politique

V. V.: Monsieur Godin, vous avez été poète, journaliste, vous êtes toujours poète…

G. G.: Je… j'espère…

V. V.: Vous avez été ministre, vous ne l'êtes plus tout à fait; vous êtes à un poste ministériel beaucoup plus limité. Qu'est-ce que vous préféreriez que l'on retienne de votre passé récent?

G. G.: La poésie…

[…]

V. V.: Vous avez été nommé ministre de l'Immigration au début des années quatre-vingt; vous avez été journaliste, poète, ministre… Qu'est-ce que vous préférez retenir de votre existence passée?

G. G.: La poésie, évidemment.

V. V.: Pourquoi la poésie?

G. G.: Parce que la poésie reste plus longtemps que les lois. La poésie dure plus que les lois.

V. V.: Vous pensez avoir dit plus dans vos poèmes que dans vos arrêtés ou que dans vos règlements ministériels?

G. G.: Pour plus longtemps, j'espère.

V. V.: Il y a quelque chose qui me gêne dans votre préférence pour la poésie, c'est que vous n'avez pas eu d'hésitation à sauter dans l'arène politique.

G. G.: C'est parce que, au fond, quand j'étais journaliste, je trouvais que le journalisme c'était bien, mais ça ne débouchait jamais sur de l'action. On disait aux gens ce qu'ils devraient faire. On les critiquait beaucoup, mais ça ne réglait pas les problèmes. Ce qui peut vraiment régler les problèmes, c'est quand on est en Chambre, au Parlement, et qu'on décide de ce qui va arriver. Dans ce sens-là, c'est le passage de la réflexion à l'action.

[…]

V. V.: À côté de vos propos poétiques, est-ce qu'il n'y a pas une sorte de déphasement avec le type de propos très officiels que vous êtes obligé de tenir quand vous êtes ministre?

G. G.: J'ai souvent tenté, je dois dire, de faire les deux: de mettre un peu de poésie dans mes interventions ministérielles et, à l'inverse, peut-être un peu de ministère dans la poésie.

V. V.: Mais, si vous mettez un peu de ministère dans la poésie, arrivez-vous à mettre un peu de poésie dans le ministère?

G. G.: J'ai essayé, en tout cas. Je peux vous citer un cas où j'ai essayé: quand je comparais le Québec aux rivières dans lesquelles les saumons viennent se reproduire. Je pense que les petits peuples sont comme les rivières où les saumons se reproduisent. C'est l'inscription d'une vision poétique des choses dans le discours officiel.

V. V.: Mais nous avons des époques où les saumons doivent descendre le cours du fleuve et être attendus par des pêcheurs...

G. G.: ... ou aller à la mer! Les pêcheurs, c'est une incidence secondaire, au fond. Ce qui est important, c'est que la mer est là où les saumons se multiplient, si vous voulez, ou deviennent plus «matures». Mais les rivières sont les lieux où ils viennent au monde, où ils viennent se ressourcer et faire d'autres saumons. Les deux se complètent. Les grands ensembles et les petits pays se complètent, je pense, sur le plan culturel.

Entretien de Jean-Victor Nkolo avec Gérald Godin
(*extraits*), décembre 1984; *Vice versa*, juin-juillet 1985

❏

Bref, face à un destin aussi exemplaire [le nôtre] au sein d'une civilisation qui entretient le culte du papier, la tradition orale noire [africaine] représente une contre-proposition riche «en authenticité et en simplicité — deux valeurs que je vise en tant que poète et politicien», déclare le ministre.

Entrevue de Marie-Christine Abel avec Gérald Godin
(*extrait*); *Le Devoir*, 19 octobre 1985

❏

La poésie, c'est une recherche alchimiste sur le verbe. Ma recherche poétique m'a beaucoup aidé en politique. Je suis devenu un expert en mots. J'ai étudié l'histoire des langues, même le sanskrit (langue indo-européenne). C'est la plus grande aventure du monde. Les Grecs, les Latins, les Indiens (de l'Inde) ont beaucoup voyagé et laissé des mots dans le monde entier. C'est ce que j'appelle l'interfécondation des cultures. L'an 2000 s'en vient et je voudrais que notre système scolaire soit le premier à enseigner les racines des mots. Ce qu'ils ont en commun. C'est comme cela que je vois ma jonction entre politique et poétique. La construction d'un pays exceptionnel qui nous aurait permis de découvrir ce que nous avons de commun par l'étude des mots. Et cette recherche est la solution politique pour le pays.

> Entrevue de Raymond Bernatchez avec Gérald Godin
> (*extrait*); *La Presse*, 21 novembre 1987

❏

«Être écrivain a été le plus grand objectif de ma vie, plus que devenir politicien. Ça passe avant tout, ça me passionne plus que la politique», confie Gérald Godin à la Presse canadienne.

Depuis qu'il s'est fait élire à l'Assemblée nationale, en novembre 1976, on a pris l'habitude de penser à lui uniquement en tant qu'homme politique, mais Gérald Godin est réellement un homme de lettres, qui a été poète et journaliste bien avant d'entrer en politique.

[...]

«Je suis passé au roman[1] parce que je voulais changer un peu, je trouvais que la poésie était devenue une niche trop confortable. Je ferai encore de la poésie mais je n'aime pas m'installer dans quelque chose qui va bien», ajoute l'écrivain.

«J'ai toujours du plaisir à faire de la poésie. C'est pour moi une nécessité absolue. En autobus, en train, quand je m'en vais à Montréal ou que je m'en reviens. Quand arrive la première neige, ça m'inspire un poème et je le fais», explique-t-il dans une entrevue à la Presse canadienne. «[...] la poésie ne correspond pas aux lois du marché. Ça correspond plutôt à une pulsion intérieure plus forte que tout, qui te porte à croire que le meilleur moyen pour rendre compte de tes sentiments, c'est un poème.»

[...]

Il utilise des vers libres parce qu'il croit que les vers classiques imposent trop de limites. «On est trop prisonnier de la forme à ce moment-là», explique-t-il, lui qui affirme ne vouloir être prisonnier de rien, pas plus des lettres que de la politique.

«Parce qu'au fond, ces activités littéraires, ce sont des congés dans mon métier de politicien. Je ne vais pas m'encarcaner dans d'autres formes contraignantes. Je n'aime pas les contraintes.»

Entrevue de Bernard Racine avec Gérald Godin
(*extraits*); *La Presse*, 3 et 4 janvier 1990[2]

❑

Je désirais savoir à quel moment il avait ressenti l'urgence d'un engagement autre que celui de l'écriture. «Après des années de reportage au Québec sur le français qui foutait le camp, je me suis rendu compte que le seul moyen de faire du changement, c'était de passer des lois et d'être à l'Assemblée nationale pour intervenir dans le feu de l'action de la réalité politique du pays. Donc la politique, pour moi, était vraiment un moyen beaucoup plus précis et concret de changer des choses. Plus que la littérature.»

[...]

«Et même en étant en politique, la poésie me procure la possibilité de m'envoler vers des dimensions tout à fait autres de la vie, parce qu'au fond, moi, j'écris à partir des mots des gens. Je note les mots des gens que je rencontre et ces mots deviennent la base de mes poèmes. Je m'alimente dans leur vivier de mots. Il s'agit d'un terreau inépuisable et incroyable, ce terreau humain, le terreau des mots parlés quotidiennement par les gens de Mercier. La principale création d'un peuple, c'est ses mots.»

Entrevue de Susy Turcotte avec Gérald Godin (*extraits*);
Nuit blanche, Québec, juin-août 1990

❏

Tout le monde, critiques et amis écrivains, a trouvé à redire à mes poèmes en joual.

Ce n'est pas de la poésie et puis ces mots sont si vulgaires! Où est la création là-dedans?

Surtout ne pas se laisser emmerder. Au bout du tunnel il y aura de la lumière. Il m'a fallu faire le détour politique pour qu'on me reconnaisse comme écrivain, quelle humiliation! Sans mon statut de député, l'écrivain n'existe pas, c'est aussi simple que ça.

> Sur la page de garde de *Testament* (Paris, Belfond, 1968; réimprimé sous ce titre en 1977 et 1990), entretiens de Dominique de Roux avec Witold Gombrowicz; livre acheté à Paris le 27 février 1991

❏

V. G.: Comment un député trouve-t-il le temps d'écrire?

G. G.: J'écris en mouvement, dans le train, l'«étaubus», la voiture. En fait, le bercement me donne l'inspiration. Mais pour un ouvrage comme celui-là[3], il me fallait rester bien assis à une table.

V. G.: La rencontre entre le politicien et le poète se fait-elle facilement?

G. G.: La poésie vient de la rue; les mots de tous les jours alimentent le poète. Chaque fois que quelqu'un passe à mon bureau, je note, dans mon petit lexique personnel, les expressions que je n'ai jamais entendues et je m'en sers à la première occasion...

V. G.: N'avez-vous pas craint, en prenant le pouvoir, de perdre le «chant du poète» qui vous habitait?

G. G.: Pas du tout. Les discours des politiciens contiennent souvent des références poétiques. Et lorsqu'on est au pouvoir, on a l'occasion de faire beaucoup de discours, partout.

V. G.: Le pouvoir, c'est plus que des discours et un simple jeu langagier...

G. G.: C'est un poste d'observation unique. La nature humaine nous apparaît sous son plus beau jour (*sic*)... On constate que le sort du monde ne se joue pas au Conseil des ministres, mais dans le cœur de l'homme. Et je crois que le poète, par son langage, peut s'adresser au cœur des individus. Il est peut-être le seul à pouvoir le faire!

V. G.: Le pouvoir de la poésie serait plus réel que celui du politique?

G. G.: Je le crois. Les gens m'appellent le député-poète, et la mythologie qui entoure ces mots jette une sorte d'auréole autour de ma personne. Ça me permet plus de liberté; je peux dire les choses différemment. Plus fortement.

Entrevue de Véronique Gagnon avec Gérald Godin
(*extrait*)[4]; *MTL*, mai 1991

1. *L'ange exterminé*, qui paraîtra à l'Hexagone en février 1990.
2. Dans *La Presse* du 3 janvier, le titre est «Gérald Godin, écrivain avant d'être politicien»; dans *Le Journal de Montréal*, «Gérald Godin. Plus que la politique, l'écriture»; etc. Dans *La Presse* du 4 janvier, le titre est «D'où vient donc la poésie de Godin?»; dans *Le Soleil* (6 janvier), Québec, «Homme politique, ex-ministre, ex-journaliste, éditeur. Gérald Godin est aussi un authentique poète»; etc.
3. *Émile Nelligan revisité*, qui paraîtra à l'Hexagone en novembre 1991.
4. Sous le titre «Poésie souveraine», la première phrase du chapeau de cette entrevue se lit ainsi: «Depuis vingt ans [*sic*: bientôt quinze ans], il concilie l'inconciliable: la politique et la littérature.»

III

Engagement, politique

Journal d'un prisonnier de guerre

Vendredi, 16 octobre, cinq heures du matin. Réveil en sursaut. Des voix d'hommes me parviennent à travers la porte de ma chambre. «Y en a-t-il ailleurs, as-tu fait le tour de la maison?», etc. J'enfile mes pantalons, j'ouvre la porte, trois policiers sont sur le palier. La première idée qui me vient: il s'agit de pompiers venus éteindre un feu dans la maison. Puis, sans armes, ils me disent de ne pas bouger. «Avez-vous un mandat? — On n'a plus besoin de mandat, monsieur, il y a une loi spéciale qui a été votée, on peut perquisitionner où l'on veut sans mandat et arrêter qui l'on veut sans mandat. Écoutez la radio, vous allez voir.» Tout ça dit avec une sorte de sourire triomphant. Des images me passent par la tête. Cet ami polonais qui s'était jeté par la fenêtre quand les policiers avaient fait irruption chez lui, vers 1965. Et des images de cette publication distribuée aux écoliers du secteur primaire dans les années quarante et qui s'intitulait *À quand notre tour.* Une publication qui visait à semer la peur du communisme dans nos jeunes têtes. J'avais huit ou neuf ans à l'époque. Une sorte de bande dessinée de la terreur, où la police secrète faisait irruption chez les gens, en pleine nuit, pour les arrêter. Chez nous, la perquisition dure deux heures environ. On saisit deux machines à écrire, des carnets de chèques, des livrets de banque et une masse de documents qui vont de l'affiche «Québec sait faire l'indépendance» à un numéro de *La Claque,* petit journal de gauche montréalais. Tranquillement, le climat se détend. Le policier le plus agressif devient presque gentil. Ils sont quatre en tout, dont un en civil. Puis, après la perquisition, on part.

Dans une vieille Chevrolet bleu foncé sans identification, tout le monde s'en va vers une destination inconnue de moi. Les policiers se demandent quel chemin prendre pour Parthenais, aussi appelée la «prison de Montréal». On prend Sainte-Catherine. En passant devant le cinéma Le Parisien, le policier qui était agressif au début me demande si j'ai vu le dernier film de Denis Héroux, *L'amour humain.* «J'ai vu ses deux premiers, ça me suffit», dis-je. «Les films canadiens, je n'aime pas ça, dit-il. Ma femme a vu *Deux femmes en or,* elle m'a dit que ce n'était pas bon, j'étais content de l'avoir manqué. — Moi, j'ai trouvé qu'il y avait des bouts drôles.» On entre par le garage souterrain.

Les voitures de police font la queue. Un policier de Montréal qui croise à pied la voiture dans laquelle je suis me lance une remarque hargneuse. Ce sera la seule de mes huit jours de détention.

C'est la séance de photos, comme pour les criminels, puis on passe au contrôle où on nous enlève tous nos effets personnels. À ce moment-là, je deviens un numéro. Le 1738. Puis c'est une série de questions sur mon état civil: date de naissance, poids, couleur des yeux, etc., et une interminable série d'empreintes digitales. Ça se fait comme une danse. Le préposé aux empreintes vous prend un doigt après l'autre, vous balance à droite pour encrer le doigt et vous balance à gauche pour imprimer le doigt sur le fichier. Il ne manque que la musique.

Ensuite, on sort du monde des vivants… On entre dans le bloc cellulaire.

Le langage change. «Numéro 1738», «cellule X ou Y», je ne me souviens plus. Le corridor est étroit et sans fenêtre. Puis, c'est le sas. Une porte s'ouvre électriquement. J'entre dans le sas, la porte se referme derrière moi. Puis, la porte devant s'ouvre et on m'amène jusqu'au bout du corridor vers la cellule. À gauche, ce sont des cellules à portes pleines, avec une sorte de hublot. Les occupants voient de leur cellule la rue Parthenais. À droite, ce sont les cellules sans fenêtre, sans vue sur l'extérieur, dont les portes à barreaux donnent sur le mur de la cellule voisine. La cellule où l'on m'emmène est une cellule commune: plancher en ciment de couleur rouge, murs et plafond de couleur jaunâtre. Tout un mur est en barreaux qui donnent sur le chemin de garde et les fenêtres surplombent la rue Fullum.

Nous sommes une dizaine. Nous serons tout à l'heure trente-cinq. Il est sept heures et demie. Il y en a qui sont debout, adossés au mur, d'autres qui font les cent pas, d'autres qui sont couchés sur le ciment. Je fais comme eux. Un ou deux d'entre nous ont encore leur montre. De temps en temps, la porte s'ouvre avec fracas et un nouveau prévenu nous rejoint.

Personne n'a déjeuné. Vers dix heures, on commence à parler de manger. De dix heures à une heure, l'agitation augmente en même temps que la faim. Des camions de biscuits Viau passent dans la rue, comme des provocateurs. Enfin, à une heure, trois gardes arrivent avec un immense panier rempli de sacs en papier brun. Chaque sac contient deux sandwiches au jambon et deux biscuits. Et ensuite, on nous offre, au choix, thé ou café. On se jette sur les sandwiches avec fureur. C'est un festin.

Après dîner, si on peut dire, c'est la sieste. Mais nous sommes déjà trop nombreux, il n'y a plus de place le long des quatre murs pour que tout le monde puisse s'allonger. On se relaie, sur le ciment poussiéreux. Un prévenu qui cède sa place à un autre lui dit: «J'ai amolli le matelas, c'est plus confortable.» Un autre dit: «J'ai réchauffé le lit pour toi.» La solidarité commence.

De temps en temps, des prévenus sont appelés pour interrogatoire. Quand ils reviennent, on les entoure comme des postes de radio pendant la guerre. Va-t-on savoir enfin pourquoi on a été arrêtés? Ceux qui ont des cigarettes les font circuler.

Au cours de cette première journée, mon sentiment majeur est d'être déraciné. De flotter dans l'incertitude absolue. Pourquoi suis-je ici? Si au moins on m'interrogeait, je pourrais savoir à quoi m'en tenir. Est-ce des choses que j'ai pu dire, écrire ou publier? Si je le savais, je pourrais reprendre pied sur du solide. Pour l'instant, c'est le vide.

Après la sieste, le sport commence. Avec les sacs à sandwiches, il y en a qui se font un ballon et deux équipes se forment. «Ceux qui seront punis sortiront de la cellule.» D'autres font des blagues sur notre statut de prisonnier de guerre. On demande au garde: «Est-ce que la guerre est finie?» D'autres se disent: «Au moins, ici, on ne se fera pas ramasser.»

Vers quatre heures, la cellule commence à se vider, par petits groupes. À sept heures, mon tour arrive. On nous emmène six, dont quatre de la cellule voisine, pour une destination inconnue. On repasse le sas. On ouvre la porte débouchant sur le corridor quand il y a un contrordre.

On regagne tous le sas. Personne ne sait ce qui se passe. Personne ne dit à personne ce qui se passe. Le garde-barrière lit *Sélection du Reader's Digest*. Nos gardiens s'associent. Nous, on attend.

On attendra une heure dans le sas. Nous sommes six dans un espace de quatre pieds sur quatre, entouré de barreaux sur trois côtés. Quand un autre prisonnier passe par le sas, c'est la boîte de sardines.

Puis, une heure plus tard, quelqu'un a l'heureuse idée de nous mettre en cellule commune. Il paraît qu'on est libérés.

Une heure et demie passe. Là encore, on nous sert deux sandwiches au jambon et du café. On se plaint du café à un gardien qui nous répond: «On ne vous donne pas du café fort pour ne pas vous empêcher de dormir.» C'est un humoriste. Les relations sont polies. On nous offre du café une deuxième fois, quand la cantine repasse.

Et enfin, on prend tous l'ascenseur pour en haut, vers une destination inconnue. Des bêtes à l'abattoir n'en savent pas plus que nous.

L'étage où nous arrivons est celui de l'infirmerie. Là, nouvel interrogatoire en vue de remplir une nouvelle formule. Ce sont les mêmes questions que le matin même, plus quelques précisions sur la parenté. Ensuite, c'est la fouille en règle. On se déshabille et tous nos vêtements sont minutieusement palpés. Nus, on nous fait poser les mains sur le mur et on nous inspecte jusqu'à la plante des pieds. On garde ce qui a échappé à la fouille sommaire de l'avant-midi. Je me rhabille, on me laisse ma cravate, ma ceinture et mes lacets de souliers, contrairement à ce que j'ai vu au cinéma, puis j'attends encore un quart d'heure.

Enfin, un garde me fait signe de le suivre et me conduit à pied, parce que l'ascenseur est occupé, du dixième étage à ce qui sera mon territoire pour une période de temps inconnue au moment où j'y entre: le treizième étage. Là encore, du quartier des gardiens au bloc cellulaire, il y a un sas. Après le sas, on me conduit à ma cellule et je deviens le numéro 13 AD 1, c'est-à-dire treizième étage à droite, cellule 1.

Le matelas en crin aggloméré est appuyé au mur. Sur le lit en fer, fixé au mur, deux draps étroits et une couverture de laine grise, trouée à deux endroits. La cellule est d'environ neuf pieds sur cinq. Côté droit, le lit et une penderie. Côté gauche, fixées au mur, une petite table et une banquette. Au fond, les toilettes et, entre les toilettes et le lit, un évier. Eau chaude, eau froide, et les robinets sont à la pression du doigt.

À mesure que le temps passe, de nouveaux prévenus sont conduits à leur cellule. Au cours de la soirée, il y en aura vingt-quatre. Notre bloc cellulaire est plein.

Samedi, 17 octobre. La nuit a été coupée en tranches par les rondes des gardiens. À chaque ronde, ils doivent passer par le sas qui fait un bruit infernal.

En pleine nuit, les lumières s'allument. Quelqu'un crie: «Ouvrez les lumières, ouvrez les lumières. Déjeuner, déjeuner. Deboutte, deboutte.» La porte de ma cellule s'ouvre, un gardien pousse dans le corridor un chariot d'aluminium toutes portes ouvertes avec un cabaret sur chaque tablette. Un autre gardien est devant ma porte avec le cabaret. «Viens le chercher», dit-il. Mon premier repas de prisonnier de guerre. Du gruau à la consistance du blanc-manger. Trois toasts. Un carré de beurre sur la première. Un bol d'aluminium avec un mélange infect de café-thé-chocolat chaud, ce que l'on peut appeler du tafé ou du cathé. Imbuvable. Il prend le chemin des égouts. Et le gruau blanc-manger aussi. Les toasts sont O.K. Pour faire passer les toasts, marche de santé. Quatre pas devant, quatre pas derrière, c'est tout notre univers.

Une demi-heure après, les gardiens reprennent les cabarets en disant: «Gardez vos ustensiles.» Ensuite, c'est le silence.

De ma cellule, je vois les rues Ontario et Sainte-Catherine, Radio-Québec, le pont Jacques-Cartier et une partie de Terre des Hommes. Au mât de Radio-Québec, un drapeau fleurdelisé qui fait des signes.

Le jour se lève, tout rose. Je me recouche.

Une heure ou deux plus tard, et pour une période ininterrompue de quatorze heures, les chansons françaises de la station CFGL-FM, de Laval. Chaque fois que l'indicatif des nouvelles commence, tout le monde se tait. Puis, le speaker commence: «La prem...», et c'est coupé. Nous sommes détenus *incommunicado*! Aucune nouvelle, ni écrite, ni parlée, ni télévisée. C'est une longue journée qui commence. J'essaie de me noyer dans le sommeil. C'est inutile, je flotte sur les chansons de Gilles Dreu, Bécaud, etc.

Vers onze heures, le dîner. Soupe, fèves au lard, très bonnes d'ailleurs. C'est notre premier repas complet depuis trente-six heures. Je mange avec appétit et rapidement. Mais, faute d'exercice, je mettrai deux jours à digérer les «beans à la Parthenais»...

Au cours de l'après-midi, le 13 AD 1 — c'est moi — est convoqué au «parloir privé». Est-ce une visite, un ami? C'est pour l'interrogatoire. Deux policiers en civil me prient de m'asseoir devant eux, face à un petit bureau sur lequel je reconnais mon portefeuille et quelques papiers personnels. Les questions portent sur le FLQ, comme de bien entendu. Un des policiers est gentil, l'autre l'est moins. Il paraît que c'est une technique bien connue. En dehors des questions sur le FLQ, le policier attire mon attention sur des billets du sweepstake irlandais. J'en ai deux, et quatre billets de mini-loto. «Si vous aviez gagné tout ça, me dit-il d'un ton rogue, vous seriez devenu un bon capitaliste.» Quelques questions encore et on me réexpédie à l'Altitude 737.

Le soir, après souper, surprise: «Secteur AD, cellules 1 à 12, récréation. Ceux qui veulent prendre une douche peuvent le faire.» Les portes s'ouvrent et on a droit à la salle commune dans ce que les gardiens appellent le «secteur». C'est la liberté!

Notre récréation finie, c'est au tour des cellules 13 à 24. Une sorte d'agitation gronde. Les détenus veulent fumer. Mais c'est samedi soir et la cantine est fermée. À dix heures, on éteint les lumières. On ne laisse qu'un éclairage bleuté, comme dans les clubs de nuit.

Dimanche, 18 octobre. La routine recommence vers cinq heures du matin. Dès l'avant-midi, un groupe de détenus réclament bruyamment des cigarettes. Les gardiens viennent chercher trois de nos collègues pour une destination inconnue. On aura droit, ce dimanche, à trois demi-heures de récréation. Vers midi, un détenu attire notre attention sur un drapeau en berne, à Radio-Québec.

Les spéculations vont bon train. Quelqu'un d'important est mort. De qui s'agit-il? On l'ignorera pendant deux jours.

Le soir, c'est la cantine. Un gardien passe à tous les prévenus une sorte de bon de commande énumérant tout ce qu'on peut acheter, des Craven "A" au Brylcream, en passant par un jeu de cartes de marque Target.

Ce n'est que le soir que je commence à reprendre pied. La cellule est mon chez-moi. Je m'installe déjà. Je recommence à prendre racine… Même en prison, je me fais une sorte d'univers qui sera ma vie, pour un temps indéterminé.

Lundi, 19 octobre. Les «beans à la Parthenais» sont oubliées, je commence à avoir faim. Macaroni à la viande, pas mal du tout.

On apprend par un de nos camarades de cellule, qui revient de l'infirmerie où il a vu un journal, que Pierre Laporte a été trouvé samedi soir dans le coffre d'une voiture, tué de deux balles dans la tête. Les nouvelles nous parviennent donc quand même.

Dans la soirée, par oubli ou autrement, CFGL-FM nous donne un bulletin de nouvelles complet. C'est comme si on ouvrait une fenêtre sur Montréal. Puis on voit de nos cellules un barrage de police sur le pont Jacques-Cartier.

Mardi, 20 octobre. Rien de nouveau. C'est ce jour-là que nos camarades enlevés le dimanche reviennent parmi nous. Ils sont pâles. Ils étaient au cachot. Aucune ouverture, la lumière allumée vingt-quatre heures sur vingt-quatre. «Quand ils m'ont ramené ici, nous dit un des revenants, c'est comme s'ils m'avaient libéré.»

Les gardiens nous ont donné quelques revues et j'ai mis la main sur un très bon petit roman: *Blue City,* de John MacDonald, comme le père de la Confédération, un roman des années quarante. Je l'étire, je relis les mêmes chapitres deux fois. C'est l'histoire d'un vétéran de la guerre qui revient dans sa ville natale pour la trouver complètement corrompue par les politiciens véreux. Les seules personnes sympathiques sont un vieil Européen propriétaire d'un *pawn-shop* qui affiche une photo de Friedrich Engels dans la vitrine et une de Karl Marx dans l'arrière-boutique. Et un antiquaire socialiste qui affirme ne pas croire tellement à la démocratie nord-américaine. (Je lis ces pages dans la cellule 13 AD 1 de l'hôtel Parthenais.) Il réussira à nettoyer la ville de tous ses spéculateurs, politiciens véreux, hommes de main, après quelques jours d'une violence extrême. *Blue City,* American Library, en vente nulle part.

Mercredi, 21 octobre. Les jours se suivent et se ressemblent, sauf pour les repas. Aujourd'hui, c'est de la morue. Un des gardiens, qui est probablement gaspésien, nous enjoint en riant de ne pas dire de mal de la morue de «par chez nous».

Dans la nuit, outre les bruits de porte auxquels on commence à s'habituer, il y a quelque chose de nouveau. Je vois passer mon voisin de la cellule 13 AD 2, avec ses affaires sur les bras. Destination inconnue. Puis, au petit jour, c'est un autre qui s'en va. Personne ne sait où.

Jeudi, 22 octobre. Ceux qui sont partis dans la nuit étaient au nombre de trois. Ils ont été libérés, un gardien nous le confirme. Un autre nous dit: «Ne vous énervez pas, vous êtes ici pour quatre-vingt-dix jours.» Au cours de la journée, les trois camarades libérés sont remplacés par trois autres. On va aux nouvelles. Ils ont été «ramassés» mardi. Ils nous résument la vie depuis le vendredi précédent. En dehors de la prison, la vie continue. Nous en sommes exclus pour une période x.

Certains de mes camarades semblent croire que je serai le prochain libéré, peut-être au cours de la nuit de jeudi. Je n'y crois pas, mais je ne dors que d'un œil. À chaque ronde, je crois que c'est pour moi. Il n'en est rien. Je me lève avec le jour qui est jaune, cette fois plus désespéré que jamais.

Vendredi, 23 octobre. C'est l'anniversaire de ma mère.

Je suis en prison, pour des raisons que je ne connais pas. Et pour des raisons que j'ignore toujours.

À cinq heures du matin, la radio nous donne un éditorial de Paul Coucke appuyant la Loi sur les mesures de guerre. C'est du sadisme.

La deuxième cantine passe. Pour la première fois, je mets la main sur du papier et un stylo Bic. Je me fais un calendrier de quatre-vingt-dix jours. J'en ai jusqu'au 15 janvier…

Le régime de détention s'assouplit. Pour la première fois, on nous permet la récréation commune pour tout l'après-midi. On ne voit plus passer le temps. Au souper, pour la deuxième fois depuis une semaine, nous avons droit à une salière. Un repas salé, c'est un festin!

Après souper, encore récréation commune.

Puis, vers neuf heures et demie, surprise: «13 AD 1, Godin, prends toutes tes affaires et présente-toi au sas.» Je ne porte plus à terre. En deux secondes et quart, je suis dans le sas. On ouvre la porte. Puis le surveillant-chef m'enjoint d'aller chercher mes draps, ma serviette et ma taie d'oreiller. Je retourne dans le bloc pour la dernière fois…

Une pluie de poignées de main. Mes vingt-trois camarades sont à la porte. «N'oublie pas d'aller nourrir mon chien», «Téléphone à Isabelle», etc. Puis, du treizième, on nous descend au quatrième où, deux par deux, on passe prendre nos papiers personnels.

Deux heures plus tard, je suis dans la rue Parthenais. Je remonte la rue Sainte-Catherine, de Parthenais à Guy. La plus belle rue du monde. À mi-chemin, je remplis la promesse que j'avais faite à mes camarades de prendre une bonne «draffe» à leur santé à la taverne Saint-Régis.

Maintenant, il faut voir à leur libération.

Québec-Presse, 1er novembre 1970

Entrevue de Nicole Brossard

Gérald Godin est directeur des éditions Parti pris. Sa collaboration à la revue remonte aux premiers numéros.

La plupart des gars de *Parti pris* parlent d'avant et d'après *Parti pris*. Pour eux, c'est le passé. Pour moi, ça se poursuit. En ce sens, j'essaie, par les éditions, de perpétuer des incarnations de la pensée de *Parti pris*. Je veux diffuser l'esprit révolutionnaire sous toutes ses formes, qu'il s'agisse de *Nègres blancs d'Amérique* ou de l'œuvre de Claude Gauvreau.

Je me distinguais des autres membres de *Parti pris* car, pour moi, le terme révolution n'avait pas le même sens que pour eux. Je suis un littéraire qui consacre du temps à la poursuite des objectifs de ceux qui étaient à *Parti pris*. La plupart des membres ont consacré leurs efforts à l'un ou l'autre des objectifs de *Parti pris,* qu'il s'agisse de la révolution personnelle ou de la recherche intellectuelle et de la réflexion politique.

N'ayant pas été happé par l'analyse marxiste-léniniste, je suis peut-être un peu superficiel dans ma réflexion théorique, mais cela me permet de toucher à plus de choses. Je couvre plus de terrain relié à la révolution. La révolution doit faire apparaître des vérités. J'essaie de publier des œuvres qui remettent en question la réalité.

L'action de *Parti pris* incluait un travail de réflexion et d'analyse. Il fallait des gens pour le diffuser. J'étais du côté des haut-parleurs plutôt que du micro.

Parti pris a joué plusieurs rôles d'importance, entre autres celui qui a permis de dédouaner le nationalisme à gauche[1]. Cela nous a menés à une fusion dans la pratique du nationalisme et du socialisme. Côté nationalisme, nous voyons maintenant les forces les plus vives s'organiser. Nous avons une plus grande passion de la justice, de l'égalité et d'une véritable démocratisation de la société.

Parti pris a été le signe avant-coureur de la fondation d'un parti politique solide, de même qu'il annonçait déjà le cheminement nouveau des centrales syndicales vers le nationalisme.

Parti pris et la bourgeoisie: c'était plus qu'une alliance tactique, c'était une mobilisation des forces de changement. *Parti pris* annonçait le raz-de-marée. Il a été le lieu d'une réflexion profonde sur les problèmes propres au Québec et d'analyses des différents projets nationaux de la gauche dans un grand nombre de nouveaux pays ou d'anciennes colonies libérées. On s'apercevait qu'il y avait plus de chance pour un peuple de compléter sa réorganisation nationale s'il passait de la problématique de la minorité à celle du contrôle de lui-même.

En Chine, la révolution était déjà commencée dès le début du siècle. Elle était annoncée par une petite revue dans laquelle les débats portaient surtout sur l'utilisation d'une langue populaire par opposition à l'emploi de la langue des mandarins.

La Barre du jour, hiver 1972

---

1. Première fois que Gérald Godin cite cette phrase de Gérard Pelletier («*Parti pris* ou la grande illusion», *Cité libre,* avril 1964): «Ce qui accentue encore à mes yeux l'importance de *Parti pris,* c'est que la revue constitue de toute évidence la première tentative sérieuse en vue de dédouaner le séparatisme auprès des hommes de gauche.»

Entretien avec Jacques Godbout

J. G.: Le sujet principal de discussion est: «Un écrivain doit-il être engagé?» Qu'est-ce qu'il s'est passé pour que tu le deviennes au point de ne faire à peu près que de l'engagement, jusqu'à un certain point?

G. G.: (*Rires.*) Que s'est-il passé?

J. G.: Qu'est-ce qui est arrivé, qu'est-ce qui t'a poussé?

G. G.: Ben, dans une inondation, tu nages! Je relisais justement aujourd'hui des livres que je lisais quand j'étais enfant. Des livres illustrés: *La semaine de Suzette*, des choses comme ça. J'ai découvert, vingt-cinq ans après, qu'il se dégageait de ça une fantastique mentalité réactionnaire, anti-révolution russe. Entre autres, il y avait un bouquin illustré intitulé *La princesse aux mille châteaux*. C'était une Russe, elle était évidemment victime des méchants moujiks et apparaissait comme une espèce de sainte. Ça se passait vers les années 1910, en Russie. On a baigné là-dedans au maximum pendant des années et des années. Je me dis: «On vient de loin, ce n'est pas possible.»

J. G.: Tu parles des contes édifiants qui...

G. G.: Je parle de *À quand notre retour?* que tout le monde qui a notre âge connaît, de *La menace du communisme*, une main velue et grise qui s'abattait sur une jolie maison québécoise, et l'enfant qui trahissait ses parents: il arrivait alors des soldats habillés en vert. C'est arrivé pour vrai en octobre 1970, mais ce n'est pas du tout pour les mêmes raisons.

J. G.: Ce n'étaient pas les mêmes soldats.

G. G.: On vient de loin, c'est fabuleux! Plus on vient de loin, plus on a été dans ce que j'appellerais la «souompe» de la mentalité cléricalo-réactionnaire propre à tous les Canadiens français, et qu'on retrouve maintenant en grande partie dans le Crédit social.

J. G.: Mais, à partir de tes lectures d'enfance, quand même, tu as probablement fait comme la plupart des écrivains, tu es tombé dans un autre type de littérature. C'était quoi? c'était Sartre, c'était Malraux, c'était Camus?

G. G.: Il y a eu cette première aliénation. Mais il y a eu une deuxième aliénation qui est la littérature française contemporaine: l'existentialisme, le suicide, la masturbation intellectuelle, l'impuissance, «l'enfer, c'est les autres», etc. Un nouveau ghetto culturel, plus dangereux peut-être que le premier parce qu'il n'était pas à nous.

Pendant plusieurs années, comme d'ailleurs bien d'autres jeunes Québécois, j'étais complètement étranger à mon milieu et j'écrivais des choses tordues, extrêmement tordues. Je venais dans les rencontres d'écrivains à Montréal, et c'étaient d'autres tordus d'une autre sorte: c'était Jean Le Moyne, c'étaient des gars pognés sexuellement et qui, étant pognés sexuellement, disaient tout le mal possible des femmes et des hommes québécois. À travers cette espèce de confusion totale, absolue, générale et au cube, s'est dégagé tout d'un coup... Je ne sais pas à quoi ça tient, à quoi ça correspond. Peut-être que ça tient à un voyage à Paris que j'ai fait en 1962[1]: me sortir d'ici m'a peut-être aidé à...

J. G.: ... à voir clair dans le marasme.

G. G.: C'est ça. Les grains de café ou les feuilles de thé se sont déposés au fond, et j'ai pu voir un peu de quoi était constituée réellement la réalité québécoise. Il y a donc eu cette première démarche, purement littéraire, du retour à moi-même, si tu veux, de la récupération de moi-même, sans rien de politique à cette époque-là, sans la moindre conscience politique. C'était littéraire, purement et simplement, et ça nous a menés, un certain nombre de gens, purement et simplement, au joual qui était le radicalisme de la récupération de soi-même: ramasser ce qu'on avait même de plus laid au point de vue expression, le garder, le chérir, le trouver précieux.

J. G.: Et ça s'est fait à l'occasion d'un voyage à Paris!

G. G.: Oui, ça s'est fait, assez curieusement, à l'occasion d'un voyage à Paris! Je marchais dans l'histoire littéraire, je marchais enfin dans mon rêve, tu comprends, en allant à la Rotonde, etc., toutes ces places dont j'avais lu, comme dirait Camil Samson[2], quand j'étais plus jeune. Tout d'un coup, à *La Closerie des lilas,* je me rends compte que, sur la table où j'étais, il y a une petite plaque de cuivre et que c'est marqué: «Ernest Hemingway». À côté, il y avait «Samuel Beckett». Chaque gars avait sa petite plaque. Hemingway, que je sache — et je le savais déjà à l'époque, je l'avais lu beaucoup parce que c'était un journaliste lui aussi —, était un écrivain absolument américain. Et il était devenu unique dans la littérature internationale parce qu'il était précisément collé à son coin de terre...

J. G.: ... à sa réalité.

G. G.: À sa réalité, absolument. Au début, en tout cas. Là, je ne sais pas si c'est dans une réflexion que je me suis faite en même temps...

J. G.: Tu t'es dit: «Je veux ma plaque sur une table de *La Closerie des lilas* un jour.»

G. G.: Non, pas nécessairement. La démarche de ces gars-là qui m'avaient frappé à l'époque, c'est qu'ils avaient été eux-mêmes, qu'ils ne devaient rien à la France, rien à personne.

C'est pour le festival du Théâtre des nations que j'étais allé à Paris et j'avais vu des pièces d'une vingtaine de pays à peu près. Chaque pays présentait des pièces de chez lui, en langue vulgaire dans certains cas. Si tu te souviens bien, les troupes d'ici, à l'époque, allaient présenter Molière à Paris. À la réflexion, c'est fabuleux comme expérience d'aliénation, d'acculturation et de reniement de soi-même. Je me disais déjà: «Il faudrait, au fond, que ce soit *Ti-Coq*[3] qui vienne ici.»

J. G.: Mais on le faisait avec beaucoup d'orgueil. On disait: «On va leur réapprendre ce qu'est Molière.»

G. G.: Oui, on disait ça, on se gargarisait déjà. Je me disais, au fond: «Il faudrait leur présenter ce qu'on a de plus canadien-français, ce qu'on a de plus régionaliste, ce qu'on a de plus quétaine, il faut amener ça dans le monde.» C'est la démarche que tout le monde a suivie, pourquoi pas nous. Mais ça commence à se faire et ça donne des résultats: les succès de Michel Tremblay, de Robert Charlebois et de Réjean Ducharme en sont des exemples, enfin. La voie, c'était celle-là et c'est encore celle-là. C'est une démarche à partir de la littérature, à partir de l'écriture, à partir...

J. G.: ... du langage...

G. G.: ... une réflexion sur «qu'est-ce qu'un écrivain?» Je voulais devenir un autre Jacques Godbout. À l'époque, tu publiais déjà à Paris des bouquins québécois[4]. Mon rêve était de devenir un écrivain et mon plus grand rêve était de finir comme Hemingway ou comme Robert Goulet[5], un de mes copains de Trois-Rivières qui est écrivain américain maintenant, d'avoir une île quelque part au soleil et d'écrire, de ne faire que ça. Mais la vie, les circonstances et les expériences...

J. G.: ... en ont décidé autrement. Et cette démarche — qui est quasiment plus une démarche d'histoire de la littérature — que tu suivais, à quel moment ça a basculé pour tomber dans l'action directe?

G. G.: Là, ça s'est fait à un autre niveau de conscience, mais presque simultanément. Je me souviens: à l'époque, je lisais *Cité libre*. C'est une histoire que je raconte tout le temps parce que c'est une histoire vraie. À Trois-Rivières, au tout début du mouvement indépendantiste, moi, j'étais le Trudeau du boutte. Et j'employais les mots mêmes que Trudeau employait déjà ou devait employer plus tard: l'indépendance est un détournement d'énergie, de fonds, il faut régler les problèmes réels, les problèmes fonctionnels, etc.

J. G.: Gaston Miron tenait le même langage dans ses bureaux...

G. G.: ... cinq ans avant, lui...

J. G.: Oui?

G. G.: Peut-être cinq ans avant, parce que c'est lui qui a été le premier à m'ébranler un peu[6]. Mais un autre coup de masse sur le petit piédestal sur lequel j'étais, le piédestal de mes certitudes, a été donné par un nommé René Allio, qui a fait au moins trois films depuis ce temps-là: *La vieille dame indigne*, *Pierre et Paul* et *Les camisards*. Il était venu donner une conférence au festival du Théâtre des nations, conférence extrêmement brillante dans laquelle il avait montré à quel point *Paris-Match* était aliénant. Moi, je lisais *Paris-Match* toutes les semaines à Trois-Rivières et je trouvais ça intéressant: beaucoup de photos, etc. Le mot «aliénation», je ne connaissais pas ça, le mot «mystification», je ne connaissais pas ça, le mot «démobilisation» ne me disait rien. Je découvrais une vision des choses entièrement nouvelle et qui, en plus, m'apparaissait comme étant juste. Ça ajoutait une espèce de bistouri, le bistouri de la critique, à mes outils de travail. Dès ce moment-là, je me suis mis à jeter sur les choses un regard, disons, plus sensible à ce qu'on appelle la mystification ou la démobilisation ou, enfin, l'aliénation.

J. G.: Est-ce qu'à ce moment-là le poète a été remplacé par le journaliste?

G. G.: À ce moment-là, le journalisme que je faisais, c'était de la critique théâtrale, c'était encore de la littérature pour moi. C'était ça qui m'intéressait: le théâtre, le spectacle, la littérature, la poésie, etc. Et comme il n'y a pas tellement de place dans les journaux pour ce genre d'activité-là, comme il faut gagner sa vie et que la poésie ne suffit pas à le faire, comme à l'époque il n'y avait pas d'Initiatives locales ou de Perspectives-jeunesse pour employer les jeunes désœuvrés[7], il fallait travailler. Il a donc fallu que je fasse ce que mon chef de pupitre me disait de faire: les chiens écrasés, la cour municipale, la cour des sessions de la paix, les meurtres, les viols, les rencontres d'homosexuels (avant la Loi omnibus[8]), etc. Par mon métier, je découvrais en même temps la réalité réelle qui correspondait à la réalité littéraire que j'imaginais...

J. G.: ... et qui était très loin de la littérature qu'on t'avait proposée.

G. G.: Je ne dirais pas que c'était le contraire, mais presque. En tout cas, ce n'était pas la réalité qu'on nous avait montrée jusqu'à ce moment-là. Après ça, j'ai commencé à toucher du doigt ce qu'était la réalité, je pense. Je peux me tromper, il est bien possible qu'à quarante ans je découvre autre chose mais, pour l'instant, ça me semble toujours être la réalité.

J. G.: Mais de là à sauter à pieds joints dans l'action politique et, finalement, à travailler, par exemple, à *Québec-Presse* depuis deux ans et demi, sans te consacrer ou très peu à la littérature, est-ce que le mouvement ne t'a pas porté trop loin ou est-ce que tu n'as pas à certains moments des nostalgies de la littérature?

G. G.: Toujours (*rires*). Quand tu fais un dossier important sur un sujet politique important[9], tu trouves le roman futile. La seule chose qui puisse se comparer à une bonne série d'articles, à mon avis, c'est la poésie parce qu'en poésie il n'y a pas de contrainte, la liberté est absolue, le langage est maître. Tu n'as pas à tenir compte de certaines règles qui sont propres au roman. C'est peut-être aussi contre le carcan du journalisme, qui est une technique extrêmement stricte et précise...

J. G.: ... rigoureuse...

G. G.: ... que l'antidote, pour ne pas s'asphyxier ou se droguer complètement, c'est la poésie. C'est peut-être ça, l'explication.

Je pense aussi que la poésie est une chose extrêmement efficace, beaucoup plus que le roman, parce que c'est plus bref, c'est plus rapide — ça peut être une balle, une torpille, une grenade —, tandis qu'un roman tend à encercler le lecteur dans un filet ou une toile d'araignée, selon la qualité de l'œuvre, et à tranquillement le convaincre ou le baigner, etc. Je dois dire en plus que les quelques nuits de poésie auxquelles j'ai assisté ou dont j'ai participé, comme dirait Camil Samson...

J. G.: Camil Samson t'est très utile parce qu'il te permet de faire des fautes de français!

G. G.: C'est que Camil Samson met des «dont» partout. C'est fabuleux, l'usage du «dont» que ce gars-là fait ou dont ce gars-là fait (rires)! Il faut vraiment noter ça: c'est un des derniers à ainsi mal utiliser le «dont».

J. G.: Mais tout ça t'amène à une situation assez curieuse. Tu te construis deux mondes: un monde où, avec la poésie, tu sors du carcan du réel ou de la réalité quotidienne...

G. G.: ... pas du carcan du réel et de la réalité, mais du carcan de la rigueur ou du cadre strict que t'impose une de tes activités.

J. G.: Par ailleurs, tu mets ton «dont», pour parler comme Camil Samson, ton don d'écriture au service d'un type de propagande ou de démystification, suivant le cas, qui, dans le fond, ne change pas grand-chose à la réalité alors qu'au chapitre de l'écriture, tu cherches quand même à la transformer, cette réalité.

G. G.: La chose la plus importante — et cela va peut-être répondre à ta question, je ne sais pas —, c'est que tu as beau faire cinquante dossiers par année dans un journal engagé, etc., souvent tu te dis: «Bon, que va-t-il rester — que restera-t-il de nos amours? — que va-t-il rester de Godin, tu comprends, après qu'il sera mort?» Au fond, il faut faire quelques bouquins si tu veux que ça reste, si tu veux que ça soit lu un peu, si tu veux que ce que tu veux dire soit encore lu après que tu seras parti. Et là, ça se situe à deux niveaux différents: la permanence ou l'éternité (pour parler comme les chrétiens)...

J. G.: ... la pérennité...

G. G.: ... et la lutte hebdomadaire ou quotidienne pour des objectifs politiques précis et en vue d'un objectif politique précis. C'est ça, c'est une espèce de hantise de ne pas mourir, et peut-être que ça montre l'importance de la poésie en soi pour tous les poètes, pour tous ceux qui le sont, qui voudraient l'être ou qui l'ont été.

Je me suis mis à relire, il y a deux jours, Blaise Cendrars — j'ai découvert, soit dit en passant, qu'il était venu à Vancouver, aux Mille-Îles, à Winnipeg où il a rencontré un Canadien français qui l'avait bien frappé —, et je me disais que si ce gars-là n'avait pas écrit ça, n'avait pas publié, n'avait pas attaché assez d'importance à ses œuvres, bâclées la plupart du temps, je ne les lirais pas et je ne le connaîtrais même pas. Ce qui est fabuleux en littérature, c'est, précisément, ce cri qui continue et qui flotte dans l'espace. Et quand tu prends le livre, pour parodier Rabelais, le cri dégèle. Rabelais disait qu'au Canada les paroles gelaient en hiver…

J. G.: … et dégelaient au printemps!

G. G.: C'est le printemps, si tu veux, de l'auteur. Tu le lis et entres en contact avec des choses qui sont de lui mais qui t'intéressent, te touchent. Au fond, c'est ce que tous les écrivains recherchent et veulent. Je ne sais pas si tu penses comme moi là-dessus. Avoue maintenant, mon cher Jacques!

J. G.: Je suis d'accord. Mais ce qui m'étonne, c'est qu'avec une perspective comme celle de vouloir durer, tu puisses quand même continuer dans l'hebdomadaire, sinon dans le quotidien. Je pense à ce que Denys Arcand, avec lequel tu as fait *On est au coton* qui est un film que personne ne peut voir[10], disait de son entreprise qui ressemble un peu à la tienne: «Dans le fond, on prêche la vertu aux carmélites.» Les lecteurs que tu peux avoir à *Québec-Presse* ou dans les journaux engagés sont des gens convaincus d'avance qui vont chercher à raffermir leur conviction.

G. G.: Je ne suis pas d'accord. C'est une vision très courte des choses. Par exemple, on publie dans *Québec-Presse* un dossier montrant que Bernard Pinard, pour ne pas le nommer, a placé ses beaux-frères et ses tantes dans des garages, dans des ministères, dans des compagnies à qui il donne des contrats, etc. Et parce que ça sert l'Union nationale ou le Parti québécois ou les créditistes (qui, en Chambre, se servent de ton article pour tirer des grenades au gouvernement), le poète, qui a mis sa casquette de journaliste, devient quand même quotidiennement utile à la modification de certaines choses. Enfin, c'est difficile à mesurer.

J. G.: Tu veux être un agent de l'histoire?

G. G.: Ça ne me déplairait pas d'être un agent, secret ou connu, peu importe, du Québec. Pourquoi pas[11]!

J. G.: En vue de transformer ce qui se passe autour de toi?

G. G.: Oui, tout simplement.

J. G.: Et que tu ne penses pas pouvoir transformer par la poésie?

G. G.: Je dirais qu'un outil n'exclut pas l'autre. Tout ce qui joue, c'est le plaisir de l'ouvrier. Il y a des ouvriers qui sont charpentiers et qui gossent des sifflets à leurs enfants. Ça peut se comparer à ça. La maison sera construite par le charpentier x, le propriétaire ne le saura même pas, mais l'enfant qui a gardé le sifflet du bonhomme, en vidant son coffre à cinquante-cinq ans, va le redécouvrir. C'est peut-être une image un peu bebête et naïve, mais c'est un peu ça.

J. G.: C'est pour ça aussi que tu t'occupes des éditions Parti pris?

G. G.: Premièrement, il y a le plaisir de faire de l'édition, de sortir des bouquins qui vont se vendre ou non. Deuxièmement, ça permet de lire un tas de manuscrits avant tout le monde. Troisièmement, ça te donne un outil qui permet de découvrir une industrie. Moi, j'y ai appris un peu ce que c'est que la business: administrer des piasses, rencontrer des gens (vendeurs de papier, imprimeurs, etc.). En plus, pour le Mao Tsé-toung[12], j'ai rencontré des Chinois; pour *On n'est pas des trous-de-cul*[13], j'ai rencontré deux frères qui sèment la terreur dans un quartier de Montréal. C'est tout un monde que ma curiosité inassouvissable veut connaître et, en même temps, c'est de la littérature. Enfin, il y a un tas de portes qui s'ouvrent grâce au métier d'éditeur. En cela, c'est agréable et ça complète le métier de journaliste beaucoup plus que celui de poète. Et il y a un autre avantage: tu peux te publier sans coupure. Ça, c'est très important

J. G.: Tu n'as pas de censure?

G. G.: Non.

J. G.: Dans le fond, as-tu l'impression d'être en relation avec les autres écrivains? Il y a eu une époque où on avait l'impression que tous les écrivains étaient unanimes et travaillaient à la même chose. As-tu l'impression que ç'a changé et que tu es un *lone wolf,* un loup solitaire, dans l'aventure?

G. G.: Non. Il y a une chose que je dois dire là-dessus: l'éditeur doit stimuler la variété. Il y a des œuvres qui me semblaient peu intéressantes et que j'ai publiées, mais auxquelles l'auteur attachait une telle importance...

J. G.: ... qu'il fallait les publier.

G. G.: Je dirais même que, dans certains cas, plus importante que l'œuvre est la passion de l'auteur pour son œuvre. Et, tôt ou tard, ça va donner quelque chose de bon, du moins j'espère. Dans certains cas, oui.

J. G.: Tu vis dans un monde très cohérent, finalement.

G. G.: Moi, je suis très heureux. Des fois, ça m'écœure parce que j'ai d'autres choses à faire la même journée, il y a quatre écrivains qui m'appellent, dont trois sont des fous furieux qui veulent que leur œuvre sorte avant même d'être écrite. Indépendamment de ça, je suis pas mal heureux dans tout ce que je fais.

J. G.: Mais quand écris-tu tes poèmes?

G. G.: Comme Georges Larouche, en autobus, mon vieux. Il n'y a rien comme le rythme de l'autobus pour me faire écrire[14].

Entretien de Jacques Godbout avec Gérald Godin,
série *Book-club*, CBF-FM,
Gilles Archambault réalisateur, 26 juin 1972

---

1. Mai-juin 1962.

2. Chef (1970-1973) du Ralliement créditiste, parti provincial.

3. Gratien Gélinas, *Ti-Coq*, 1948.

4. Un recueil de poèmes: *Carton-pâte*, Seghers, 1956, et, surtout, un roman: *L'aquarium*, Seuil, 1962 (lancé en mars 1962 à Montréal).

5. Robert Goulet, romancier américain d'origine trifluvienne, que Gérald Godin rencontre à Trois-Rivières en 1961 à l'occasion de la parution, à New York, de son premier roman: *The Violent Season*, et qui vit à Majorque.

6. Gérald Godin rencontre à Montréal Gaston Miron, en 1961 également.

7. Programmes du gouvernement fédéral.

8. Loi (sur l'homosexualité, l'avortement, les loteries, etc.) passée en 1969 par le premier gouvernement de Pierre Elliott Trudeau.

9. Voir la bibliographie des dossiers d'actualité publiés par Gérald Godin dans *Écrits et parlés I*, vol. 2, «Politique», p. 285-288.

10. Gérald Godin a travaillé de janvier à mai 1969 à ce film qui est terminé en 1970 et doit sortir cette année-là, mais dont la distribution normale sera «retenue» jusqu'en 1976. Néanmoins, des copies pirates auront circulé ici et là durant toutes

ces années. Voir «*On est au coton* de Denys Arcand», dans *Écrits et parlés I*, vol. 1, «Culture», p. 410-412.

11. Allusion à IXE-13, l'«as des espions canadiens», héros d'une série de fascicules dont certains ont servi à Gérald Godin, recherchiste, et à Jacques Godbout, scénariste et réalisateur, à partir de l'automne 1968, de point de départ au long métrage intitulé *IXE-13*, ONF, 1971 (sorti en 1972). Dans la discussion suivant la conférence de Michèle Lalonde («Le mythe du père dans la littérature québécoise», *Interprétation*, Montréal, vol. III, nos 1 et 2, janvier-juin 1969, p. 243), Godin dit de ce héros populaire qu'il est «un James Bond de la rue Panet».

12. Mao Tsé-toung, *Poésies complètes*, 1972.

13. Marie Letellier, *On n'est pas des trous-de-cul*, 1971.

14. Dans la notice introductive de *Poèmes de route* (l'Hexagone, 1988), son huitième recueil, Gérald Godin cite *La voie saguenayenne* (1949), troisième recueil de Georges Larouche.

«J'ai pu voter deux fois au 2e tour...»

Sans être membre du Ralliement créditiste, sans être inscrit au congrès[1], j'ai pu voter deux fois au deuxième tour de scrutin qui a porté Yvon Dupuis à la direction des créditistes du Québec, dimanche dernier.

Voici comment les choses se sont passées, exactement. Je suis arrivé au congrès vers 13 h 30 dimanche après-midi. Collectionneur de macarons, de collants et d'autres souvenirs politiques, je parcours en tous sens le lobby du petit Colisée de Québec. Le kiosque des inscriptions est fermé. Seuls trois kiosques restent ouverts: celui d'Yvon Dupuis, celui de l'inscription des journalistes et celui du Bell Téléphone où l'on affiche les messages aux délégués.

Des cartes chez Dupuis

Sous le kiosque d'Yvon Dupuis, j'aperçois des cartes de délégués officiels qui traînent parmi les dépliants piétinés et salis. Devant témoin, je ramasse les cartes: il y en a une vingtaine. De ce nombre, une douzaine sont déchirées en morceaux, mais il y en a sept qui sont en bon état. L'une d'elles porte le numéro 9919. Retenez bien ce chiffre. On notera qu'il n'y avait que 6500 votes au premier tour de scrutin.

Parmi ces cartes, aucune n'est complète, en ce sens qu'aucune ne porte à la fois le nom d'un délégué et le nom d'un comté. Trois d'entre elles sont manifestement des cartes rejetées pour cause de fautes de frappe: par exemple, l'une porte uniquement le début du nom «Rémill», avec trois *l*. Une autre porte uniquement les lettres «Trmb», comme si on avait voulu écrire «Tremblay». Par ailleurs, quatre cartes portent des noms complets. Toutefois, jamais le nom du comté n'est indiqué.

Des hypothèses

Que faut-il en penser? Une jeune fille a pris contact avec nous pour affirmer que le kiosque d'Yvon Dupuis, où elle travaillait comme bénévole, avait été utilisé par l'organisation du congrès pour rendre aux membres les cartes égarées et retrouvées. Pourquoi le kiosque d'Yvon Dupuis? Parce que c'était le seul où il y avait un microphone. C'est plausible. On peut trouver les autres candidats naïfs d'avoir accepté qu'un de leurs concurrents à la direction du parti soit le dépositaire des cartes perdues, mais dans un congrès créditiste, je sais, pour en avoir «couvert» une demi-douzaine, que la confiance règne.

Cette explication de la militante d'Yvon Dupuis ne répond toutefois pas à toutes les questions. Comment se fait-il qu'il y ait sous ce kiosque des cartes déchirées et des cartes «ratées»? Est-ce qu'il s'est émis des cartes au kiosque d'Yvon Dupuis à n'importe qui en faisait la demande? C'est très plausible.

«On a été naïfs»

À un des organisateurs d'Armand Bois, M. Fernand Ouellette, nous avons posé la question: pourquoi n'avez-vous pas exigé que soient appliquées les règles minimales de protection de l'intégrité du parti et du congrès? Comme: seuls les gens membres depuis six mois pourraient assister au congrès; la publication au cours du congrès de la liste des délégués, ainsi que leur adresse et leur nombre; l'interdiction à quiconque d'avoir accès au plancher du congrès, à moins de porter une carte de délégué. «Parce que nous avons été naïfs», nous a répondu M. Ouellette.

Rappelons que ces trois conditions minimales sont posées dans tous les congrès politiques au Québec depuis quelques années.

Frauduleuse?

Il est impossible de dire que la victoire d'Yvon Dupuis était frauduleuse. Seule une coûteuse enquête permettrait d'y voir vraiment clair. On peut dire qu'un doute énorme subsiste. Si tout se passait entre créditistes uniquement, une telle désorganisation n'impliquerait pas nécessairement qu'il y ait eu tripotage d'élection. Toutefois, la totale absence de règles au congrès constituait une occasion rêvée, pour n'importe qui de malintentionné, de truquer le congrès. Est-ce bien ce qui s'est passé? Seuls les vrais créditistes le savent. C'est leur comportement à l'égard de Dupuis, au cours des semaines et des mois qui viennent, qui va constituer la meilleure preuve de l'honnêteté ou de la malhonnêteté du groupe Dupuis. S'ils s'en vont, c'est qu'ils se sentent roulés.

Québec-Presse, 11 février 1973

---

1. Le 4 février 1973.

La contribution originale des femmes
(entretien avec Aline Desjardins — *extraits*)

A. D.: [...] Nos invités nous font part de leurs réflexions, de leur expérience personnelle en regard de la première partie de cette question que je répète: comment, en tant qu'homme, percevez-vous la contribution des femmes à la civilisation d'aujourd'hui?

G. G.: [...] Les femmes ont un grand avantage sur nous, qui est précisément celui-là: elles peuvent faire tout ce qu'on fait, à peu de chose près, plus faire des p'tits, ce qu'on ne peut pas faire. Alors, moi, je dirais que les femmes, c'est un territoire absolument inexploré, pour l'instant. On ne sait pas du tout, pour un tas de raisons, c'est peut-être plus inconnu que la planète Mars, pour l'instant, les femmes, on ne sait pas du tout ce que ça peut donner le jour où elles seront vraiment libres de faire tout ce que les hommes peuvent faire, avec, en plus, les enfants. Je ne sais pas du tout ce que ça peut donner. Je pense que les femmes, donc, pour l'instant, sont sous-analysées. Ce n'est pas à nous à le faire, en fait, ce travail-là, c'est à elles. On n'a pas à les aider à venir occuper le territoire qu'on occupe déjà. À mon avis, c'est à elles...

A. D.: Ah bon!

G. G.: ... c'est à elles de prendre les armes, d'une façon ou d'une autre, et de nous bousculer, en fait. Qu'elles le fassent, et on verra bien: ça fait partie de la dynamique, qui est, si vous voulez, plus aiguë maintenant qu'elle ne l'a jamais été peut-être, quoiqu'il y a eu des époques, lors de la Révolution française, par exemple, où les femmes ont joué un rôle très important qui coïncidait avec le couvercle de la marmite qui sautait. Et il y a eu une explosion de tout. Donc, c'est peut-être ce qu'on vit maintenant, mais ça reste, malgré qu'il y ait des percées, totalement inconnu comme territoire. Je souhaite qu'on le connaisse le plus tôt possible.

A. D.: Dans les états de crise, on utilise la femme. Dans le fond, on l'utilise. C'est un peu ce que vous venez de dire. La Révolution française…

G. G.: Elle n'a pas été utilisée, elle a joué un rôle de son propre chef, de sa propre initiative, à l'intérieur des limites qui existaient malgré les changements déjà à l'époque, mais à l'intérieur des limites. Je ne pense pas que vous devriez dire: «on l'utilise». Je pense que les femmes, malgré que la tendance aujourd'hui consiste à dire qu'elles sont les victimes du système, occupent quand même une place aussi importante que les hommes, beaucoup plus importante qu'elles veulent nous le faire croire pour se faciliter la tâche de nous renverser.

A. D.: Oh! Il y a beaucoup de choses dans ce que vous dites.

[…]

R. Cliche: […] J'ai ici mon voisin de droite, mon ami Godin, qui a dit quelque chose. Il va peut-être me dire si j'ai raison ou non de ramasser sa pensée. Il a semblé dire aux femmes: «Battez-vous, mesdames, et vous réussirez.» Moi, je trouve que c'est peut-être ça qui déforme tout le problème ici, en Amérique du Nord à tout le moins. C'est qu'on perçoit la différence des sexes, c'est qu'on perçoit tout le problème à travers un système essentiellement basé sur la compétition. Et je me demande si, dans une autre forme d'État où il n'y aurait pas cette compétition — dans laquelle on vit et qui fait que le meilleur, c'est lui qui est bon: c'est ça le critère —, il ne faudrait pas tout repenser — d'abord notre système, puis notre manière de voir — pour pouvoir donner à la femme des chances auxquelles on rêve. Je me demande si Godin ne devrait pas réviser ses positions (*rires*).

G. G.: Je suis peut-être aussi aliéné que les femmes le sont à notre sujet ou à leur sujet. Je le suis sûrement, à l'égard des femmes, aliéné.

R. Cliche: Dans quel sens?

A. D.: Oui.

G. G.: Cliche a raison de dire que je vois les choses comme un combat. C'est que moi, je vois ça comme un équilibre, effectivement, entre deux sensibilités. Le plexus vital, la force vitale des femmes est au niveau des «tripes», en gros, et pour les hommes, ce serait ici, à peu près[1]. C'est comme ça que je le vois…

A. D.: Au niveau traditionnel.

130

G. G.: Non, non. D'après mon expérience vécue dans des syndicats, dans des comités où il y a des femmes et des hommes. Plus souvent, les femmes ont recours à des choses qui sont du niveau du sentiment, ce qui dénote que la force dominante chez elles, c'est à un autre niveau — qui n'est pas plus bas, qualitativement — que celui des hommes. Je pense que ça serait peut-être aux femmes à le reconnaître une fois pour toutes si c'est vrai, si on fait la preuve que c'est vrai. Mais comme c'est un territoire inexploré, on ne sait pas si c'est vrai ou faux. Moi, par mon expérience peut-être aliénée acquise auprès des personnes aliénées que seraient les femmes, je pense que c'est vrai. Entre deux aliénés, c'est comme ça que je les vois. La science nous dira tôt ou tard si c'est vrai ou faux.

[...]

G. G.: [...] On s'imagine que la femme est la seule, entre les deux groupes, entre les deux sexes, à être aliénée, à ne pas avoir le choix. L'homme aussi. Je veux dire, le gars qui travaille à l'usine n'a pas le choix, lui non plus.

A. D.: Mais il a plus le choix.

G. G.: Laisse-moi terminer (*rires*). Je pense qu'on assiste à la libération des majorités, tout simplement. La prochaine libération, après celle des travailleurs, avec Marx et autres... La femme aura besoin de son Karl Marx, un moment donné, qui sera peut-être un homme, je ne sais pas (*rires*), pour analyser à fond toute la situation et proposer des solutions, pour dire «il y a un rapport de force, voici donc quelle praxis ou quelle action entreprendre pour que ça change». La contribution de la femme, on l'attend dans cette direction-là, c'est-à-dire qu'elle-même s'auto-analyse, se redéfinisse et dise «mon rôle, moi, c'est comme ça que je le vois». Et là, il se passera ce qui s'est passé avec la classe ouvrière.

[...]

R. Cliche: Quand j'ai pris cette position-là, tantôt, n'allez pas penser que je prêche le *statu quo* et que je dise «ça va très bien, ne changeons rien». Pas du tout. Parce que...

A. D.: Alors, justement: qu'est-ce qu'on change, et demain qu'est-ce qu'il faudra changer — je pense à un demain immédiat, presque — pour que la femme puisse apporter cette contribution? Comment vous voyez ça?

R. Cliche: Je pense qu'il ne faut pas attendre l'évolution...

G. G.: Excuse-moi, Robert. Excuse-moi, Aline: tu reproches à Gougeon d'être paternaliste, mais tu appelles le paternalisme. Tu nous demandes, à nous, «qu'est-ce qu'on peut changer, nous...

A. D.: ... de vous?

G. G.: ... à la situation des femmes?» Je veux dire: ce n'est pas à nous de décider ça. (*Plusieurs*: Ah!)

A. D.: Si vous considérez que vous n'êtes pas concerné!

G. G.: Aline Desjardins, j'ai un emploi, j'ai un p'tit trou quelque part. Si, un jour, une femme ou un homme, n'importe qui, veut me l'enlever, je vais résister dans la mesure de mes moyens, etc. Donc, je pense, ce n'est pas à moi à dire «oui, madame, certainement, j'ouvre la porte, prenez la place».

R. Cliche: Ah non, non!

G. G.: Je veux dire: ça s'applique à l'ensemble de la société. Moi, qu'est-ce que je peux faire pour changer la situation des femmes? Rien, sauf être sympathique aux efforts.

R. Cliche: Ah non, non!

G. G.: Mais c'est à vous à le faire. Et ne nous demandez pas, à nous, des conseils...

R. Cliche: Moi, je ne suis pas d'accord avec Godin.

G. G.: Autrement dit: puisez en vous-mêmes... rompez le cordon ombilical (*rires*)!

A. D.: Ah la misogynie dans toute sa splendeur!

R. Cliche: Je ne suis pas d'accord parce que, comme le dit une expression en Beauce, Godin, il enterre la patate, il ne veut pas la découvrir (*rires*). «Mesdames, redéfinissez-vous, pis quand vous vous serez redéfinies, là, on s'en recausera.» Non, ça, ça ne marchera pas.

G. G.: Je dis: continuez à vous battre contre nous autres. C'est tout (*rires*)!

[...]

M. Métivier: [...] Quand tu parles de bataille, je pense qu'elles ont une bataille à jouer pour garder leur originalité. Sans ça, elles vont jouer exactement dans la même partie que nous et elles ne changeront pas.

G. G.: Quoique les femmes puissent le faire, on se bat, nous, en tant que journalistes, pour qu'il y ait des garderies d'enfants. Ça, c'est des choses pratiques, c'est entendu qu'on marche là-dedans. Mais ce que je veux dire, c'est que c'est à elles à définir leur propre champ d'action. Ce n'est pas à nous à leur dire «oui, ça, d'accord, on va marcher là-dedans; oui, ça». Les femmes demandent aux hommes «bon, qu'est-ce que vous êtes prêts à faire?» On ne le sait pas, nous. On ne fera rien, nous. Nous, on ne bougera pas. Moi, personnellement, je peux bouger. Mais «les hommes» ne bougeront pas.

[...]

R. Cliche: Il y a des pays, je pense à certains pays socialistes, où il semble, en tout cas, que l'on ait fait un effort pour promouvoir la femme dans les professions. Je ne fais l'éloge d'aucun pays en particulier, mais il semble qu'en Russie il y ait autant de femmes médecins que d'hommes, qu'en Tchécoslovaquie les ingénieurs du verre, par exemple... Je me demande, avec les romans que j'ai lus et les films que j'ai vus en provenance de ces pays où on a intégré de façon rationnelle la femme, si pour autant on a réglé le problème du masculin et du féminin...

A. D.: Bien sûr que non.

G. G.: On ne l'a pas réglé. Ce qui prouve, justement, que j'ai raison, enfin, en toute modestie (rires), de dire que ce n'est pas aux hommes à ouvrir les portes de leurs jobs, que c'est plutôt aux femmes à trouver leur propre place et à la créer elles-mêmes de toutes pièces.

A. D.: Gérald Godin, ce sont les hommes qui tiennent les poignées de portes! C'est ça que, dans le fond, les femmes veulent vous dire. Parce que ce sont les hommes qui détiennent le pouvoir actuellement, partout encore.

G. G.: Oui, d'accord. Le pouvoir politique, oui.

A. D.: Cette porte-là, il va falloir que ce soit un homme qui l'ouvre. La femme, est-ce que vous voulez qu'elle la défonce, la porte?

G. G.: Voilà, voilà.

A. D.: Vous voudriez qu'elle la défonce? C'est impossible.

M. Paquet: Il faut voir un peu plus loin.

[...]

A. D.: Je me demande si, les hommes, vous allez changer votre mentalité envers la situation de la femme. Je pense, en particulier, à Gérald (rires). Dans le fond, si la mentalité de l'homme à l'endroit de la femme n'était pas aussi carrée, il ouvrirait peut-être la porte et partagerait, à ce moment-là, les tâches.

G. G.: Aline Desjardins, je ne parle pas personnellement.

A. D.: Non, non, non.

G. G.: Moi, je travaille avec des femmes à longueur de jour-née au journal[2], et je trouve ça très bien. Plus il y en aura, mieux ce sera, je veux dire. Sauf qu'on ne préférera pas une femme à un homme sur une job parce que c'est une femme. Si elle est meilleure journaliste, on va la prendre.

A. D.: Voilà.

G. Gougeon: Il ne faut pas être raciste jusque-là.

G. G.: Au travail, ça crée des liens supplémentaires que tu n'as pas avec un homme. Tu as des relations avec une femme que tu n'as pas avec un homme, même au travail. J'estime que, dans l'interaction des groupes dont parlait M. Dansereau tout à l'heure, c'est très bénéfique. Moi, personnellement, je vais ouvrir la porte à tout ça. Je parle des hommes en général et de la société. «La société» va dire non. J'avertis donc les femmes: …

R. Cliche: Ah bon.

G. G.: … préparez-vous pis frappez. Moi, personnellement, je n'ai aucune objection.

M. Paquet: Tu es un conseiller stratégique.

A. D.: Oui (*rires*).

G. G.: Qu'essé que ça change que je sois pour? Ça ne change strictement rien. Je dis aux femmes: préparez-vous pis frappez.

A. D.: Vous dites «ça ne change rien». Je trouve que c'est une forme de défaitisme. Si tous les hommes disent ça, ils vont toujours laisser la porte fermée.

G. G.: Ça, c'est le catholicisme, Aline, pis ça n'a rien changé. Les individus, c'est pas ça qui change les choses, c'est les structures.

A. D.: Les structures.

G. G.: Tous les individus ne sont jamais d'accord sur un point.

Entretien d'Aline Desjardins avec Robert Cliche, Gérald Godin, Gilles Gougeon, Martin Métivier et Michel Paquet [ainsi que Jean-Paul Audet et Pierre Dansereau], série *Femme d'aujourd'hui*, Robert Séguin réalisateur, télévision de Radio-Canada, 8 février 1974

---

1. Gérald Godin, d'un geste, désigne le «phallus».
2. À *Québec-Presse*.

Entrevue de Jacques Godbout

J. G.: Gérald Godin, qu'est-ce que c'est, pour vous, la lutte idéologique?

G. G.: La lutte idéologique, pour moi, c'est très simple: c'est d'abord la souveraineté du fameux «pays», c'est ensuite la souveraineté de la majorité, c'est-à-dire des salariés. C'est l'application intégrale de la démocratie, tout simplement. Dans tous les domaines de la vie: dans la vie municipale à Montréal, dans les usines, dans les écoles, que la majorité ait le contrôle total, absolu, de ce qui la concerne. Je dis ça, remarquez...

Quand j'entends «lutte des classes», je sors mon revolver, par ailleurs. Parce que ce qui m'intéresse, moi, ce n'est pas d'avoir raison et de répéter à tout venant mes belles idées sur la lutte des classes, les classes dominées, les classes dominantes, les classes exploitées, les classes exploiteuses. Ça, ç'a été publié en 1516, il y a à peu près quatre cent cinquante ans, par sir Thomas More dans un livre célèbre intitulé *Utopia* (ou *L'utopie*) où il décrit exactement les classes sociales à ce moment-là. La citation est malheureusement peu connue: les riches, par exemple, ont mis l'État à leur service et, sous prétexte de défendre les intérêts de tous, ils ne défendent que leurs propres intérêts à eux et se servent de tous les moyens pour exploiter les pauvres et les faire travailler au plus bas salaire possible, etc. C'est Karl Marx trois cent cinquante ans avant Karl Marx.

Une fois qu'on a dit ça, on n'a rien dit: dire ça ne change pas la réalité, et redire ça pendant vingt ans ne change pas non plus la réalité. Tout ce que ça prouve, c'est qu'on est un crétin qui marche par cassette. Ce qu'il faut faire, c'est trouver la pédagogie pour montrer aux gens que c'est ça, la réalité, et comment la changer, cette réalité-là. La job, la tâche, le labeur de la gauche, actuellement, ou de toute personne qui veut que ça change, qu'elle se qualifie de gauche ou de quoi que ce soit, c'est un problème pédagogique: comment amener les gens à découvrir ou à se rendre compte de la façon que les choses fonctionnent, premièrement, comment les convaincre qu'il faut que ça change, deuxièmement.

La lutte idéologique, moi, je réfléchis là-dessus, c'est présent régulièrement à mon esprit, ça occupe une partie de ma vie, mais ce n'est pas toute ma vie: je me suis gardé une réserve de liberté, si vous voulez, ce qui fait que je peux, à un moment donné, faire l'amour sans penser que j'exploite quelqu'un ou que quelqu'un m'exploite.

J. G.: Alors l'écrivain doit-il produire des textes qui s'inscrivent dans une stratégie révolutionnaire?

G. G.: L'écrivain doit-il? L'écrivain ne doit rien. Autrement, on tombe dans le réalisme socialiste qui est absolument aberrant: l'écrivain au service d'une cause. Miron a déjà dit que les seuls écrivains qu'il connaissait, lui, et qui étaient au service d'une stratégie politique — je ne sais pas s'il vous l'a dit dans son entrevue[1] —, c'étaient ceux qui faisaient des discours pour Trudeau ou pour Bourassa. Ça veut dire Roger Duhamel, ça veut dire Roger Rolland un certain temps, ça veut dire Charles Denis. Ça, ce sont des écrivains au service d'une stratégie politique, qui sont payés pour écrire des textes qui correspondent à la vision du payeur, du patron, du premier ministre.

Mais tous les autres écrivains, leur droit le plus strict, c'est de se battre pour leur propre liberté. Et il appartient à chacun de situer sa propre liberté dans le torrent de la liberté collective, ou non. Quelqu'un qui reste sur la berge au moment où son peuple est charrié par quelque chose est, à mon avis, un embusqué, tapi dans sa tranchée. L'écrivain doit quand même, dans son petit canot, suivre le fleuve de son peuple. C'est ce que j'appelle la conscience collective d'un écrivain.

J'ajouterai qu'un écrivain comme Réjean Ducharme, tout en ayant l'air d'être embusqué parce qu'il ne se mêle à rien et ne parle qu'à peu de gens, par son enracinement profond dans la réalité québécoise, livre quand même un portrait de la réalité québécoise qui est collectif. Ça pose le problème du mystère de la littérature: un bon écrivain, celui qui a une vision de l'avenir et des choses et une perspective quant à l'avenir de l'homme sur le globe, ne peut qu'être profondément ancré dans la collectivité dont il fait partie. Par conséquent, même si un écrivain — c'est le cas de Ducharme — a horreur des groupes, a horreur de toute enrégimentation, il reste que, dans ses œuvres, on retrouve quand même la conscience collective.

J. G.: Y aurait-il, à l'aurore, un nouvel intégrisme qui pointe?

G. G.: Le Québec et l'humanité étant une mer, les vents l'agitent: de temps en temps, elle est calme, de temps en temps, il y a des vagues, de temps en temps, les vagues montent très haut, de temps en temps, les vagues descendent très bas. Dans une perspective historique, il n'y a pas d'intégrisme littéraire à l'horizon plus qu'il n'y en avait dans le temps de Duplessis, dans le temps de Godbout — Adélard — ou dans le temps de Taschereau[2].

Il est sûr qu'il y a des gens qui nous fatiguent plus et qui, pour une période x, prennent une importance démesurée dans notre mémoire et dans notre sensibilité. Mais, en fait, là, les marxistes, qui semblent vous fatiguer beaucoup, ne me fatiguent pas tellement. Je sais, par empirisme, que leur influence est à peu près nulle, d'une part. D'autre part, le vrai problème étant celui de la pédagogie et non pas celui d'avoir raison dans la description qu'on fait et qui date de quatre cent cinquante ans, au moins, tant qu'ils ne passeront pas à l'étape pédagogique, tant qu'ils seront encore à l'étape des encycliques (de Marx, de Staline, de Mao, de Hô Chi Minh), le système ne sera pas en danger.

J'ai atteint, je crois, je le dis modestement, un stade supérieur de la conscience politique qui consiste à ne plus assener de Karl Marx à tout le monde, mais à tenter de faire vraiment des changements profonds dans la société en m'adressant aux gens dans leur propre langage et en essayant de les rejoindre au seuil de la douleur ou de la conscience où ils sont rendus. Ça, c'est ce que j'appelle un degré supérieur de conscience politique.

J'ai été, moi aussi, à l'époque de *Parti pris*, absolument bouffé par le marxisme. Il y avait une espèce de canaille ou de gamin en moi qui me disait que ça «fittait» pas, que ça marchait pas, que ça manquait un peu de liberté, cette affaire-là. Après être sorti du petit catéchisme, passer à ça — c'en était vraiment un —, je trouvais ça aberrant parce que c'était passer de Charybde en Scylla.

Le nouvel intégrisme dont vous parlez, ça en dit plus sur vos propres hallucinations que sur la réalité.

Des encycliques marxistes, ça va se tasser comme le reste, et le Québec va poursuivre son petit bonhomme de chemin dans la direction du progrès, j'espère. Moi, je travaille pour ça, en tout cas[3].

Entrevue de Jacques Godbout avec Gérald Godin
[ainsi qu'avec Philippe Haeck et Gaston Miron],
série *Horizons*, CBF-FM,
Gilles Archambault réalisateur, 23 novembre 1975

---

1. Cette émission est constituée de trois entrevues (avec Philippe Haeck, Gaston Miron et Gérald Godin) réalisées séparément et reliées par un texte à deux voix de Jacques Godbout.

2. Gérald Godin nomme ici les trois premiers ministres qui ont dirigé le Québec de 1920 à 1959, juste avant ce qu'on appelle la Révolution tranquille: Louis-Alexandre Taschereau (1920-1936), Adélard Godbout (1936, 1939-1944) et Maurice Duplessis (1936-1939, 1944-1959).

3. En conclusion des trois entrevues (voir la note 1), Jacques Godbout dit ceci: «Je crois que Gérald Godin a raison. Les idéologues du marxisme littéraire québécois ont l'importance que nous voulons bien leur accorder. Mais il était peut-être utile que l'on sache qu'il est des écrivains et des critiques québécois qui, comme les évêques d'hier, veulent nous dire comment penser. M. Philippe Haeck en a justement parlé. Il était aussi important de savoir que, malgré les diktats des élites de la lutte des classes, il y a encore, comme Gaston Miron et Gérald Godin, des écrivains qui refusent la prison idéologique au nom d'une liberté d'être fondamentale.»

Entretien avec Gaëtan Dostie
(*extraits*)

Une chose que j'ai découverte quand j'étais à *Parti pris*, c'est la détestation, la répugnance à l'égard des idéologies, à l'égard de la pensée à tiroirs où, quoi qu'on pense, quoi qu'on dise, on cherche tout de suite si ça «fitte» dans un de ces petits tiroirs. Le tiroir le plus utilisé, c'est celui de la lutte des classes: si ça «fitte» pas dans ce tiroir-là, c'est réactionnaire, c'est de droite... Moi, je me pose la question; Gauvreau, y «fitte» où dans ces tiroirs-là? Y «fitte» nulle part[1]. Donc, le meuble, on le prend et on le crisse dans le fleuve!

Moi aussi, j'ai déjà été un idéologue forcené: pendant un certain temps, j'ai classé mes comportements et ceux des autres dans des tiroirs, tel le marxisme. Je me suis rendu compte que ça menait à la sclérose... Déjà, on ne se sert que d'un très petit nombre de neurones sur la quantité qu'on a; la fidélité ou la soumission à une idéologie en neutralise encore plus. Le marxisme est un outil exceptionnel, mais n'importe quel front où, sans me renier, je puis travailler à faire avancer la cause du Québec sur tous ses aspects, si j'ai la bride assez longue pour y aller, je vais y aller[2]...

[...]

Ce qui m'attire le plus à la SSJB, c'est sa longévité: elle a cent quarante-deux ans, elle est née avant les troubles de 1837-1838[3]. Elle a donc une très longue histoire marquée de hauts et de bas, aussi bien de pensées de gauche — construire des logements pour les travailleurs durant la grande dépression (une campagne qui a avorté) — que de pensées de droite — refuser d'appuyer Louis Riel dans sa prison, à l'époque où certains politiciens contrôlaient la Société. C'est tout ça, mais c'est aussi la réalité québécoise. Si une partie de la tâche de la SSJB est maintenant assumée par le PQ, il reste à la Société un grand nombre de causes. C'est pour ça que je suis là... Une institution de cent quarante-deux ans au Québec, il n'y en a guère d'autres.

[...]

Parti pris a été un très haut moment de conscience au Québec. On a adapté ce que disaient Fanon et Berque au Québec. Je pense que la réflexion et la capacité d'analyse des Maheu, Chamberland, Depocas et Piotte[4], que leur passion pour le Québec étaient la plus grosse dépense d'énergie intellectuelle du temps. Moi, j'étais du côté des haut-parleurs: j'étais le technicien qui s'organisait pour que la balance du son soit bien faite. J'ai été du côté de la diffusion, axé sur les réalités concrètes: avec les autres militants, je transportais les caisses de livres et de revues.

C'est mon attachement physique aux choses physiques de *Parti pris* qui explique que je sois resté. J'ai sauvé *Parti pris* des poubelles. Je suis l'antiquaire de *Parti pris*. Je suis resté coincé dans une chose que j'aime, finalement.

À *Québec-Presse*, de tous les journalistes, je suis le seul qui ait été là du début à la fin, comme plusieurs personnes du soutien. J'en ai vu des gens démissionner. Quand quelqu'un disait: «Si dans cinq ans l'indépendance n'est pas réalisée, je démissionne», six mois après il avait démissionné. Dès l'instant où tu poses ces conditions, tu as déjà abandonné.

[...]

Mes modèles sont les syndicalistes. À *Québec-Presse*, j'ai été mis en contact avec une cinquantaine d'entre eux: des militants syndicaux depuis cinq, dix, vingt ans, et qui n'ont pas d'autres ambitions que celle d'être des militants syndicaux efficaces. Le sel du peuple québécois, c'est eux et des gens comme eux. Les présidents partent; eux restent avec une foi, une conviction démocratique irréfragable. Le Québec, c'est eux!

[...]

On peut faire deux lectures devant la réalité québécoise. On peut faire une lecture pessimiste et dire que plus ça va, plus ça va mal! C'est un reproche que je fais au *Jour*, ce catastrophisme qu'on retrouve dans certains articles de Michaud comme éditorialiste et d'autres, qui décrivent le Québec comme une immense assemblée de pleureuses. Ils sont le reflet de la réalité vécue par un certain nombre de fonctionnaires, petits et grands, qui, dans un État à peu près absent, n'ont presque plus rien à faire. Mais la réalité québécoise est plus complexe et plus vaste que la réalité vue par des fonctionnaires.

Michaud a été longtemps un haut fonctionnaire, Parizeau aussi[5]... Ces gens pensent que, quand l'État ne marche pas, rien ne marche. Or, tout à côté, il y a une explosion de manifestations du pays qui ne demande qu'à naître. Le problème, c'est que l'État ne supporte pas ces actions-là. Avec son livre vert, M. L'Allier[6] dit que cela va changer. Espérons que ce sera vrai. En ce moment, on les empêche de parvenir à une pleine maturité, mais ils sont là quand même, à Hull, à Trois-Rivières, à Sherbrooke, etc. Des dizaines et des dizaines de «poteaux», en réserve du pays, en réserve de réalisation pour le pays, qui font ce qu'ils peuvent, faute de moyens. Ils sont prêts, ils s'entraînent mentalement tous les jours pour le combat, comme Mohammed Ali qui fait de la course à pied tous les jours. Quand ça va arriver, tout ce monde-là, comme des fleurs, va s'ouvrir, ça sera fabuleux. C'est cet aspect de la réalité que j'ai constaté par l'action du Tribunal de la culture[7].

Regardons aussi les scientifiques du Québec à l'INRS, à l'ACFAS, dans les universités. C'est rempli de militants de la création, de militants de la science, de militants de l'organisation, de militants de l'animation culturelle, de militants de l'enseignement. Nous sommes de plus en plus nombreux. Nous sommes prêts.

[...]

On se lamente que les jeunes sont drogués, potés, etc. Il y en a. J'enseigne maintenant à l'UQAM[8]. J'en vois d'autres qui m'étonnent par leur volonté de produire et de travailler. Même les jeunes qui écoutent The Doors, The Rolling Stones, Led Zeppelin, etc., c'est une étape et de cette expérience va naître le Québec. Un Québec différent de la France, des USA, de l'Europe et même, année après année, du Québec. Les Québécois ne cesseront jamais de nous impressionner. Et même le dernier des potés, qui nous dit que, demain, il ne sera pas le premier des poètes? De plus en plus apparaissent les «nouveaux Québécois».

[...]

Nous sommes au début d'une prise de conscience. Et le Québec va naître à la condition que circule l'information, je veux dire par là la description de la réalité. [...] En parler en poète, c'est le début de la prise de conscience. Il faut passer de la poésie à la réalité statique[9], qui est plus stimulante pour l'action. [...] À partir de ça, on peut déboucher sur une action, une critique de l'État québécois. Tu débouches sur un programme d'avenir d'un autre État, qui serait le nôtre. Ce devrait être là le processus d'approche pour aller convaincre les Québécois de bâtir le Québec de demain. Ce devrait être le contenu du *Jour*. Cette réalité statistique est la clé de l'animation politique. Les sujets sont infinis.

La tâche des animateurs politiques, culturels, etc., c'est de dévoiler la réalité. Pas de faire de la propagande, mais de dévoiler la réalité statistique... De là découle une mobilisation, avec un objectif réel à atteindre dans le possible[10]. L'un des problèmes des militants est justement de s'être souvent donné des objectifs inatteignables. Si ton objectif, c'est de faire la révolution au Québec, dans six mois tu vas être démobilisé: c'est trop abstrait...

Si tu te fixes, dans un délai *x*, de faire une chose concrète et que tu la réalises, tu te dis: tout est possible, puisque j'ai fait ça! Il s'agit, après ça, de faire un escalier[11], de monter marche à marche vers un pays où on aura, non pas la fin des problèmes, mais le début d'une problématique à nous, dont nous serons les auteurs, nous, nos frères, nos sœurs. C'est ça, le plan!

Le Jour, 23 juin 1976

---

1. Les Éditions Parti pris publieront en mars 1977 les *Œuvres créatrices complètes* de Claude Gauvreau (1503 p.) dans une édition préparée par l'auteur et annoncée depuis 1971.

2. Parlant neurones et front (en 1976), apprécier — Gérald Godin ayant subi une trépanation (en 1984) et étant le ministre responsable de l'application de la Charte de la langue française (en 1982-1985) — le titre de telle entrevue avec lui (*Le Soleil*, 11 février 1985): «Réouverture du front linguistique»!

3. La Société Saint-Jean-Baptiste, fondée en 1834 par le journaliste Ludger Duvernay.

4. Voir Jean-Marc Piotte, *Un parti pris politique*, VLB éditeur, 1979; Pierre Maheu, *Un parti pris révolutionnaire*, Éditions Parti pris, 1983; Paul Chamberland, *Un parti pris anthropologique*, Éditions Parti pris, 1983.

5. Yves Michaud, directeur général (1973-1976) du *Jour*; Jacques Parizeau, président (1974-1976) du conseil d'administration de la SODEP, société éditrice du *Jour*. Yves Michaud a été haut commissaire à la coopération au ministère des Affaires intergouvernementales (1970-1973); Jacques Parizeau a été consultant auprès des ministères des Finances, des Ressources naturelles et de l'Éducation (1961-1975), ainsi que conseiller économique et financier du Conseil des ministres (1961-1967), puis du bureau du premier ministre (1967-1969).

6. Jean-Paul L'Allier, ministre des Affaires culturelles (1975-1976) dans le deuxième gouvernement de Robert Bourassa. Son livre vert s'intitule *Pour l'évolution de la politique culturelle.*

7. Le rapport du Tribunal de la culture est dans *Liberté*, n⁰ 101, septembre-octobre 1975, p. 3-85. Le «jury» est composé du sociologue Marcel Rioux (président), de la comédienne Hélène Loiselle, de l'écrivain Françoise Loranger, du cinéaste Claude Jutra, du peintre Léon Bellefleur et de l'animateur culturel Laurent Bouchard.

8. Durant l'année scolaire 1975-1976, Gérald Godin est chargé de cours en journalisme au module de Communication de cette université. Le 1er juin 1976, il est engagé pour un an comme professeur substitut audit module.

9. Lapsus: statistique.

10. «*Possibles*, c'est le nom d'une revue qui sera lancée en septembre avec Rioux.» En fait, le premier numéro, daté «automne 1976», est achevé d'imprimer le 15 octobre.

11. À cette époque (probablement depuis avril 1976), Gérald Godin a déjà commencé à «faire les escaliers» de la circonscription de Mercier, sentant les élections, pour ainsi dire, se pointer à l'horizon (elles auront lieu le 15 novembre 1976), et ce bien qu'il ne soit pas sûr d'être le «candidat officiel» dans cette circonscription (qu'il représente, comme on sait, depuis lors)!

La victoire des poètes
(entrevue de Jean-Paul Liégeois — *extraits*[1])

J.-P. L.: Comment un poète vient-il à la politique?

G. G.: Je suis entré en politique dès mes vingt ans, en devenant membre de l'équipe de *Parti pris*, où tout le monde était marxiste[2]. Je me suis alors plongé dans le marxisme au point d'en être sourd et aveugle: j'ai été sectaire un certain temps. Mais, par la suite, mon travail de journaliste à *Québec-Presse*, mes contacts avec les syndicats et avec la réalité quotidienne des Québécois m'ont débloqué; j'ai peu à peu compris que ces présupposés théoriques marxistes ne pouvaient pas s'appliquer mécaniquement à la situation du Québec. J'ai vite saisi que, chez nous, il fallait partir du niveau de conscience des gens, de ce que j'appelle «le seuil de leur douleur». Ce n'est qu'à partir de ce point qu'on peut travailler et progresser. La grande force du Parti québécois est de l'avoir vu. Le PQ a été créé en 1968. J'y suis entré en 1968. Le PQ incarne l'essentiel de mes choix politiques: l'indépendance et la prise du contrôle de l'économie québécoise par les Québécois eux-mêmes. Mais, je l'avoue, on n'y parle guère d'autogestion. C'est pourquoi je fais partie, pour employer une formule commode, de l'aile gauche du PQ.

Cela dit, le PQ n'est pas le seul lieu de mon militantisme. Je me bats un peu partout où je peux être utile et efficace. Par exemple, en devenant premier vice-président de la Société Saint-Jean-Baptiste de Montréal, une vieille institution qui existe depuis plus de cent quarante ans. La Société jouissait d'une réputation conservatrice; pourtant, déjà un certain nombre de choses sont en train d'y changer. Autre exemple: je viens de participer au lancement d'une nouvelle revue, *Possibles*, où il est beaucoup question d'autogestion et où il est démontré, le cas d'une usine de textile à l'appui, que l'autogestion aide à transformer les mentalités et à améliorer la qualité de la vie des travailleurs.

En résumé, je me bats partout où je peux le faire sans me rogner ni me renier.

[...]

J.-P. L.: Comment avez-vous mené votre campagne? Sur quels mots d'ordre? Sur quelles explications?

G. G.: J'ai fait uniquement une campagne de porte à porte. Nous avons procédé rue par rue. Les militants du PQ passaient avant moi, ils faisaient un pointage: vingt-deux personnes disent qu'elles voteront pour le PQ, quarante-sept pour le PLQ et cinquante sont indécises, par exemple. Je passais après eux, je n'allais voir que les indécis. J'ai ainsi rencontré six mille personnes. Nous discutions de leurs problèmes et je leur citais les solutions que le PQ préconisait pour chacun de ces problèmes.

La circonscription de Mercier est essentiellement un quartier de travailleurs et de personnes âgées. Je leur expliquais que, pour les personnes âgées justement, le PQ a des intentions bien précises: mettre en place un système de soins à domicile pour remplacer les foyers d'hébergement préconisés par les libéraux. Je leur disais pourquoi: une équipe mobile de médecins, d'auxiliaires de santé, de personnel d'entretien de maisons coûte moins cher à la collectivité qu'un bel édifice en béton qui peut, au mieux, accueillir quatre-vingts personnes. Sans compter que le foyer exile les vieux loin de chez eux alors que les soins, par définition, les laissent à leur domicile.

Et j'ajoutais les liens étroits qui lient des architectes, des ingénieurs et des promoteurs au Parti libéral de Bourassa. Ces gens-là financent la campagne des libéraux. Quand les libéraux sont élus, ils renvoient l'ascenseur: les rois du béton ont alors les coudées franches. Était-ce un hasard si l'organisateur de la campagne de Bourassa était un ingénieur qui vit précisément de contrats gouvernementaux?

J.-P. L.: Et vous n'évoquiez jamais l'indépendance? Vous ne parliez que des problèmes quotidiens?

G. G.: Les grands problèmes — l'indépendance, le pillage économique du Québec — venaient naturellement dans la conversation. [...]

Il y a trois cent mille chômeurs au Québec, soit 10 p. 100 de la population active. Ils [les Québécois] ont compris que des industries de transformation québécoises aideraient à résorber ce chômage. Ils ont compris aussi qu'il n'y avait aucune raison pour que nous laissions les Américains polluer nos lacs et nos rivières, nous imposer leur langue…

J.-P. L.: Ah la fameuse question linguistique! N'est-elle pas un peu dépassée?

G. G.: Pas du tout. La «blessure» linguistique est aussi durement ressentie que le pillage économique. Car l'anglais est vécu comme une langue oppressive, une langue imposée par les patrons américains. Les immigrés le savent bien, qui apprennent l'anglais parce que c'est la *lingua del pane,* la «langue du pain», c'est-à-dire la langue qu'il faut parler si l'on veut trouver un travail. Cela, les Québécois ne l'acceptent plus.

[…]

Mais notre force, la force du Parti québécois, c'est qu'il ne doit rien aux capitalistes canadiens et américains. Il ne doit que des comptes, et le bonheur, au peuple qui l'a élu. À ce peuple, nous demanderons seulement qu'il reste vigilant, qu'il empêche le PQ de s'installer au pouvoir et de devenir un vieux parti coupé de la vie et des problèmes du Québec. S'il y parvient, si nous répondons à ces exigences, l'aventure du Québec ne fait que commencer.

L'Unité. L'hebdomadaire du Parti socialiste,
Paris, 19-25 novembre 1976

---

1. Un long préambule, écrit manifestement à chaud, dans lequel sont cités des fragments du *Plus beau voyage* (de Claude Gauthier), des *Gens de mon pays* (de Gilles Vigneault) et de *Libertés surveillées* (de Gérald Godin), puis les noms de Pauline Julien, Gilles Vigneault et Raymond Lévesque — trois auteurs-compositeurs interprètes, alors à Paris, et dont les entrevues (et une photo qui les rassemble) accompagnent celle du nouveau député —, et de Claude Léveillée et Louise Forestier, et où on peut lire ceci: «Ô stupeur, j'apprenais bientôt que le très "libéral" premier ministre du Québec, Robert Bourassa, était battu de près de 4000 voix — sur 30 000 votants — dans sa circonscription, le comté de Mercier, par le poète Gérald Godin. Quelques heures plus tard, la voix de Godin, une voix folle de joie, exultait au téléphone: "Tu vois, frère, la poésie a gagné contre la piastre." C'étaient bien, en effet, les poètes québécois qui venaient de battre le fric, le dollar américain si cher à Bourassa.»
2. À vingt-cinq ans, en fait, la collaboration de Gérald Godin à cette revue commençant au vol. I, n° 5, février 1964.

Journal d'une campagne électorale

MERCREDI, 15 DÉCEMBRE 1976

Je commence par la fin. Un menuisier des Travaux publics vient apposer à la porte de mon bureau une plaque qu'il dit être en «amicoïde» et qui porte le nom de ma circonscription et le mien, suivi du sigle MAN: membre de l'Assemblée nationale.

C'est donc vrai! Mais pourquoi? Soyons sérieux· l'effet réel de la campagne d'un candidat dans une circonscription est limité. Ce qui est déterminant, c'est la performance du gouvernement sortant. Ainsi, pour avoir rencontré environ six mille personnes dans la circonscription de Mercier entre le mardi 26 octobre et le lundi 15 novembre, j'affirme que la principale cause de la défaite du premier ministre Bourassa dans sa circonscription natale, qu'il représentait depuis dix ans, c'est les grèves dans les hôpitaux. Les malades renvoyés chez eux, les cas d'urgence refusés, les opérations graves différées, l'incertitude des citoyens pendant de longues semaines à l'égard de ce service public furent l'élément majeur de la défaite libérale dans Mercier et peut-être dans tout le Québec.

Si l'on va à la racine des choses dans ce conflit entre l'État-patron et les syndicats des employés d'hôpitaux, infirmières, etc., on trouve du côté du gouvernement une volonté nette de «casser les syndicats». Parce que cette volonté est perçue dans l'entourage du premier ministre et du Parti libéral comme devant mener automatiquement à un appui populaire et, par conséquent, à la réélection du gouvernement libéral, dans son coup de semonce de déclenchement des élections, fidèle à cette vision, le premier ministre ne manqua pas d'associer les syndicats au Parti québécois, étant bien convaincu ainsi que la détestation présumée des syndicats par le peuple se refléterait automatiquement sur la détestation du Parti québécois.

Or, de porte à porte, partout où il fut question de la situation dans le secteur hospitalier et de la panique qui en découlait, jamais,

147

ou presque on n'imputa aux syndicats l'odieux des fermetures d'hôpitaux. Le responsable, c'était le gouvernement. Grave erreur de
calcul, donc, de la part du régime précédent.

Question: Qu'allez-vous faire, vous autres, pour éviter les grèves dans les hôpitaux?

Réponse: Nous, on ne cherche pas la guerre avec les syndicats,
mais la paix. Qui cherche la guerre récolte la guerre. Résultat: les
hôpitaux ferment. Nous, on cherche la paix avec les syndicats.
D'ailleurs, M. Bourassa lui-même l'a dit dans son discours du début
de la campagne: le PQ couche avec les syndicats.

LUNDI, 13 DÉCEMBRE 1976

Mini-caucus des députés, à la salle 81-A du Parlement.

Le deuxième facteur décisif, ce fut le référendum. Faute de cet
engagement, le profond mécontentement des citoyens à l'égard du
régime sortant se serait dilué dans la crainte de l'indépendance.
Crainte centenaire, crainte propre aux citoyens de toute colonie,
crainte alimentée sauvagement par une immense campagne d'in-
toxication libérale, tant à Ottawa qu'à Québec. Crainte amplifiée du
fait du refus des deux gouvernements libéraux de dévoiler les chiffres, les statistiques, en un mot les données essentielles à tout véritable débat sur le fédéralisme canadien. Dans le doute, abstiens-toi!
dit le proverbe. Dans le doute à l'égard de l'indépendance, vote libéral.

Pendant la campagne, un citoyen de Mercier qui doit bien
avoir dans les soixante-dix ans me raconte, au coin des rues Gilford
et Saint-André, que Mme Robert Bourassa lui a rendu visite et
qu'elle lui a dit: «Si vous votez pour le PQ, vous allez perdre votre
pension de vieillesse.» Il s'indigne même à l'évoquer et il ajoute:
«Je lui ai dit: madame Bourassa, j'ai eu ma pension de vieillesse
avant que M. Bourassa soit en politique, et je vais l'avoir même
quand il sera disparu de la politique.»

Mais tous les pensionnés ne réagissent pas de la même manière: dans un foyer de personnes âgées, situé tout près du local du
Parti libéral qui est pavoisé d'immenses panneaux noirs, rouges et
menaçants sur lesquels un Robert Bourassa qui semble se préparer à
se mettre le doigt dans le nez dit: «Non au séparatisme», sur la
quasi centaine de locataires, une quinzaine seulement acceptent de

me rencontrer, alors que tout le monde était là quand le premier ministre Bourassa est venu jouer aux cartes, quelques jours plus tôt.

Je m'informe et on me dit à l'oreille que tous les locataires ont été soumis à une campagne de peur: si vous descendez rencontrer le séparatiste, vous vous exposez à être chassé du foyer.

Je me dis aujourd'hui: le PQ est au pouvoir, les pensions de vieillesse continuent à être payées, les personnes âgées vont-elles croire encore le Parti libéral et ses campagnes de peur dans l'avenir?

Question: Oui, mais le séparatisme?

Réponse: Il ne s'agit pas de ça pour l'instant. Tout ce dont il est question, c'est de débarrasser le Québec d'un gouvernement qui ne vous a pas bien traité et de le remplacer par un gouvernement qui n'a jamais été essayé. Donnez-nous au moins une chance et si on ne fait pas l'affaire, vous nous débarquerez.

Quant au séparatisme, il fera l'objet d'une autre campagne. On viendra vous voir, comme on le fait maintenant, pour vous expliquer les raisons pour lesquelles on croit que le Québec doit être maître chez lui. Et à ce moment-là, vous vous prononcerez pour ou contre l'indépendance. Si la majorité des Québécois est contre, on ne la fera pas. Si la majorité est d'accord, on va la faire. C'est aussi simple que ça et c'est aussi honnête que ça.

LUNDI, 15 NOVEMBRE 1976

Victoire du PQ. Dans Mercier, le premier ministre Robert Bourassa est défait. J'obtiens une majorité de 3736 voix, soit 51 p. 100 des votes. La majorité absolue.

Un troisième facteur clé, ce fut la trop écrasante majorité des libéraux en 1973.

Notes pour des interventions dans le porte à porte:

— Nous autres, on pense qu'il faut de l'opposition à Québec. Cent deux députés, en 1973, c'était trop. Regardez comment vous avez été traités. S'il y avait une bonne opposition, les choses iraient mieux. Nous, on se contenterait d'une vingtaine de sièges.

— Combien de fois ai-je entendu dire: je me demande pourquoi il fait des élections anticipées avec quatre-vingt-dix-huit députés derrière lui.

Ainsi, quand le grand organisateur libéral Paul Desrochers décida, en 1973, d'effacer le PQ de la carte, fit-il une grave erreur de calcul. Il avait oublié qu'à l'élection suivante, tout ce qui irait mal au Québec, absolument tout, ne pourrait être imputé qu'aux libéraux et que l'opposition officielle serait vue par tous comme une petite armée de martyrs absolument débordés de travail qu'il serait important d'augmenter en effectifs. Et je ne suis pas loin de penser que, par une de ces ironies dont l'histoire a le secret, les Québécois voulaient tout simplement se donner une bonne opposition péquiste, le 15 novembre dernier, mais que tellement de gens ont tenu à renforcer le PQ à l'Assemblée nationale que celui-ci a récolté soixante-douze sièges.

DIMANCHE, 31 OCTOBRE 1976

Il pleut sur la ville. Pluie froide. Ce jour-là, on fait du porte à porte avec fureur. C'est le moment ou jamais de prendre de l'avance, car Mme Bourassa ne sortira sûrement pas par un temps pareil.

Donc, l'électorat porte d'abord un jugement sur l'administration précédente, puis il évalue le parti d'opposition, interroge l'aspirant au titre de député, comme on dit à la boxe, sur ce que l'opposition ferait, elle, si elle était au pouvoir. L'électorat est alors à classer parmi les «indécis». Il y en avait 30 p. 100 dans la circonscription de Mercier, au début de la campagne. Et ces indécis suivent la campagne avec une attention totale: radio, télévision, journaux. Et ce qui joue alors, c'est ce qu'on appelle «la campagne nationale», les thèmes développés par les chefs et leur attitude générale dans les *hot lines*. Une campagne nationale qui est bien enracinée dans le réel, c'est-à-dire qui connaît au fur et à mesure les grandes questions que la population se pose et qui y répond de façon satisfaisante, décroche les indécis. Le porte à porte, à cet égard, constitue le meilleur coup de sonde. Quand un indécis dit: «M. Bourassa parle en mal de vous, ce n'est pas bien», ou encore: «M. Lévesque a été bon hier soir à la télévision», ou encore: «Mme Payette, elle, c'est une femme correcte», on mesure les effets locaux d'une campagne globale. Donc, dans une circonscription donnée, la partie la plus déterminante de la campagne électorale tient à des facteurs sur lesquels le candidat a fort peu d'influence: les erreurs du précédent gouvernement et les grandes manœuvres du parti. C'est ce qui explique par exemple qu'on peut lire après une élection que tel candidat créditiste dans la circonscription de Trois-Rivières a recueilli 30 p. 100 des voix sans même sortir de chez lui. Il y a donc un bloc qui bouge indépendamment de l'action du député. Il m'a d'ailleurs été raconté que Marcel Ostiguy, député sortant de la circonscription de Verchères, s'est fait dire par des électeurs, à regret: «Toi, on t'aime bien, tu as été un bon député, mais ton gouvernement et surtout M. Bourassa, on ne peut plus les endurer.»

Corollaire obligé: le député doit donc servir de courroie de transmission entre les besoins de la circonscription et les législations de son gouvernement, pour que celles-ci soient adaptées à ceux-là. Autrement, il est condamné, fût-il le meilleur gars du monde.

MARDI, 19 OCTOBRE 1976

Première journée de porte à porte. L'autre facteur fondamental dans la campagne, et celui-là peut faire la différence entre la victoire et la défaite du parti dans une circonscription donnée, c'est l'efficacité de l'organisation.

Dans Mercier, chaque «poll» était doté d'un responsable et la majorité de ces responsables étaient des résidants du secteur de votation. Dans la plupart des cas, chaque responsable de «poll» avait procédé à l'énumération dans son secteur. Dans un deuxième temps, après l'annonce de la date des élections, il avait fait son sondage, ou ce qu'on appelle le «pointage», qui consiste à rencontrer chaque électeur et à lui demander son intention de vote. Au terme de ce sondage, les électeurs sont répartis en catégories: les péquistes, les libéraux, les autres, les indécis et les absents.

L'objectif du porte à porte, c'est d'abord de convaincre les indécis, et ensuite d'aller vérifier si les «absents» sont chez eux, afin de compléter le pointage.

La circonscription de Mercier était divisée en cinq sections comptant chacune environ trente «polls». Au premier rang, il y avait les responsables de «poll», coiffés du chef de secteur qui, lui, se rapportait au central.

En principe, au cours d'une même journée, il valait mieux faire un groupe de «polls» du même secteur, donc obtenir que chaque responsable de «poll» dispose d'une heure et demie au cours de la journée pour faire du porte à porte. Comme la plupart de ces responsables avaient des emplois, imaginez les problèmes logistiques! Il fallait que chaque responsable soit prêt à diriger le candidat dans l'«opération-indécis», même s'il était impossible que chaque «poll» soit visité.

Toutefois, du 19 octobre au 13 novembre, soit en l'espace de vingt-six jours, les indécis de 147 «polls» sur 159 furent visités, dont 109 par le candidat et les 38 autres par des comédiens, artistes ou chanteurs qui avaient offert leurs services au comité d'organisation de la circonscription de Mercier.

Il faut dire que, Mercier étant la circonscription du premier ministre, un certain nombre de militants des circonscriptions avoisinantes considérées comme «perdues d'avance», telles Outremont ou Westmount, venaient y donner un coup de main.

Pendant la campagne et après, un grand nombre de péquistes de la circonscription de Mercier m'ont dit avoir reçu la visite de Mme Robert Bourassa. Donc, l'organisation du premier ministre n'avait pas fait de pointage autre que téléphonique, qui est le moyen le moins sûr d'obtenir une réponse vraie, dans Mercier en tout cas, où les électeurs ont une notion élevée de ce qui est privé.

Le porte à porte, donc, constitue un moyen privilégié, pour un candidat, de récolter les opinions et les sentiments de la population. J'ajouterais qu'il est essentiel au processus démocratique qu'est une élection. J'ai constaté aussi que, si une résidence est considérée comme sacrée et inviolable en temps normal, elle ne l'est plus en période d'élection. Au contraire, la visite du candidat est perçue comme une politesse de sa part. Un couple de Québécois anglophones, tout à fait à l'est de la circonscription, établis dans Mercier depuis plus de vingt ans, nous ont reçus, le responsable de «poll» et moi, pendant une dizaine de minutes au salon, et ils nous ont dit: «En vingt ans, c'est la première fois qu'un candidat vient nous rendre visite.»

Et même dans la rue, un candidat doit tendre la main et se présenter aux passants. Dès qu'il le fait, leur visage s'éclaire et un contact chaleureux s'établit. Toutefois, il faut être accompagné, pour procéder de cette façon, et de préférence de quelqu'un qui porte un cartable et qui authentifie ainsi ce qui est presque perçu comme une mission officielle.

C'était en 1950, à Trois-Rivières. Jeune étudiant, j'offre mes services pour la campagne de financement de la Croix-Rouge. Mon territoire, c'est la rue Saint-Olivier. À l'angle des rues Saint-Olivier et Niverville, je sonne à ma première porte. Je revois encore la maison, en stucco grisâtre. Et, comme on dit, je me fais revirer. Avant la grande aventure du porte à porte, c'est ce souvenir cuisant qui me revient à l'esprit. Mais à l'épreuve, il s'avère qu'il n'en est rien. Très certainement parce que les responsables de «poll» sont des gens du secteur, des voisins que les gens reconnaissent et qui sont pour la plupart implantés dans les quartiers. Sans eux, la victoire du PQ dans Mercier aurait été impossible.

Donc, si jamais le PQ s'éloignait du programme et des engagements politiques, culturels, économiques et sociaux qui sont les leurs aussi bien que les siens, le gouvernement péquiste serait condamné à mort tout autant que les libéraux l'étaient en 1976.

La victoire du PQ dans Mercier, c'est sept ans de travail dans les quartiers, dans les tavernes, chez les dépanneurs, dans les restaurants et les bineries. C'est sept ans de rêves aussi, et d'espoirs. Si un jour ils étaient déçus ou trompés, c'en serait fait du PQ.

DIMANCHE, 17 OCTOBRE 1976

À l'école Cardinal-Newman se tiendra ce soir la convention pour le choix du candidat officiel du Parti québécois dans la circonscription de Mercier.

Jusqu'à la dernière minute, on ne sait pas s'il y aura d'autres candidats que moi. La rumeur veut que le «national», comme on dit, envoie quelqu'un pour me faire la lutte. Mais ce ne sera qu'une rumeur non fondée. Je suis élu par acclamation.

Un matin, rue Gilford, un électeur s'apprête à entrer dans une buanderie. Je m'approche de lui:

— Je suis Gérald Godin, candidat du Parti québécois dans Mercier.

— …

— Est-ce que je peux vous donner la main?

— Oui, mais pas trop fort.

— …

— Je souffre d'arthrite…

— …

— (*Dans un murmure:*) … et c'est la faute à Bourassa.

Un des aspects du porte à porte, c'est l'infinie diversité de la nature humaine.

Il y a des «tireux de pipe», des sérieux, des farceurs, des joueurs de tours, des têtus, ceux qui invitent à souper, ceux qui offrent du thé, ceux qui sont en pyjama parce qu'ils travaillent de nuit, ceux qui racontent leur vie, ceux qui souffrent, ceux qui n'ont rien, ceux qui sont malades, des invalides qui vivent dans des deuxièmes, ceux qui offrent des bonbons pour la toux, ceux qui parlent de Trois-Rivières, des vieilles maisons avec des meubles modernes, des appartements modernes avec des vieux meubles, des Portugais, des Grecs, des Italiens, des Anglais qui travaillent au CNR ou à la Cunard, des bêtes et méchants, des trotskystes avec des tuques incas, pour qui «voter, c'est se faire fourrer», beaucoup de jeunes femmes enceintes, des libéraux prêts à vous écouter, des jeunes couples qui viennent de s'installer dans le secteur, des piliers de taverne, celui qui fait les meilleurs beignes en ville, celui qui fait les meilleures binnes au Québec, Mme Duquette et son ros-bif, des rinistes de la première heure, des vieux communistes qui se souviennent de Tim Buck, des patenteux, des éleveurs de plantes exotiques qui me donnent un «gasteria», un spécialiste des champignons qui déplore la disparition des hêtres sous lesquels poussaient ces merveilleux lépiotes, un bûcheron avec un doigt coupé qui déteste les arbres de la rue Saint-André parce qu'il a passé toute sa vie à bûcher, un maniaque du *citizen's band,* des repris de justice qui vous disent «j'aime mieux passer pour un voleur que pour un sans-cœur», des gens accotés et des grands pratiquants, des jeunes retraités, des gens heureux qui n'ont pas d'histoire, des organisateurs du temps de Taschereau, des générosités à en revendre, des gens qui «vont-nous-essayer-la-prochaine-fois», et j'en passe.

Pour terminer: l'incident du poème. La veille des élections, l'organisation libérale de la circonscription distribue à chaque foyer un extrait d'un poème tiré de mon dernier recueil: *Libertés surveillées.* C'est un poème rageur qui dénonce les patroneux, «double-crosseurs», trafiquants d'élections et qui se termine par une litanie de blasphèmes que je résume ainsi: «par tous ces tabarnaques, j'ai mal à mon pays jusqu'à la fin des temps».

Le document est illégal: citations sans autorisation de l'éditeur ou de l'auteur. Justification du tirage au nom d'une imprimerie qui n'existe pas. En un mot, un *dirty trick* typique des méthodes de Daniel Segretti, un des petits «trimpes» du Watergate[1].

Le jour du vote, au moment où je sors du sous-sol de l'église Saint-Stanislas après avoir fait le tour de la dizaine de «polls» qui s'y trouvent, je vois arriver trois limousines, suivies d'une meute de cameramen et de journalistes. C'est le premier ministre sortant. Dialogue:

Bourassa: Puis, comment aimes-tu ça, une campagne électorale?

Godin: Fatigant en maudit. Mais je vais te dire une chose, les deux meilleurs hommes, ils sont ici, dans la circonscription de Mercier. Et que le meilleur l'emporte.

Bourassa: Tu connais ma femme, Andrée?

Godin: Oui.

Et ils entrent dans la bâtisse. Charles Denis suit son maître, je l'apostrophe sur le poème:

— Tu te lances dans l'édition, Charles?

— Oui, on a lu ça l'autre jour, au Conseil des ministres, et on a trouvé ça drôle.

— Avoue que c'est un peu cochon et que ça n'a rien à voir avec la campagne actuelle.

— On voulait te faire un peu de publicité.

Derniers râlements d'une équipe aux abois. Résultat: le Parti libéral est décapité pour plus d'un an et les barons se déchirent pour savoir qui aura la couronne. M. Bourassa anime à l'Université libre de Bruxelles un séminaire sur la politique.

Question à ne jamais perdre de vue: la faveur populaire, ça se gagne chaque jour, ça se mérite chaque seconde et ça ne se conserve que dans l'authenticité des élus avec les problèmes et les gens qui les subissent. En politique, rien ni personne n'est jamais «arrivé».

Possibles, hiver 1977

---

1. Allusion à l'affaire du Watergate et au film qu'on en a fait: «*All the President's Men* est un film sur le Watergate, bien sûr, mais surtout sur le journalisme», écrit Gérald Godin dans son compte rendu (*Écrits et parlés I*, vol. 1, «Culture», p. 431-433).

Entrevue de Jean Paré
(*extraits*)

L'Actualité: Après un an de pouvoir[1], estimez-vous que votre projet d'indépendance du Québec est plus proche, ou en êtes-vous au même point?

G. G.: L'indépendance est plus proche, dans la mesure où nous avons enfin accès à l'information, aux chiffres. Pour Bourassa, sans projet indépendantiste ni même autonomiste, ces chiffres n'avaient pas de signification. Le grand inventaire du bilan du fédéralisme, l'analyse de ce qui a été positif et de ce qui a été négatif dans la *national policy,* de John Macdonald à Trudeau, a énormément avancé.

L'Actualité: Et cet inventaire est-il réservé à vous, les députés, ou va-t-il bientôt être livré au grand public?

G. G.: Ce qui me frappe dans ce gouvernement, où il y a pourtant beaucoup de journalistes, c'est son manque de souci de l'information et des relations publiques, une espèce de réserve à l'égard de la presse, de timidité devant l'usage de moyens modernes de communication. Le seul dont on se sert, c'est la conférence de presse. Or il y a toujours une sorte d'entente tacite entre journalistes pour couvrir les mêmes choses: on l'a bien vu dans *Les hommes du président*[2], les journalistes font de l'information officielle malgré eux.

C'est dans cette perspective que je veux que les débats de l'Assemblée nationale soient télévisés, en direct, pour que le public, qui est aussi adulte que les journalistes, fasse son choix. Je suis convaincu que la période de questions aurait un très gros *rating.*

Faudrait-il associer les journalistes plus étroitement à la démarche du gouvernement, à ses études? Les laisser assister, par exemple, aux rencontres des députés avec les hauts fonctionnaires, à titre expérimental? Les citoyens seraient mieux informés.

L'Actualité: Et après cette année de pouvoir, quelle est la réaction de vos électeurs et de vos militants?

G. G.: Sur la politique linguistique, il y a chez les francophones une satisfaction absolue. Je n'ai vu dans ma circonscription aucune réserve là-dessus. On a une loi qui a mûri dans les échecs des lois 63 et 22 et que les Québécois attendaient. Il reste à régler des problèmes avec certains groupes.

Les autres lois que j'appelle «abstraites», le financement des partis par exemple, touchent moins les citoyens. Ils veulent des solutions concrètes à leurs problèmes: revenu familial, logement, prestations. Si on règle ces problèmes-là, on règle tout. Le reste, «c'est de la politique» et on ne s'en mêle pas en dehors des campagnes électorales. Les électeurs donnent un mandat à leur député et ne veulent pas qu'on aille constamment les voir. Six mois après les élections, j'ai visité des foyers pour personnes âgées. On venait d'adopter la gratuité des médicaments pour personnes âgées, et je leur ai demandé ce qu'elles aimeraient avoir d'autre. Elles m'ont répondu qu'elles avaient tout ce qu'il faut, sauf peut-être les lunettes, les dentiers et les cannes. Que pensaient-elles du gouvernement? «Je ne me mêle pas de politique!»

Moi, au départ, je pensais qu'on pouvait investir les circonscriptions en tout temps, faire du porte à porte. J'avais le goût, quand on venait à mon bureau me parler du placement des personnes âgées, de parler aussi du référendum. Puis je me suis rendu compte que ç'aurait été indécent. La pédagogie politique à plein temps, c'est pas vrai!

L'Actualité: Et les militants?

G. G.: Ce qui me frappe, c'est leur ardeur. Ils sont toujours gonflés à bloc. Le projet d'un nouveau modèle de société continue, à telle enseigne que même si le parti était battu, son grand projet survivrait au gouvernement. Il y a trop de gens qui veulent vraiment un changement profond.

L'Actualité: Trouvent-ils que le gouvernement en a fait assez, ou qu'il retarde par rapport à ses objectifs?

G. G.: J'ai constaté une satisfaction relative quant au nombre de lois importantes que nous avons adoptées. Plus d'une trentaine: 101, anti-scabs, assurance-automobile, médicaments, etc. Mais le débat est permanent et c'est ce qui fait la force de ce parti. La

157

faiblesse de l'opposition, c'est qu'elle est formée de partis de pouvoir. Au pouvoir, ils n'ont pas de militants, que des «téteux». Des militants qui ont une vision du Québec, il n'y a que le Parti québécois qui ait ça. Je dirais même que le Parti libéral, c'est un *clipping service,* un service de presse: la plupart de leurs questions commencent par «j'ai lu dans *La Presse...* j'ai vu dans *Le Devoir*».

Alors que nous, nos dix années de traversée du désert ont été une période de réflexion et de dessein global dans tous les secteurs. On a des politiques, des idées sur tout, un programme complet. Dans l'opposition, il n'y a guère qu'un Claude Forget ou un André Reynaud qui aient, exceptionnellement, une vision de développement à nous opposer.

L'Actualité: La loi 101, si c'était à refaire, la referiez-vous? Était-ce urgent de faire cela tout de suite, et nécessaire de le faire sous cette forme?

G. G.: Je pense qu'on a eu raison de régler ça tout de suite. Ce que tout le monde a oublié dans le débat — mais moi, je ne l'ai pas oublié —, c'est le petit «canayen», le Ti-Cul Lachance de la chanson de Vigneault, qui quitte Trois-Rivières pour Montréal... Christ! lui, c'est l'anglais, ou ben!... Quand le médecin du Royal Vic lui parle anglais, ses droits, on ne lui en parle pas. Le droit d'être traité, servi, engagé, payé dans sa langue, il ne s'était jamais battu pour ça: il n'avait jamais pensé qu'il avait, lui aussi, des droits. Le droit à la sécurité culturelle, en vingt ans d'études de la CSN, de commission *Bi and Bi,* la condition des bilingues français, inférieure à celle des unilingues anglais...!

L'Actualité: Avez-vous l'impression d'avoir privé la minorité anglophone de certains droits?

G. G.: Au point de vue scolaire, ils n'ont pas raison de se plaindre. On ne touche pas à leurs institutions. Mais ils découvrent qu'ils ont à partager le «fardeau du bilinguisme». Nous, c'est l'histoire, la géographie, la société qui nous imposent le «fardeau du bilinguisme». On devient bilingue par la force des choses: les disques, les films, la masse des publications américaines, le bombardement culturel américain, c'est du bilinguisme culturel. Notre fardeau, c'est ça. Pour eux, il s'agit d'un bilinguisme social. Le gouvernement a simplement imposé à la minorité de partager ce fardeau du bilinguisme officiel.

L'Actualité: Ça, c'est le principe, mais quand on pense au temps que l'Assemblée nationale et l'opinion y ont mis, à l'acrimonie que le débat a soulevée, est-ce qu'il n'aurait pas été préférable, sur le plan de la tactique, d'adopter une autre attitude? Plus incitative?

G. G.: Ça aurait été à recommencer encore. Il n'y a que deux clauses sur lesquelles j'ai des réserves. Nous parlons de souveraineté-association: à mon avis, l'idée d'association impliquerait que les Canadiens anglais non québécois aient le droit de fréquenter les écoles anglaises du Québec. Et vice versa. Quoique les forces socio-économiques sont telles que les Québécois qui quittent le Québec s'assimilent de toute façon dans cette mer anglaise. L'autre réserve touche les minorités nationales «pré-françaises»: les Indiens et les Inuit.

Nous n'avons pas à leur imposer notre langue. Par respect pour ces premiers occupants du pays, et au nom surtout de nos convictions anticolonialistes, toutes nos relations avec eux doivent se faire dans leur langue. On n'a même pas à leur demander d'apprendre le français. D'autant plus que la presque totalité de nos fonctionnaires québécois dans le Nouveau-Québec parlent inuktitut; je ne sais pas si c'est le cas des fonctionnaires fédéraux...

L'Actualité: Le Québec n'en a pas moins donné l'impression de se conduire au Nouveau-Québec comme une puissance coloniale.

G. G.: Ouais. On est tombé dans le piège...

L'Actualité: Tendu par qui?

G. G.: Le groupe de Charlie Watts, qui nous a proposé de respecter non pas leur langue maternelle, mais une langue seconde. Au lieu de se voir eux-mêmes comme une nation, ils ont joué l'anglais contre le français.

L'Actualité: Et comment vous dépêtrez-vous de ce bourbier?

G. G.: On s'en sort, ma foi, en s'adressant aux autochtones fiers de leur culture. En adoptant pour eux le modèle que nous voulons pour nous. En respectant leur langue nationale et en leur proposant un dialogue d'égal à égal. Quant au français, c'est à nous de faire en sorte qu'il devienne une langue tellement nécessaire, tellement rentable qu'ils vont l'apprendre plutôt que l'anglais quand ils voudront sortir de leur culture...

Mais ils auront le choix. Les forces économiques seules, c'est totalitaire. Quand le gouvernement dit à l'entreprise: vous allez respecter vos employés francophones, il viole un droit fondamental. Quand le marché, le libre jeu des forces économiques, impose l'anglais aux Canadiens français, ça ne viole pas un droit. C'est ça que je ne comprends pas: en quoi les droits sont moins violés par les lois économiques que par les lois gouvernementales?

L'Actualité: Et l'autre minorité qui a décidé de ne pas respecter la loi 101 et d'y désobéir? N'y a-t-il pas un danger à adopter des lois qu'on n'a pas la force de faire respecter?

G. G.: Si on était un gouvernement faible, on serait obsédé par la force. Ce n'est pas le cas...

L'Actualité: Ça veut dire que l'application de la loi 101 est facultative?

G. G.: Nullement. Ça veut dire qu'on va être tolérant. La loi a été adoptée très près de la rentrée. Cela va nous permettre de voir combien de gens ont compris la leçon historique du 15 novembre et combien ne l'ont pas comprise. Il y a des gens qui se disent: les francophones sont au pouvoir de façon claire et nette, ça sera désormais un pays français. D'autres pensent: ils vont se faire battre et tout va redevenir comme avant, avec les libéraux et la loi 22, et la minorité anglophone va continuer à s'assimiler les nouveaux arrivants et même les Canadiens français. Il y a deux visions de l'histoire et la deuxième, à mon avis, est rétrograde et antihistorique. On va évaluer combien de gens la partagent.

L'Actualité: Vous allez être moins tolérant en septembre prochain?

G. G.: Voilà.

[...]

L'Actualité: On attendait beaucoup du gouvernement sur le plan culturel. Qu'est-ce qui s'est passé de ce côté-là?

G. G.: La culture n'est pas plus prioritaire que les autres secteurs pour le gouvernement. Mais la loi 101, c'est culturel: quand la langue vit, il y a de l'avenir pour les écrivains, les cinéastes, les créateurs. Plus que sous l'empire de la loi 22, quand les écoles françaises devenaient petit à petit des écoles anglaises.

Pour le reste, il y a un livre blanc du ministre du Développement culturel, M. Laurin, pour très bientôt. Dans le domaine du cinéma, l'Institut est lancé et il y aura peut-être une vingtaine de films pour l'année qui vient. Des hommes clés viennent d'entrer au ministère et ce qui était resté en suspens est désormais entre les mains de gens sérieux. On peut s'attendre à des mesures de soutien aux créateurs. Pour les questions de *dumping* de produits culturels, ça pose de drôles de problèmes et ça n'est guère avancé. Mais ça me semble lent, je l'admets, dans le domaine culturel où je suis plus fier de la bonne volonté que des résultats.

L'Actualité: Est-ce que le Parti québécois s'occupe suffisamment de ses contacts avec les non-francophones: Anglais, Italiens, Grecs...

G. G.: Non. Et s'il y avait eu, dans le parti, une représentation forte du milieu anglophone, on n'aurait jamais eu les problèmes qu'on a eus. Mais on ne leur a jamais fermé les portes du parti. Ils n'ont jamais cru qu'on prendrait le pouvoir et ne se sont jamais senti assez d'affinités pour participer...

L'Actualité: On voit mal les anglophones militer pour l'indépendance du Québec!

G. G.: Pourquoi pas? Où vont aller les sociaux-démocrates québécois de langue anglaise? Avec Bourassa? Ce que veulent les Canadiens anglais progressistes, pour leur société, c'est exactement ce que nous voulons pour la nôtre. Quant aux minorités ethniques, il y a des problèmes de communication, mais qui vont être réglés parce qu'il y a une volonté de les régler.

[...]

L'Actualité: Quel a été l'effet de l'élection du Parti québécois sur les 750 000 francophones résistants des autres provinces?

G. G.: Absolument extraordinaire. Ils ont vu, pour la première fois, le gouvernement fédéral appuyer des gens qui voulaient des procès dans leur langue: Forest à Winnipeg, Filion à Toronto. En Acadie, et partout, il y a une prise de conscience des francophones qui savent désormais qu'ils peuvent compter sur nous pour tordre des bras, éventuellement.

C'est la première fois dans l'histoire du Canada qu'on va jouer d'égal à égal. L'équipe Lévesque et l'équipe Trudeau sur la glace. Auparavant, on avait une équipe qui ne voulait pas gagner, qui était contente de ne perdre que 2 à 0! On était dans le fédéralisme, on disait: c'est rentable, on perd juste 2 à 0! Nous, on veut gagner et être maîtres chez nous. Si Ottawa n'accepte pas les nouvelles règles du jeu, eh bien! on met en marche la machine pour l'indépendance...

L'Actualité: Qu'est-ce qu'il y a de plus intéressant dans le travail de député?

G. G.: Trois choses. D'abord, ma circonscription, mes électeurs, les citoyens. Les électeurs nous disent des choses qu'ils ne diraient à personne d'autre: on est à la fois travailleur social et ombudsman. C'est la partie la plus succulente.

La deuxième, c'est l'accès à l'information. Je veux siéger dans tous les comités. On est le premier gouvernement à faire circuler tant d'information administrative chez les députés, à participer intensément, dans la plupart des ministères, à l'élaboration des politiques et des législations. Et je dirais que l'opposition, à Québec, elle est dans le caucus du Parti québécois plutôt qu'en face. Ça crée des problèmes, mais c'est bon.

Enfin, il y a le Parlement. La Chambre. Il y a là un côté émouvant. Quand je me lève pour voter, dix mois après, j'ai encore un petit pincement au cœur... Mais dans ce système, il y a tellement de traditions dont il ne reste plus que le squelette qu'il y a un écœurement dans tous les partis. Et le comité de réforme parlementaire va prendre ce qu'il y a de mieux ailleurs, dans les exemples américain, allemand, et d'autres...

L'Actualité: On ne pourra plus parler de système parlementaire britannique?

G. G.: Non. Il faut s'attendre à ça. Parce que le pire côté du système actuel, c'est que le député se sent souvent comme du *ballast* au fond d'un bateau, tout le temps qu'il n'est là que pour assurer la majorité numérique du gouvernement, sans dire un mot pendant des mois...

L'Actualité: Et ce qu'il y a de pire dans la vie de député?

G. G.: Le plus emmerdant, c'est la route Québec-Montréal...

L'Actualité, novembre 1977

---

1. À peine dix mois, en fait, l'entrevue ayant été réalisée le 9 septembre 1977.

2. *All the President's Men,* film américain d'Alan J. Pakula dont Gérald Godin rend compte dans *Le Maclean* (ancien nom de *L'Actualité*) en juillet 1976; compte rendu repris dans *Écrits et parlés I,* vol. 1, «Culture», p. 431-433.

L'irremplaçable ami

Que sont mes amis devenus,
Que j'avais de si près tenus
Et tant aimés?

RUTEBEUF

Après avoir beaucoup pleuré. Après avoir sacré contre la mort. Après m'être dit: «Il n'est que parti en voyage, comme il avait coutume de le faire, et c'est une question de temps avant qu'il ne revienne», je me suis fait une raison. Il ne sera plus jamais là[1].

Et pour tenter de le ramener parmi nous, je me suis mis à me faire des imitations de lui, pour moi tout seul. J'empruntais sa voix rocailleuse, basse, avec, dans l'œil, du gaillard et du canaille et un soupçon de sourire, je faisais comme lui quand, d'aventure, on se rencontrait, et je me demandais: «Pis, mon Godin?»

Ça voulait dire tout à la fois: y a-t-il du nouveau depuis qu'on s'est vus? Du nouveau dans tes amours, d'abord et avant tout. Et ensuite, du nouveau en politique. Les dernières nouvelles du Parlement, les derniers potins du Parti, les dernières rumeurs du milieu des arts et des lettres à Montréal, et quoi encore.

Et jusqu'à tout récemment, quand je montais chez nous, rue d'Auteuil, je continuais à guetter la porte. Je me disais que lui ou Madeleine allait apparaître dans l'entrebâillement pour m'inviter à jaser en passant.

Mais ils ne sont plus là, ni lui ni elle. Et quelquefois, au réveil, je me dis que, comme l'an dernier, Robert en pyjama va venir gratter à ma porte pour me dire que le café est prêt et que je suis attendu pour déjeuner. Là j'apportais mon beurre de pinottes, vu que Robert suivait un régime, et c'est comme ça que nos plus belles journées commençaient.

Mais non, c'est bien fini. J'ai été pendant un an le dernier survivant du 89, d'Auteuil. Car on avait fini par vivre sous le même toit une amitié qui avait commencé quasiment par une chicane.

J'avais entendu parler de lui pour la première fois à la faveur d'une assemblée politique monstre du Nouveau Parti démocratique (section Québec) qui s'était tenue au centre Paul-Sauvé[2]. Il avait conquis la foule aussi bien par sa présence que par le style de son discours. Et puis, son beau-frère Jacques Ferron, que je voyais à l'époque du *Nouveau Journal* et de *Parti pris,* m'en parlait[3]. Tout le monde, en fait, en parlait. Il ne me restait plus qu'à faire sa connaissance.

Ce qui fut fait à l'occasion de la campagne électorale fédérale de 1963. Mon vieil ami André Escojido (Albert pour les intimes) avait épousé une Beauceronne, Louise Melady. Il faisait partie de la Beauce.

Quand le printemps arrive, à Québec, la ville se vide en direction de la Beauce. Il y a déjà de grandes plaques de verdure entre les bancs de neige dans les champs. Le soleil commence à se montrer pour la peine, le temps des sucres arrive, on est tannés de la saleté de la ville et on sort.

Comme je m'adonnais à être à Québec cette fin de semaine-là, Albert me dit: «Viens faire un tour dans la Beauce, il y a une assemblée du NPD, Robert Cliche va être là, on va rire.»

Faut dire qu'à l'époque, ma génération à moi, on était plutôt considérés comme des séparatistes gauchisants. On s'alimentait aux mamelles de Frantz Fanon, Jacques Berque et Albert Memmi. On parlait de la décolonisation du Québec et notre discours s'inspirait de cette phrase de Sékou Touré: «Nous préférons la pauvreté dans la liberté à la richesse dans l'esclavage.» On était assez peu portés sur la politique en général et encore moins sur les politiciens fédéralistes. J'allais en Beauce, pour ainsi dire, à reculons.

Tout ce que Robert et moi avions en commun, à l'époque, quand j'y repense, c'était probablement une répugnance pour les vieux partis et surtout pour cette engeance de carriéristes de la politique qui se targuaient d'être progressistes et qui n'étaient au fond que de nouvelles incarnations de la vieille race des singes grimpeurs des vieux partis, nommément Pierre Trudeau et sa tribu.

On se disait que quiconque veut des réformes réelles et profondes ne pourra jamais les réaliser en transformant de l'intérieur des vieilles termitières, parce que leur passif et leurs mauvaises habitudes sont indéracinables.

Donc on part pour Saint-Djo, comme disait Robert, c'est-à-dire Saint-Joseph-de-Beauce, en vue d'assister à l'ouverture de la campagne électorale du «petit notére de la place», Jean-Claude Morin[4].

La salle était pleine à craquer. C'étaient les merveilleuses premières chaleurs d'après l'hiver et, sur le perron de l'école, il y avait des Beaucerons, pipe au bec, qui placotaient avant que ça commence.

Dans la salle, très rapidement, il a fait très chaud. On a eu droit d'abord aux discours de circonstance, la présentation des notables sur les *hustings,* etc.

Puis Robert prit la parole. Lentement et avec humour, il mit les gens en confiance et en confidence. Puis, avec passion, il dit ce que signifiait le Nouveau Parti démocratique pour le Canada, comparé aux maudits vieux partis qui s'échangeaient le pouvoir depuis les débuts de la Confédération, comme on s'échange une vieille guenille qui a traîné partout.

Et la victoire prochaine du NPD, il l'assimila à la débâcle de la Chaudière qui, bientôt, roulerait ses flots enfin libérés des glaces jusqu'au fleuve Saint-Laurent, tout comme la social-démocratie à son heure balaierait les inégalités du système.

Je me souviens que tous ceux qui étaient présents risquèrent un œil vers les fenêtres de l'école en direction de la Chaudière, peut-être avec un certain sentiment d'inquiétude... Car la Chaudière, quelquefois, déborde aussi de son lit...

Le candidat du NPD ne récolta certes pas tous les votes des électeurs présents dans la salle... Ils étaient venus entendre un bon discours, ils n'étaient pas venus pour se faire convaincre.

On se retrouva ensuite chez Robert, pas très loin d'un foyer pour personnes âgées qui était en construction, un peu beaucoup grâce à lui et à sa contribution. C'était dans une sorte de mini-banlieue, à flanc de coteau, avec une vue magnifique sur la Chaudière.

À gauche de la maison, il y avait le début d'un aménagement paysager. Une toute jeune haie de pois de Sibérie et un alignement de chicots d'érable à l'avenir incertain.

C'est sous ces mêmes érables, aujourd'hui dans la force de l'âge, et qui font un immense parapluie de verdure, que j'ai vu Robert pour la dernière fois, en août 1978.

Il aimait bien ses érables et aussi ses pommiers. Mais ceux-ci étaient bien malades et il craignait de les perdre. Ils étaient en fait sous traitement, couverts de pansements comme des momies, pour empêcher leur écorce de se détacher par grandes plaques, avant de basculer eux-mêmes dans la mort.

Tout comme lui-même il allait basculer, quelques semaines plus tard, dans la mort, quand son cœur l'a lâché.

Cette fois-là, comme bien d'autres fois, sous ses érables, avec Madeleine, sa belle-sœur Marcelle et Pauline[5], on avait causé de tout et de rien. On avait été frappés, en s'en venant, que neuf maisons sur dix soient entourées de fleurs dont on avait cherché en vain le nom. Robert nous le trouva illico: ce sont des dahlias, dit-il, car il connaissait aussi la flore.

Puis la conversation avait glissé vers la notion de progrès. Pour Robert, le progrès passait d'abord par la sensibilité, par l'attention aux besoins de ceux qui n'avaient rien, par le respect aussi, surtout des plus démunis.

Il était contre les grandes réformes, quand les réformes bousculaient les mal pris, ceux qui n'ont rien. Il nourrissait au fond de lui-même cette idée (dont on attribue la paternité à Jean-Jacques Rousseau) que la meilleure société, c'est la société dont l'organisation repose sur la solidarité, sur l'amitié, sur le bon voisinage, sur le respect des idées de l'autre, du territoire mental de l'autre. C'est pourquoi il est toujours resté fidèle à Saint-Joseph-de-Beauce, petite communauté où tout le monde se connaît.

Mais il y a aussi dans ce genre de société le risque que rien n'y change jamais, comme on dit dans *Maria Chapdelaine*. Et c'est probablement pour échapper à ce danger qu'il fit des incursions dans le NPD, un parti où, il y a vingt ans, il y avait une véritable circulation des idées, une véritable mouvance intellectuelle, et la critique la plus radicale du temps sur le Canada, y compris le Québec.

Y avait-il, à l'époque, un lieu ou un milieu au Québec où Robert aurait pu jouer le rôle qu'il a joué au NPD? Je ne crois pas. Y avait-il une place publique au Québec qui fût aussi avancée que l'était le NPD du temps? Non. C'est de là que venait le projet de société qui pouvait le mieux solliciter les esprits résolus, ceux qui veulent secouer le cocotier.

Mais surtout, c'est de ce parti que venaient les premières analyses sérieuses du problème le plus fondamental du Canada: la domination économique des Américains. Une forme d'impérialisme en douceur. C'est de là aussi que venaient les critiques les plus radicales sur la condition des travailleurs.

Il n'en fallait pas davantage pour attirer les esprits modernes du Québec d'alors. Mais entre-temps, comme l'écrivait *Cité libre,* la génération de *Parti pris* avait dédouané le nationalisme à gauche et avait ainsi remplacé le repliement nationaliste par l'ouverture nationalitaire. Et ce fut le RIN, et enfin le PQ qui est, au fond, le NPD du Québec.

Et c'est d'ailleurs alors qu'on se rendit compte que le NPD, qui se permettait d'être nationaliste au Canada, interdisait le même nationalisme aux Québécois, par une sorte de myopie dont Walter Gordon, Mel Hurtig, Pierre Berton[6] et bien d'autres de leurs pareils sont frappés. Heureusement, Jim Laxer, Mel Watkins, Stanley Ryerson[7] et quelques autres y ont échappé, à l'encontre de la majorité des progressistes *canadian* qui, en fin de compte, sans se l'avouer, n'ont jamais pu rompre avec l'impérialisme canadien à l'égard du Québec. Il y a peu de Jean-Paul Sartre de par le monde! Watkins et Laxer en sont. Ils devraient venir vivre au Québec, tiens!

Mais pourquoi évoquer tout cela? Robert Cliche incarnait pour moi, dès cette époque, la gauche enracinée dans la réalité d'ici. Mais ses échecs politiques dans la Beauce et dans Duvernay l'amenèrent à se replier sur l'autre homme en lui, qui était le rural ou, comme il disait, le hobereau de province.

Je me suis souvent demandé pourquoi il n'avait pas fait comme bien d'autres Québécois: franchir le pas, du NPD au Parti québécois. Je dois à la vérité de dire que l'année où il fut montréalais, l'année de l'enquête Cliche[8], il avait envisagé sérieusement de se joindre au PQ. Lucien Bouchard l'y incitait vivement et on avait passé une soirée, Robert et moi, à parler stratégie dans cette perspective. Bouchard et moi, on estimait que Robert ajouterait au PQ une dimension que je définirais sommairement comme un surcroît de chaleur humaine et de complicité paysanne.

Il se serait agi pour lui de se présenter à la direction du Parti, par exemple à la vice-présidence, pour y prendre de la graine et du poids. J'imagine ce que le «combo» Lévesque-Cliche-Parizeau-Bédard-Morin-Burns aurait pu réaliser. Malheureusement, l'affaire n'eut pas de suite.

Velléité de sa part? Souci de vérifier qui l'aimait vraiment? Jeu de l'esprit? Sondage déguisé? Il semblait en fin de compte avoir décidé d'être un peu plus égoïste, de penser un peu plus à lui-même et de ne plus dépenser ses énergies que pour des causes malgré tout moins accaparantes et un peu plus secondaires.

Il réservait ses colères à des causes de moindre conséquence. Revenons à ce bel après-midi d'été sous les arbres. Il était du barreau rural comme j'étais du journalisme rural et nous avions probablement en commun de nous méfier des beaux esprits des grandes villes. Une méfiance qui tournait parfois à l'agressivité à l'égard de ceux qu'il appelait les «fins penseurs».

À l'occasion de notre dernière rencontre, il s'était payé une tirade contre les thérapies de la science sociale appliquées aux détenus et contre les thérapeutes aussi, d'ailleurs: orienteurs, psychologues, travailleurs sociaux, «précieux ridicules de tout acabit», comme il disait, armés de pied en cap de belles théories, mais à qui il manquait souvent, selon lui, une certaine affection pour la nature humaine dans tout ce qu'elle a de complexe et d'imprévisible. On l'aurait poussé un peu, il aurait dit que la visite de l'aumônier de la prison était probablement plus salutaire que quoi que ce soit. Madeleine l'avait interrompu en disant: «Tu me fais peur, Robert, quand tu parles comme ça.»

Il avait la conviction qu'on n'est jamais assez brutal envers ceux qui jonglent avec le cœur, la tête et la vie des autres.

«C'est toutte des maudits pas bons», disait-il souvent au sujet de quiconque contrevenait à la morale du cœur et du bon sens, et n'avait pas d'abord et avant tout le souci de respecter pleinement la valeur profonde et la dignité de tout être humain, quel qu'il soit, quoi qu'il ait fait.

À l'hôpital où il devait subir cette malheureuse opération au cœur, il était, une fois, à la tombée du jour, en veine de confidence. À la veille de passer sous le couteau, il avait quand même un peu peur de ne pas se réveiller, comme on dit. Ses yeux bleus plus creux que jamais au fond des orbites et les sillons plus profonds que jamais dans son visage aux traits tirés et fatigués, il nous avait dit, à

Escojido et à moi: «Si je mourais maintenant, je n'en serais pas malheureux. J'ai vécu comme je l'ai voulu. Tout ce que j'ai fait, je l'ai fait parce que j'aimais ça.»

C'était un matin pourri que ce matin-là où on ferma sa tombe, le plus pourri des matins pourris. Le semaine, d'ailleurs, avait été pourrie. À commencer par le lundi où il avait été foudroyé. Esco qui me téléphone de Québec: «Robert est mort.» Et la gorge qui se serre.

La Transcanadienne jusqu'à la sortie Saint-Nicolas-Bernières. La sortie de Robert, en fait, puisque je ne l'ai jamais empruntée que pour aller chez lui, pour faire autre chose qu'être heureux chez lui et chez Madeleine.

La première fois que j'y étais allé, il m'avait tracé l'itinéraire: «Tu te rends jusqu'à Scott. Là tu traverses la Chaudière. Ensuite, c'est Sainte-Marie, puis Vallée Jonction et puis Saint-Djo. Là, tu peux pas te tromper: tu roules jusqu'à l'église, tu tournes à gauche jusqu'en haut, et encore à gauche et tu vas reconnaître la place. Si on n'est pas là, attends-nous, la clé est à sa place habituelle.»

Je me disais l'autre jour: «Tiens, il y a longtemps que je n'ai pas vu Untel, et puis Unetelle, et puis cet autre Tel.» Et je me rendis compte que c'étaient des gens que je voyais quand Robert était en ville, ou encore quand j'allais à Québec ou dans la Beauce. Il rapprochait et rassemblait les êtres.

Parce qu'il était convaincu qu'il valait mieux passer dix minutes à échanger avec quelqu'un qu'une heure tout seul.

Oui, Robert était le ciment de plusieurs amitiés.

Mais revenons aux débuts de notre amitié. C'était quelque temps après cette assemblée politique du NPD dans la Beauce. J'arrivais à Québec un jour par le train du CN, à la gare de Sainte-Foy où Esco était venu me cueillir.

Tout à coup, qui c'est qu'on voit? Robert Cliche lui-même au volant de sa somptueuse décapotable, marque irréfutable de la réussite sociale des avocats de campagne. Et chef du NPD-Québec en plus! Un socialiste en Cadillac! Même si c'était une Chevrolet.

Belle cible en réalité pour un jeune baveux de Radio-Canada[9]. Le tirage de pipe s'engage. La coutume de l'époque voulait qu'un séparatiste rencontrant un fédéraliste québécois, la conversation se déroule en anglais. C'est Gaston Miron qui avait lancé la mode en s'adressant en anglais au ministre Gérard Pelletier, en pleine réception montréalaise[10].

Je parlai donc anglais à Robert. Je l'interpelle en l'appelant «Bobby». Et de la gare de Sainte-Foy jusqu'au Vieux-Québec où l'on s'en allait de conserve, à chaque feu rouge, nos voitures s'arrêtaient côte à côte et le duel verbal en anglais se poursuivait.

Mais il désarma rapidement mon agressivité par son humour et son goût de la joute.

Et ce ne fut, après ce corps à corps, qu'amitié grandissante.

Ce furent les parties de chasse et de «six pâtes» à Saint-Zacharie. Les visites d'été à Saint-Djo. Mille et une merveilles de drôleries, de taquineries, de confidences, de secrets, de conseils, chez Paul et Monique Ferron, chez Jean-Paul Guay et Fabienne Julien, aux «caucus» du petit déjeuner chez Louise et André Escojido, et chez nous à Montréal.

Et nous avions abouti sous le même toit, rue d'Auteuil, où Madeleine et lui m'avaient déniché un appartement juste au-dessus du leur, probablement pour qu'on se rapproche encore davantage les uns des autres, peut-être aussi pour mieux veiller sur ma vertu...

Quand on nous voyait ensemble, on me prenait souvent pour son fils. J'en étais flatté et je dois dire qu'effectivement cet homme a exercé sur moi une grande influence.

Comment la décrire? Il m'a fait découvrir qu'il faut d'abord écouter les gens. Il m'a fait découvrir aussi que ce qu'il y a de plus précieux dans les rapports avec les êtres, c'est le sentiment: un mélange d'attention, d'empathie, d'affection et de respect pour ce qu'ils sont.

La vie n'était jamais plate ou terne quand Robert était là. C'était toujours une fête. Il y avait toujours des éclats de rire. Puis des éclats de voix aussi, qui incitaient parfois Madeleine à lui suggérer de baisser le ton, que les excès étaient néfastes pour sa santé.

Il y avait aussi une certaine méchanceté, le goût de grafigner ceux qui pétaient plus haut que le trou. Et c'était dit dans des images frappantes et quelquefois crues: «Untel, disait-il, c'est une pissette molle.» Ou encore, d'un ex-curé, il disait: «Quand il marche, il donne encore des coups de pied dans sa soutane.»

C'était aussi le coup de griffe du rural sur l'échine des citadins. Et il n'aimait pas non plus ceux qui manquaient de conviction, ceux qui fonctionnaient trop par calcul, ceux qui couvraient trop bien leurs arrières, ceux qui ne prenaient pas de risques. Ceux qui étaient conventionnels et ceux qui étaient conservateurs.

En face d'eux, il fonçait dans le tas. C'est ainsi qu'on l'a vu fustiger l'hypocrisie des avocats et leur matérialisme, dans un discours qui ne l'avait guère fait aimer dans les couloirs des palais de justice. Il grafignait tous les «professionnels». Mais il ne grafignait jamais ceux qui ne pouvaient pas se défendre. Ceux-là, il les révérait. Parce qu'ils n'avaient pas eu suffisamment de chance. Ou de talent. Ou parce qu'ils avaient dû lâcher l'école de bonne heure pour pouvoir «passer à travers».

J'ai relu ces jours-ci la correspondance que j'ai eue avec lui. Il m'a déjà écrit en anglais, à l'époque que j'ai évoquée et qui remonte aux débuts du mouvement indépendantiste.

J'ai même retrouvé une lettre écrite en alexandrins s'il vous plaît! dans laquelle il évoque ces dimanches matin où, se trouvant quelques heures de loisir, il pense à ses proches et à ses amis et leur téléphone ou leur écrit.

Dans une autre lettre, il me raconte cette histoire beauceronne qui date de l'époque des transplantations médicales et qui en dit long sur la manière dont les Beaucerons perçoivent les avocats, notaires et gens de robe: on greffe à un avocat un nouveau trou de cul. Deux semaines plus tard, l'avocat meurt. Le trou de cul l'a rejeté!

C'est là qu'apparaît une dimension inoubliable de Robert: son côté rabelaisien.

L'autre souvenir qui me revient en lisant ces lettres, c'est le côté théâtral de Robert. Il cultivait ce qu'il faut bien appeler une sorte de dramaturgie quand il était dans une soirée chez des amis. Son jeu préféré consistait alors à lancer dans la conversation une affirmation grosse comme une maison, chargée de provocations, et à attendre les réactions. Quand il avait ainsi lancé sa grenade, son plaisir consistait à voir voler comme des shrapnels les indignations, les explications, les justifications, le bordel quoi, sans lequel une soirée n'est pas vraiment réussie.

Robert, on s'ennuie de toi!

En terminant ces quelques pages, j'essaie d'imaginer ce qu'il dirait s'il pouvait s'approcher et me lire par-dessus mon épaule. Je l'entends presque: «J'espère, mon Gerry, que tu me cochonnes pas trop.»

Aie par peur, mon Robert, je ne sais et n'écris rien de toi dont tu ne puisses être content, dans la mort comme de ton vivant.

Robert Cliche, Quinze, 1980

---

1. Robert Cliche est mort le 15 septembre 1978.

2. Cette assemblée a eu lieu certainement avant mars 1963 (voir la note 4). Robert Cliche sera le président associé du NPD-Canada (septembre 1963 - octobre 1968) avant d'être le chef du NPD-Québec (mars 1964 - octobre 1968).

3. Jacques Ferron, médecin et écrivain: *Cotnoir* (1962) et *Contes du pays incertain* (1962). Gérald Godin le publiera aux éditions Parti pris: *La nuit* (1965), *Papa boss* (1966) et *Les confitures de coings et autres textes* (1972).

4. C'est plutôt à ville Saint-Georges Ouest que se fait l'ouverture de la campagne électorale du candidat Morin, le 24 mars 1963: voir *La vallée de la Chaudière*, Saint-Joseph-de-Beauce, 22 mars 1963. L'élection a lieu le 8 avril.

5. Madeleine Ferron, écrivain (et épouse de Robert Cliche), Marcelle Ferron, peintre, toutes deux sœurs de Jacques Ferron (voir la note 3) et Pauline Julien, auteure-compositeure-interprète et compagne de Gérald Godin.

6. Walter Gordon, économiste et homme politique; Mel Hurtig, éditeur; Pierre Berton, journaliste et historien populaire.

7. Jim Laxer, fondateur, avec son père (Robert Laxer), du mouvement Waffle (qui veut rompre le lien avec le mouvement syndical américain qui finance le NPD-Canada), et dont Gérald Godin a publié *Au service des USA. La politique énergétique du Canada* (Éditions Parti pris, 1972); Mel Watkins, un des Waffles, orateur réputé (comme, au Québec, Pierre Bourgault); Stanley Ryerson, historien et militant communiste.

8. Commission d'enquête sur l'exercice de la liberté syndicale dans l'industrie de la construction, dite commission Cliche, 1974-1975.

9. Gérald Godin a travaillé à la télévision de Radio-Canada comme recherchiste de novembre 1963 à décembre 1968 et de juin à octobre 1969.

10. Gérard Pelletier a été ministre des Communication dans les gouvernements de Pierre Elliott Trudeau, de 1968 à 1975.

Une rencontre de quatre politiciens
(entretien avec Raoul Duguay — *extraits*)

R. D.: [...] Qu'est-ce qui a fait que vous êtes entrés en politique[1]? Qu'est-ce qui vous a motivés à aller en politique plutôt qu'ailleurs? C'est une fonction sociale, c'est une fonction parmi d'autres, mais pourquoi celle-là: se faire élire par le peuple pour être le représentant du peuple?

[...]

G. G.: D'abord, j'ai trop vu de missionnaires défroqués depuis quelques années pour voir ça comme une mission (*rires*). Ensuite, la raison pour laquelle je me suis présenté dans Laurier, dans Mercier pardon (*rires*) — c'est Laurier au fédéral et Mercier au provincial, on est dans la même circonscription à peu de chose près[2] —, c'est qu'un groupe de personnes que j'aimais, que je respectais, avec lesquelles j'avais déjà travaillé dans ce qu'on a appelé à l'époque la libération des clubs privés de chasse et pêche... Il y avait beaucoup de clubs privés, de lacs privés, de rivières à saumons privées, et un groupe de pêcheurs du Québec avait décidé d'occuper ces lacs et ces rivières-là, d'aller y pêcher illégalement. À *Québec-Presse* où je travaillais alors, on avait appuyé carrément cette campagne de libération des territoires de chasse et pêche. Par ailleurs, à Parti pris où j'étais éditeur, on avait publié un livre qui s'intitulait précisément *Le scandale des clubs privés de chasse et pêche*[3]. Et un des piliers, un des militants, je dirais le moteur de tout ce mouvement-là, s'appelait Marcel Boily. C'est un homme d'une cinquantaine d'années, un être extraordinaire.

À un moment donné, il me téléphone et me dit: «On cherche un candidat dans Mercier contre Robert Bourassa; es-tu intéressé à te présenter?» Je me suis dit: contre Bourassa, j'ai aucune chance de passer, d'une part, d'autre part, avec Marcel, on va avoir ben du fun à faire la campagne électorale. J'ai dit: «Oui, on va faire cette expérience-là», d'autant plus qu'à l'époque il y avait une grève des professeurs à l'UQAM. J'étais donc en grève, j'avais donc du temps de libre[4].

S. Joyal: On voit ce que ça fait, des grèves…

G. G.: C'est un des effets des grèves. Donc, c'est beaucoup plus par curiosité je dirais scientifique, pour ne pas dire entomologique, d'une part, par amitié pour Marcel, d'autre part, pour le goût aussi de faire une expérience nouvelle, que j'ai accepté. Sans m'imaginer le moindrement du monde que je découvrirais, un peu comme le commandant Cousteau dans sa soucoupe volante sous-marine, des profondeurs absolument inconnues. Aussi bien durant la campagne, dans le porte à porte, dans les milliers de rencontres qu'on peut faire, que, par la suite, dans un bureau de député, dans les contacts qu'on a, le genre de relations qui s'établissent entre les citoyens et leur député. C'est quelque chose que quelqu'un qui ne l'a pas fait ne peut imaginer. Il y a un *no man's land* là-dedans pour les journalistes, par exemple: ils n'ont aucune idée de ce qui peut exister comme réalité entre l'homme politique et les citoyens. C'est ça qui fait que je reste et veux rester dans ce métier-là.

J'y suis entré sans vouloir vraiment être élu et, l'ayant été, j'aurais pu trouver ça mortel, plate à mort, gagner mon salaire, point, et espérer que ça finisse au plus vite. Au contraire, j'ai découvert — peut-être que ça me convenait — que, jusqu'à maintenant en tout cas, je n'ai pas fait de métier plus intéressant que celui-là, je n'ai pas rencontré de gens en aussi grand nombre que dans ce métier-là, je n'ai pas été aussi souvent ému, touché, bouleversé que dans ce métier-là. C'est la raison pour laquelle j'aime beaucoup le métier de politicien, de député.

Je ne suis pas entré pour le découvrir, je le découvre parce que c'est là, un peu comme quelqu'un qui part pour la Lune et découvre Mars, ou encore, comme dit la chanson, «visa le noir tua le blanc». Je ne m'attendais à rien, mais j'ai vu des choses que je n'imaginais même pas. Et, si jamais un jour je redeviens journaliste, ce qui est probable, vu…

S. Joyal: … votre jeune âge…

G. G.: … non pas mon jeune âge seulement, monsieur Joyal, mais aussi les avatars de ce métier, je vais sûrement faire une autre sorte de journalisme que celle que je faisais jusqu'à maintenant.

R. D.: À ce moment-là, ta perception du monde change beaucoup par le fait que tu as côtoyé des gens d'une manière très précise, très directe.

G. G.: Quand on est député, on se promène dans l'ensemble du territoire. Étant député du PQ, j'ai découvert le Canada anglais par une sorte d'ironie de la job. Je le connaissais un peu avant, mais là, vraiment: systématiquement. Donc, on peut dire que je me suis fait un peu explorateur du territoire inconnu pour un Québécois moyen comme je l'étais avant. De semaine en semaine, de mois en mois, je suis de plus en plus stimulé par ce métier-là. D'autant plus qu'il y a, au terme de cette opération-là, le harnachement du vent dont parle M. Berger[5] et qui est la raison fondamentale pour laquelle j'ai été éditeur, pour laquelle j'ai été journaliste à *Québec-Presse*, pour laquelle j'ai noyauté, j'ai infiltré Radio-Canada, comme on disait[6]. (M. Blondin sourit dans le coin[7].) Partout où j'ai pu essayer de faire apparaître certaine réalité québécoise aux yeux de mes concitoyens dans l'espoir que, pédagogiquement, ça les amènerait à vouloir la souveraineté, je l'ai fait. C'est un théâtre de plus ou une plate-forme de plus où je cherche le vent dont parle Bob Dylan. C'est la raison pour laquelle je suis dans ce métier-là, dans ce parti-là. Ça donne à ce métier, à ce parti, une dimension supplémentaire.

Je ne connais pas de parti politique au Québec ou de groupe d'hommes politiques au Québec qui, avant nous... Peut-être les Pères de la Confédération pour le Canada anglais, en 1865-1867, qui créaient quelque chose de nouveau, une association nouvelle. Nous, à mon avis, on est historiquement dans cet état-là, et c'est très stimulant pour l'esprit. J'ai l'impression qu'on est en train de faire des grafignures ou des graffitis dans le grand livre de l'histoire. Et en ce sens-là, ça donne une autre dimension qui me fait aimer ça.

R. D.: Tu choisis de la musique de temps en temps; dans tes moments de répit, tu t'assois...

G. G.: Souvent, parce que je ne veux pas finir comme Robert Burns[8]: vingt-quatre heures sur vingt-quatre, trop longtemps, ce n'est pas très bon. Il faut vraiment économiser son énergie et avoir un rang de fun, un rang de travail, un rang de fun, un rang de travail, pour pouvoir tenir le coup, parce que c'est un marathon ce métier-là, surtout avec l'objectif qu'on s'est donné.

Je me réserve donc beaucoup de temps pour écouter de la musique, pour écrire de la poésie, pour en lire, pour faire du patin dans le parc Lafontaine ou au carré Saint-Louis, pour aller cruiser, pour faire un tas de choses sans lesquelles un gars s'écœure vite et le missionnaire défroque.

[…]

D. Berger: […] Je crois que notre mode politique est désuet. Monsieur Godin, est-ce que vous croyez que notre système politique — des partis avec des lignes politiques — ne vaut plus la peine?

G. G.: Il n'y a pas tellement de ligne politique que je suis en particulier, en tout cas. Je suis d'accord avec Serge quand il dit qu'il existe des véhicules politiques. À un moment donné, que tu deviennes un homme politique fait qu'on t'appelle douze fois par semaine ou par mois pour te demander ton opinion sur un tas de choses sur lesquelles ça te force à en avoir une, d'abord!

Mais je reviendrais à la question que posait Raoul: «Pourquoi on continue?» D'abord, j'ai un mandat de quatre, cinq ans à faire. Je vais continuer. Pourquoi je vais me représenter? Uniquement parce que je trouverais ça inacceptable que je ne gagne pas la coupe Stanley aux prochaines séries. La première fois qu'on gagne, on dit: «Ah, tu as gagné parce qu'il y avait une vague anti-Bourassa, et le vrai test, c'est la deuxième fois.» Je voudrais donc voir si le boulot que j'ai fait pendant les quatre, cinq ans du premier mandat, ç'a été…, si le monde, autrement dit, m'aime vraiment, ou si j'ai gagné une fois par hasard. Il y a: battre un libéral une deuxième fois, le côté partie de boxe ou tir aux poignets dans la taverne…

S. Joyal: … le côté joute là-dedans.

G. G.: Oui. La confirmation, aussi. Je sais très bien qu'il y a des choses qui ne devraient pas se dire, qui ne devraient pas se faire en politique. Il y en a que je décide de faire pareil, juste pour voir si l'on n'a pas trop de préjugés à l'égard du degré d'évolution du monde. Je pense que Serge le fait de temps en temps, ce test-là, sachant très bien que s'habiller de telle manière, sacrer publiquement, faire de la poésie — «Ce n'est pas un vrai politicien, il fait de la poésie»…

R. D.: Justement!

G. G.: Faire ça et voir que le monde est beaucoup plus évolué que les politiciens ne l'imaginent généralement. Moi, j'ai hâte à la prochaine élection, premièrement pour me repogner avec un libéral, pour voir si je peux en planter un autre. Et si c'est Bourassa, il paraît que ça pourrait être lui, ça va être encore plus drôle. Deuxièmement, pour voir si... Il y a beaucoup d'affection qui entre en ligne de compte en politique, et tu rencontres des gens sur la rue, dans des tavernes, chez eux, dans des presbytères, etc. Ils te reconnaissent, te saluent, te parlent, te racontent leurs affaires, etc. Tu veux savoir si c'est juste superficiel ou si vraiment il y a une affection réelle. Il y a une épreuve de l'amour que la deuxième campagne peut représenter. Moi, c'est pour ça que je veux en faire deux. Trois, je ne sais pas. Mais deux, certainement[9].

R. D.: Une épreuve de la fidélité.

G. G.: Une épreuve de la fidélité de part et d'autre.

R. D.: Tu as justement mentionné le fait que c'est très important, pour un homme politique qui parle avec beaucoup de gens, de se sentir aimé...

G. G.: ... d'aimer et d'être aimé.

R. D.: De sentir que tu es un représentant du peuple et que tu es là pour parler pour lui.

G. G.: Toujours. Le danger, remarque bien...

S. Joyal: Je ne sais pas si on parle pour les gens. Moi, je l'ai vécu, le trip sur l'affaire de la peine de mort. Lavoie-Côté avait fait un sondage: 80 p. 100 des gens étaient pour le maintien de la peine capitale, étaient rétentionnistes. Si tu dis: «Je représente les gens», O.K., je suis rétentionniste, je vote pour mais je suis contre. Je ne pouvais pas faire ça. Je ne les «représentais» pas vraiment. Tu les représentes et les défends jusqu'à un certain point mais, sur les choses essentielles, c'est toi, vraiment, qui es dans le bain[10].

G. G.: Ce n'est pas ce que je veux dire. Je ne me place pas au niveau de la philosophie. Je vais te donner un exemple très précis de ce que ça veut dire pour moi. Quand un citoyen entre dans mon bureau de circonscription, pour moi, il a toujours raison. Et je vais envoyer une lettre d'injure au gouvernement ou à la régie d'État pour les engueuler, afin de défendre systématiquement, sans me poser de questions, les intérêts de mon commettant. De façon que, si le gouvernement a une réponse bureaucratique, technocratique, il la donne. Moi, ça me permet de découvrir si les lois sont bonnes ou pas, si les systèmes et les institutions fonctionnent ou pas. Autrement dit, je me mets dans la peau de l'homme ou de la femme qui m'a élu, et je lui prête ma voix, mes moyens. Les cas quotidiens de la femme et de l'homme mal pris. Sur les questions de fond — l'avortement, la peine de mort et les choses comme ça —, tu as raison: je ne représente pas et je ne consulterai pas par voie de sondage.

N. Auf Der Maur: C'était drôle quand il a utilisé l'expression «planter un libéral». Je n'ai jamais pris Gérald pour un politicien très partisan. [...] Dans notre vie politique, on se sent obligés, publiquement au moins, d'être partisans. Toi, tu es toujours péquiste et Serge, toujours libéral. Dans notre système politique, on n'a pas la liberté des autres politiciens dans d'autres systèmes d'être en désaccord publiquement.

G. G.: Je ne suis pas d'accord avec toi. C'est juste le combat d'un mois, d'une campagne électorale ou de la campagne référendaire. Là, mon vieux, c'est une lutte à finir. *No holds barred.*

R. D.: Qu'est-ce que ça veut dire?

G. G.: Ça veut dire que tous les moyens sont bons pour battre l'autre. Quand je dis «planter un libéral»... Ben oui, ça va être agréable, le soir de je ne sais quel jour de quelle année, probablement 1981, de voir entrer les slips, bureau par bureau: le libéral 13, moi 45, le libéral 12, moi 32. Encore une fois, on les a eus! Mais, en dehors de cette campagne, il y a des libéraux avec lesquels je m'entends mieux à Québec qu'avec certains péquistes, comme il y a des fédéralistes avec lesquels je m'entends mieux qu'avec certains souverainistes... Tu as raison: je ne suis pas partisan, pas plus que Serge. (Je ne connais pas assez David, qui est le benjamin de notre groupe ce soir.) Sauf que, quand tu arrives sur la glace pour la coupe Stanley, comme je disais tout à l'heure, là tu plantes, tu shootes, tu scores, tu prends des punitions s'il le faut, mais tu gagnes.

[...]

R. D.: Gérald Godin est un politicien. Il a choisi une musique... qu'on est en train d'entendre actuellement. Gérald, qu'est-ce qui t'a amené à aimer ces «Portes»-là[11]?

G. G.: À cause du titre: *Riders on the storm!*

R. D.: Penses-tu qu'on est dans une période comme ça?

G. G.: Moi, je me sens un peu comme ça de ce temps-là[12]!

[...]

R. D.: […] La dernière question qu'on peut peut-être se poser, c'est: «Quelle que soit la circonscription dont vous êtes le député, quel est votre pouvoir là-dedans?» Le fait d'être en politique donne-t-il un sentiment de pouvoir, ou est-ce une illusion: c'est quelqu'un d'autre qui décide et, finalement, vous prenez les décisions de votre supérieur, et c'est tout? Dans quelle mesure avez-vous le sentiment d'avoir un certain pouvoir, c'est-à-dire la faculté de changer des choses au niveau du gouvernement, de la société même?

[…]

G. G.: Oui. Le député qui n'abuse pas de son pouvoir, le principal pouvoir qu'il a, c'est ce que j'appellerais *media power*.

R. Blondin: C'est *go public*.

G. G.: Oui. La menace ultime du député, c'est que, si un genre de problème revenait de façon régulière et tenait à une mauvaise loi, un mauvais règlement, une mauvaise administration d'un service public, tu dis: «Mon crisse, si dans un mois c'est pas réglé, si mes quatre veuves de la Commission des accidents du travail n'ont pas reçu leur pension d'icitte un mois, j'te blaste pis j'te dénonce publiquement.» Ça sort, ça bouge.

Il y a aussi le côté *white night* dans la job du politicien; moi, c'est là où je vois le pouvoir. Tu peux le mettre au service de ta carrière personnelle, mais tu peux aussi le mettre au service du monde qui est mal pris. Dans une circonscription comme Laurier au fédéral, Mercier au provincial, il y a beaucoup de gens qui ont des problèmes avec leur administration: les pensions rentrent pas, les chèques sont en retard, etc. Là, on sent le pouvoir du politicien, du député, quand on appelle les fonctionnaires ou le cabinet du ministre ou le ministre en dernière analyse, et que la poule se met à pondre des œufs dont les bénéficiaires sont les citoyens. Quand le citoyen t'appelle ou te rencontre sur la rue ou t'envoie un petit mot gentil pour te dire «bon ben, merci, monsieur le député, grâce à vous, mon chèque, je l'ai reçu», tu dis «j'ai du pouvoir». Maintenant, est-ce que ça touche le pouvoir plus important ou les questions plus fondamentales?

Parce qu'on est des antennes dans la population, les députés, parce qu'on est des sismographes de ce qui se passe dans la population si on est en contact, si on est branchés, si on est sur la même longueur d'onde et si on écoute vraiment, on peut effectivement amener assez de données dans le computeur ou l'ordinateur du gouvernement pour que les règlements changent, pour que les lois soient améliorées. On a du pouvoir. On a le pouvoir réel. Moi, en tout cas, je le teste, je le vérifie, je le sens, je le sais. Et mon arme ultime, ma bombe H, moi, c'est *go public*: la conférence de presse, tu dénonces une situation. Je n'ai pas eu besoin de le faire encore.

S. Joyal: Moi, je l'ai fait souvent.

G. G.: Oui, je sais que tu l'as fait souvent. Mais tu as un pouvoir, Serge.

S. Joyal: Oui, c'est certain. [...]

[...]

R. D.: Tout à l'heure, Serge Joyal disait: «On n'est pas dans *La république* de Platon.» Naturellement. Mais est-ce que la fonction essentielle d'un gouvernement n'est pas d'essayer de travailler à installer le bonheur dans la société? Ça peut paraître bizarre, peut-être même utopique de parler de ça, mais quand on parle d'«apporter des amendements», d'«améliorer des services»...

[...]

R. Blondin: La création au gouvernement...

G. G.: La création au gouvernement, ça existe. Mais je me demande si on ne devrait pas, effectivement, tous autant que nous sommes ici, ça t'inclut toi aussi, Raoul, même si tu le fais plus souvent que nous, rêver un peu en couleurs...

J'avais un article à faire pour la revue *Possibles*: que serait un Québec utopique, après la souveraineté? (Même si Nick pense que ça va peut-être être la fin du monde.)

S. Joyal: L'*Apocalypse Now*[13].

G. G.: *Apocalypse in June* (*rires*)! J'ai eu beaucoup de difficulté, parce que j'étais toujours ramené à des problèmes très concrets[14]. Par exemple: dans le foyer pour personnes âgées, au métro Laurier, coin Saint-Denis et Saint-Joseph, j'en ai rencontré peut-être cinquante et leur ai demandé: «Qu'est-ce qui vous manque?» Elles m'ont dit: «On a des pensions de vieillesse, on a la Régie des rentes, on a des voyages en été grâce à des programmes, on a "Horizon Canada" qui nous permet d'avoir nos affaires, on a des médicaments gratuits... Ah, ce qui nous manque, maintenant, c'est les lunettes et les dentiers gratuits. Si on avait ça, ce serait le bonheur.»

Mais l'utopie, pour moi, pour Nick, pour Serge, pour David, encore moins pour toi, Raoul, ce n'est pas ça.

Quand je pense à ça, je me dis que l'utopie, enfin, la société idéale, ce serait que, au lieu d'avoir à CKVL Yvon Dupuis, Frenchie Jarraud, Jean Cournoyer et Matthias Rioux, par exemple, on aurait les féministes les plus engagées pendant une heure, les gais pendant une heure, les artistes pendant une heure, les businessmen pendant une heure, on aurait tout le monde pendant une heure[15]... Ce serait le début, ça. La liberté d'expression de tout le monde, sans qu'il y ait d'exclusive et sans que ce soit trop du même sens ou trop «l'opposition» et «le pouvoir», ce qui est, en fin de compte, un autre genre d'aveuglement: un débat entre un péquiste et un libéral à la télévision, enfin, où à perpétuité «je suis-tu pour le OUI», «je suis-tu pour le NON», c'est stupide, c'est un peu court.

Alors, je me dis: qu'est-ce que ça devrait être, demain, la société de l'expression, la société de la parole? Là, on retouche à la politique. Le CRTC, il faudrait qu'il s'ouvre les yeux et les oreilles, qu'il se grouille le derrière pour ne pas dire le cul. Je pense qu'au niveau de l'expression, il serait extrêmement important que chacun puisse prendre la parole.

S. Joyal: Ça, ça implique la tolérance.

G. G.: D'accord. La société idéale serait peut-être la tolérance. [...]

G. G.: Le mouvement féministe, hein, c'est l'idée la plus révolutionnaire qui n'ait jamais frappé la société nord-américaine depuis, bon, vingt ans.

S. Joyal: C'est «une» des idées.

G. G.: C'est «l'»idée, à mon avis. Écoute, on va se faire brasser en sacrifice. La société ne sera plus ce qu'elle est maintenant. Mais je ne vois pas dans aucune de ces maudites émissions-là, dans aucun de ces postes de radio ou de télévision, quelque chose de consistant, quelque chose qui dit vraiment ce que ça voudrait être. Pour l'instant, c'est dans les livres. Ça n'a pas encore touché les médias électroniques. Je pense que la société de demain devrait donner la voix à ce monde-là. Le détonateur, la bombe à retardement de la société québécoise et canadienne et nord-américaine, c'est les femmes. Dans dix ans, on va s'en rendre compte, Serge Joyal.

S. Joyal: Oui, oui, effectivement.

G. G.: Elles sont absentes, mon vieux, elles sont absentes bien qu'elles soient présentes de temps en temps dans des débats, un peu comme on parle de…

N. Auf Der Maur: Tu parles des médias ou de la politique?

G. G.: Des médias et de la politique.

S. Joyal: Pourquoi penses-tu que les femmes ne sont pas présentes en politique? Nous, on a eu une courte expérience à l'Action municipale[16]. On avait toutes les misères du monde à recruter des femmes. Et je peux te dire, par expérience personnelle, que les trois femmes qui ont été élues députées au Parti libéral, elles ont été littéralement imposées par le chef du parti[17].

G. G.: D'accord.

S. Joyal: Et chez nous, on s'en rend compte, celles qui ont été élues, ce n'était pas parce qu'elles avaient une volonté très déterminée de faire de la politique.

G. G.: Entendons-nous: des femmes dans un parti politique, ça ne changera pas la société.

S. Joyal: Non, mais je dis qu'elles vont être plus «vocales» parce qu'elles auront accès au même pouvoir auquel nous, nous prétendons comme individus.

G. G.: D'accord.

S. Joyal: Je pense bien qu'on s'entend sur ça. Mais les institutions ne sont pas aménagées pour donner une voix aux femmes, pas plus qu'elles sont aménagées pour donner une voix aux groupes minoritaires. Elles le prennent, le pouvoir, quand des gens du groupe majoritaire se détachent momentanément, comme toi ou d'autres, pour essayer de prendre sur eux leur cause. Mais il ne faut pas penser que le rééquilibre des forces dans une société, ça se fait essentiellement parce que l'institution ou la société est faite en soi pour donner la voix aux groupes minoritaires.

G. G.: Moi, tout ce que je veux, c'est la démocratie éclairée.

Rencontre de Raoul Duguay avec quatre politiciens
(Nick Auf Der Maur, David Berger, Gérald Godin et
Serge Joyal) chez Gérald Godin, à Montréal,
série *Le voyage*, CBF-FM,
Robert Blondin réalisateur,
15 mars 1980

1. R. Duguay s'adresse à Nick Auf Der Maur, fondateur du Rassemblement des citoyens de Montréal (RCM), parti municipal; David Berger, député du Parti libéral du Canada (PLC), circonscription de Laurier; Gérald Godin, député du Parti québécois (PQ), circonscription de Mercier; Serge Joyal, député du PLC, circonscription d'Hochelaga-Maisonneuve. Tous politiciens montréalais, donc, invités chez Gérald Godin, au carré Saint-Louis, pour «jaser» pendant trois heures. Discussion animée par Raoul Duguay, poète et auteur-compositeur interprète.

2. David Berger, député de Laurier, vient de raconter son entrée en politique.

3. Henri Poupart, chroniqueur à *Québec-Presse*: *Le scandale des clubs privés de chasse et pêche*, 1971.

4. La grève des employés de soutien de l'Université du Québec à Montréal, appuyée par celle des professeurs, a duré près de six semaines, en mars-avril 1976. Durant l'année scolaire 1975-1976, Gérald Godin est chargé de cours en journalisme au module de Communication.

5. Allusion à Bob Dylan, dont on vient de faire jouer, en guise de ponctuation dans cette longue émission, *Blowin' in the wind*.

6. Allusion à Pierre Elliott Trudeau: «Nous autres, on avait réussi à noyauter Radio-Canada; nous ne laisserons pas les séparatistes la noyauter à leur tour», célèbre remarque citée par Gérald Godin: «Radio-Canada: dégripper la machine», dans *Écrits et parlés I*, vol. 2, «Politique», p. 137-138.

7. Robert Blondin est le réalisateur de cette émission.

8. Député péquiste (1970-1979) de la circonscription de Maisonneuve, à Montréal, et ministre (1976-1979), Robert Burns démissionne à la suite d'un infarctus.

9. Gérald Godin, finalement, en aura fait et réussi quatre jusqu'à maintenant: 1976, 1981, 1985 et 1989 (dont les deux dernières après des opérations majeures).

10. Jacques Lavoie, député d'Hochelaga, avait fait faire un sondage dans sa circonscription et avait dit qu'il voterait d'après les résultats de ce sondage! La peine de mort, au Canada, est abolie le 22 juin 1976.

11. The Doors.

12. Allusion à la campagne référendaire sur l'avenir politique du Québec, alors en cours. Le référendum, fixé au 20 mai, sera perdu par le gouvernement.

13. *Apocalypse Now* (*C'est l'apocalypse*, en version française), long métrage de Francis Ford Coppola (USA, 1979).

14. Cet article, qui n'a vraisemblablement pas été écrit, aurait dû paraître dans *Possibles*, donc, vol. IV, nº 2 (numéro intitulé *Projets du pays qui vient*), hiver 1980.

15. Allusion à Raoul Duguay: «À un moment donné TOULMONDE est demandé au parloir», célèbre aphorisme infoniaque devenu la première des quatre épigraphes du roman de Jacques Godbout: *D'amour, P.Q.*, Paris, Seuil, 1972, roman d'ailleurs dédié «Pour Raoul Luoar Yaugud Duguay».

16. Lors des élections à la mairie de Montréal en novembre 1978, Serge Joyal est le chef du Groupe d'action municipale (GAM), parti qui fait la lutte au Parti civique de Jean Drapeau.

17. Lors des élections fédérales de juillet 1974, Pierre Elliott Trudeau impose Monique Bégin, Albanie Morin et Jeanne Sauvé.

À propos des immigrants

Je vois plein de monde. Mais je le fais avec infiniment de plaisir. J'aime rencontrer du monde, j'aime parler, j'aime écouter. Quand j'étais jeune, je lisais l'*Encyclopédie de la jeunesse*. Aujourd'hui, mon encyclopédie, c'est la société québécoise dont font activement partie les minorités ethniques. Les immigrants sont des véritables pionniers. Ils arrivent ici avec leurs rêves et leurs ambitions. Pas question de leur demander d'y renoncer et de s'intégrer corps et âme à la société québécoise telle qu'elle est dans le moment. Nous devons former avec eux un monde nouveau, une société modèle, meilleure, libre, ouverte et accueillante.

[…]

La politique, les Grecs ont ça dans le sang. Lorsqu'ils rencontrent un ministre ou un député, ils n'essaient pas (comme ça se fait trop souvent ailleurs) de lui présenter un mononcle ou un petit neveu. Ils le mettent tout de suite en contact avec les leaders du milieu, les journalistes influents ou les autorités religieuses. Ils te disent ce qui va et ce qui ne va pas. Ils te donnent l'heure juste. Et en plus, ce sont des gens chaleureux, profondément généreux, curieux, cultivés.

[…]

Ni le gouvernement fédéral, ni le Parti libéral du Québec ne s'étaient donné la peine d'établir des contacts au sein de la communauté grecque de Montréal. Contrairement aux Italiens ou aux Juifs, les Grecs ne sont pas assez nombreux pour constituer un capital électoral rentable. Ce n'est donc pas sur le plan strictement politique que l'appui des communautés culturelles me semble important, mais d'abord et avant tout sur le plan humain, culturel et spirituel.

[…]

L'un des grands services que nous pouvons rendre aux immigrants, c'est d'accepter qu'ils nous enrichissent et nous instruisent.

Entrevue de Georges-Hébert Germain avec Gérald
Godin (*extraits*); *L'Actualité*, mai 1982

❏

V. V.: Comment en êtes-vous venu à parler grec?

G. G.: C'est en fréquentant les Grecs de la circonscription de Mercier, de *Parka Balaika* qui est l'avenue du Parc. C'est avec eux que j'ai pratiqué le grec, que je parle très peu.

V. V.: Mais beaucoup de gens pourraient croire que le fait de parler ou d'apprendre à parler le grec, c'était surtout une préoccupation électorale ou peut-être une curiosité personnelle.

G. G.: C'est surtout parce que le grec est la racine de plusieurs mots français et même de plusieurs langues. C'est ainsi qu'il y a un village qui s'appelle Saint-Éleuthère au Québec, et *eleutheria* est un mot grec qui veut dire «liberté». Et c'est un anémomètre qui mesure le vent à Dorval: de *anemos,* qui veut dire vent.

Dans un discours de campagne électorale, en 1981, je disais: «*anemos eleutherias pneei* » (*pneuma*, «souffle», comme dans un pneu), un vent de liberté souffle... sur l'avenue du Parc. C'est ce qui s'est passé, d'ailleurs.

Les mots grecs ressemblent de très près aux mots français, dans ces phrases-là en tout cas.

V. V.: La liberté souffle donc sur l'avenue du Parc parce qu'il y a beaucoup de restaurants grecs, de boîtes de nuit africaines, etc. C'est un petit Montréal. Est-ce que c'est ce côté de Montréal qui vous plaît le plus?

G. G.: Oui, parce que je pense que Montréal peut devenir une espèce de résumé de la communauté mondiale. C'est ce que je visais quand j'étais ministre de l'Immigration[1]. Faire de Montréal et du Québec un modèle à suivre pour d'autres pays qui auraient intérêt à être aussi bien sur le plan humain que sur le plan culturel. Et, à d'autres plans, recruter des gens de l'univers entier. Je pense qu'on a réussi ça, que Montréal est effectivement devenu avec le temps un lieu où on peut faire le tour du monde en métro. On prend le métro, on sort en Chine; station suivante, on est en Grèce, station suivante, en Italie. C'est un peu l'un des objectifs que M. Lévesque m'avait confiés quand il m'a nommé ministre de l'Immigration. Et c'est en partie réalisé.

[…]

V. V.: Parlant de poésie, j'ai beaucoup aimé *Les cantouques* que vous avez publiés en 1967, et j'ai aussi beaucoup aimé le dernier recueil, *Sarzènes*[2]. À propos de *Sarzènes*, c'est un mot qui vient de «Sarrazin» qui veut dire étranger, étrange. Est-ce que c'est parce que vous vous sentez encore un peu étranger au Québec ou parce que ce sont les Anglais qui sont étrangers ou parce que c'est l'immigrant qui est étranger?

G. G.: C'est parce que chacun de ces poèmes-là est, au fond, un peu étranger, et, chaque être humain étant une sorte de poème, je pense que les immigrants sont des poèmes au Québec.

V. V.: «Les immigrants sont des poèmes au Québec.» C'est très beau ce que vous dites là mais, dans votre dernier recueil, il y a comme une violence retenue, il y a la mention des immigrants. Par contre, dans *Les cantouques*, on y fait très peu allusion.

G. G.: C'est parce qu'entre-temps, je suis devenu le parrain ou le tuteur des immigrants du Québec. J'ai appris à les connaître par mon métier, à approfondir un peu ce qu'ils étaient ici au Québec, donc à les aimer davantage.

V. V.: Cela a beaucoup marqué votre vie!

G. G.: Beaucoup, oui, et ma poésie.

V. V.: Mais comment cela a-t-il marqué la vie et la pensée du nationaliste?

G. G.: Ça a ouvert les yeux et les portes du Québec sur le monde. En ce sens-là, c'est la phase nouvelle du nationalisme québécois, un nationalisme beaucoup plus ouvert et beaucoup plus soucieux de respecter les autres qui sont ici et de faire en sorte que chacun d'entre eux apporte sa contribution à la construction du pays. Au début, on pensait qu'on ferait le pays tout seuls ou presque; maintenant, on pense qu'on doit le faire avec les autres.

V. V.: Vous pensez maintenant que vous pouvez faire le pays avec les immigrants, alors qu'en 1967 vous écriviez dans le «Cantouque menteur» que vous ne vous confessez qu'à Dieu tout-puissant, qui est votre pays: le Québec[3]. Est-ce que les immigrants font partie de ce pays-là maintenant?

G. G.: Maintenant oui, je pense. Enfin, il n'en tient qu'à eux de le faire. Les mentalités ont assez changé au Québec pour qu'on puisse dire que, malgré les frictions et les crises qu'on connaît et que les journaux décrivent, il y a quand même ce phénomène nouveau: une confrontation entre les deux groupes, entre les Québécois et les autres, qui ne peut donner que de la lumière, au fond.

V. V.: Ces immigrants ont été un peu critiqués. Vous parlez, quelque part dans le «Cantouque de l'écoeuré», des travailleurs bilingues comme de ceux qui vous ont asservis, qui ont fait de vous des nonos serviles[4].

G. G.: Non. C'est un constat de ce qui se passait dans la société, à l'époque. Les travailleurs bilingues, c'était nous, en fait. Et les serviles nonos, c'était nous aussi.

V. V.: Mais on a souvent dit que les immigrants, lorsqu'ils arrivaient, allaient se jeter dans les bras de l'anglophone.

G. G.: L'anglais était, à l'époque, la langue du travail. C'était donc inévitable que quelqu'un qui veut manger son pain trois fois par jour prenne la langue du travail. L'anglais était la *lingua del pane,* comme on disait, à l'époque, en italien. La loi 101[5] vise fondamentalement à ce que le français devienne la *lingua del pane,* la langue du pain, la langue du travail. Quand ce sera fait, les immigrants choisiront… le français.

V. V.: Quand vous dites «quand ce sera fait», pensez-vous à une date précise ou à un long processus?

G. G.: Le processus est long, lent et difficile. Je pense que d'ici la fin de la décennie, ce sera fait. Une demi-génération.

V. V.: D'ici la fin de la décennie. Vous en êtes certain?

G. G.: Oui.

V. V.: Dans *Les cantouques*, vous dites que vous êtes fidèle à votre pays seul. Si, comme vous le dites, les immigrants font maintenant partie de ce pays-là, restez-vous aussi fidèle que par le passé?

G. G.: Je suis fidèle, maintenant, autant aux immigrants qu'au pays, à l'ensemble de ce qu'est le pays maintenant. Les immigrants font partie du pays d'une façon intime et intense, comme les pierres dans un mur scellé.

V. V.: J'ai l'impression, finalement, que le passage de l'histoire, je veux dire l'histoire qui se passe ailleurs — les révolutions, les indépendances, les guerres, le Viêt-nam, etc. —, vous a beaucoup marqué. Et quand vous parlez des immigrants, quand vous parlez de l'ailleurs, vous utilisez beaucoup la comparaison entre l'histoire qui se fait ailleurs et l'histoire qui se fait ici. Est-ce que vous ne vous sentez pas un peu frustré de n'avoir pu réaliser ici quelque chose?

G. G.: J'aurais voulu que le Québec soit dans l'histoire contemporaine au même titre que les autres pays. Je pense qu'on a été un peu chanceux d'échapper à des histoires tragiques comme on en a connu au Viêt-nam, au Liban et ailleurs. Mais en citant les deux — Coaticook, par exemple, et Danang —, on illustre bien que ce n'est pas le même drame du tout. Donc, on n'a pas à se prendre pour d'autres. C'était pour amener les gens qui lisent ces poèmes à se dire qu'ils ne doivent pas se prendre pour des Vietnamiens parce que, au sens de la douleur, de la souffrance et du drame vécu, ce sont des Québécois qui vivent un autre genre de lutte et de drame[6].

V. V.: Mais il y a aussi dans vos propos comme une sorte de malaise à ne pas avoir pu faire ici, non pas nécessairement cette révolution violente ou dramatique, mais au moins à n'avoir pas abouti, proportionnellement, à quelque chose de semblable. Je cite:

> nous nous sentons par moments si étrangers si loin
> quand l'histoire suit son cours
> à Lagrenade et à Bien Hoa[7]

Bien Hoa, c'est au Viêt-nam! C'est dramatique, mais vous voudriez vous rapprocher un peu de ce drame-là.

G. G.: Nous devrions vivre l'histoire du Québec comme dans n'importe quel pays on vit l'histoire! Mais puisque ce n'est pas encore un pays, il n'a pas atteint ce niveau de développement historique ou de présence dans l'histoire que les pays que je mentionne ont vécu, ont réussi à faire.

V. V.: D'un côté, les immigrants sont parfois critiqués d'apporter ici la révolution. Ça, c'est la critique grégaire de l'homme de la rue. D'un autre côté, vous, vous sentez chez eux une sorte d'attirance, une sorte de plénitude à avoir vécu des choses que les gens d'ici n'ont peut-être pas encore vécu.

G. G.: L'immigrant a la chance d'avoir un pied ici et un pied dans la réalité de son pays. C'est un «Québécois plus». Un Québécois grec, par exemple, est un Québécois mais également quelqu'un d'Athènes ou de l'île de Molivos ou d'ailleurs. Il a deux vies qui ne s'annulent pas, qui s'accumulent, qui s'ajoutent et, dans ce sens-là, il y a beaucoup à apprendre de ces gens qui ont vécu et vivent deux vies dans le même espace de temps. Alors que nous, on n'en vit qu'une!

[...]

V. V.: A-t-on raison de vous dire «de gauche»?

G. G.: Quand vient le moment de prendre les décisions importantes qui touchent les travailleurs démunis ou exploités, je pense qu'à ce moment-là on reconnaît la voie social-démocrate et que le PQ n'a pas à rougir de son passé à cet égard. Le salaire minimum au Québec, par exemple, est le plus élevé du continent. C'est l'illustration la plus belle qu'on puisse donner de la volonté d'un gouvernement dit de gauche de faire en sorte que le lot du travailleur exploité soit amélioré et qu'il ait un revenu lui permettant de vivre normalement.

V. V.: Mais les immigrants n'ont pas encore pu bénéficier pleinement des mannes de cet État-providence! Ils sont peut-être encore à la traîne de la fonction publique et d'autres instances.

G. G.: Oui. C'est sûr que l'étape idéale n'est pas encore atteinte. C'est la raison pour laquelle il faut y travailler le plus possible, le plus vite possible. Je pense qu'ils sont un peu la conscience du Québec et ce qu'ils réussissent donnera une idée de ce que le Québec devient.

V. V.: C'est curieux que, dans cette conscientisation du Québec, au moment où vous étiez journaliste[8], vous n'ayez pas été véritablement touché par le phénomène de l'immigration alors qu'il existait déjà?

G. G.: Je n'étais pas touché parce qu'il n'y avait pas, à l'époque, les tensions qu'il y a maintenant. Maintenant qu'il y a des immigrants au Québec, il y a des tensions nouvelles qui débouchent sur le racisme et la xénophobie. À l'époque, elles n'existaient pas. Donc, on ne les couvrait pas. C'était peut-être une erreur mais, à l'époque, ça ne se posait pas comme problème[9]. Le fait que ça se pose comme problème est également un signe que le Québec a changé et qu'il doit passer à une autre étape, à une autre phase, celle de l'acceptation de cette différence.

V. V.: Et où en est cette étape, maintenant, au moment où nous parlons? Comment évaluez-vous tout le chemin parcouru?

G. G.: Il y a une friction entre la communauté québécoise et les nouveaux Québécois. Je pense que c'est une friction qui sera très salutaire pour les deux. Les Québécois vont s'ouvrir les yeux sur le lot des immigrants qui n'est pas le plus rose, comme vous savez; mais, en même temps, on va peut-être réfléchir sur son propre genre de société.

V. V.: Dans vos poèmes, vous parlez très peu de l'immigrant. Au moment où vous semblez vouloir le nommer, ce n'est pas le mot «immigrant» qui vient, c'est le mot «émigré»:

> c'était pour toi c'était pour toi
> toi le défunt le parti
> toi l'arraché le déchiré
> toi le peu toi le rien
> l'émigré l'enfui[10]

Pourquoi ne pas avoir dit, par exemple, «l'immigré l'arrivé», pourquoi l'immigrant en fuite?

G. G.: Mystère de la poésie. Je ne sais pas. Je ne peux pas vous répondre.

V. V.: Quand vous dites «l'émigré l'enfui», vous vous placez dans la position du pays de départ.

G. G.: Oui. C'est parce que les Québécois, en fait, ont toujours voulu quitter leur pays aussi, parce que c'est pas tout à fait leur pays. L'émigré, donc, c'est peut-être le futur Québécois qui va quitter son pays pour aller ailleurs, où il pense qu'il pourra réaliser son projet.

V. V.: Vous avez même écrit plus précisément sur Montréal:

> Sept heures et demie du matin métro de Montréal
> c'est plein d'immigrants
> ça se lève de bonne heure
> ce monde-là[11]

G. G.: S'il y a une chose qui me frappe, quand je circule à Montréal très tôt le matin, c'est que le métro est rempli de nouveaux Québécois. C'est eux qui font vivre le Québec, c'est eux qui font circuler le Québec, c'est eux qui sont là quand tout le monde dort encore. C'est ce qu'évoque ce poème.

V. V.: Et vous dites même:

le vieux cœur de la ville
battrait-il donc encore
grâce à eux

G. G.: C'est ce que je pense.

V. V.: C'est comme si le cœur de la ville avait battu grâce aux Québécois et que, maintenant qu'ils sont fatigués, c'étaient les immigrants qui le font battre.

G. G.: C'est ce que je crois.

V. V.: Mais comment des gens qui ne sont pas tous nés ici arrivent-ils à faire vivre une ville qui vous est si chère?

G. G.: Parce que c'est eux qui portent le poids de la ville sur leurs épaules, au fond, dans les métiers qu'ils font, dans le travail qu'ils abattent, dans les entreprises qu'ils créent. Toute cette activité, qui est le fait des immigrants, a rebâti Montréal. J'en suis convaincu. On peut dire alors qu'ils sont le sang nouveau du Québec de demain.

V. V.: Les immigrants font-ils partie, totalement ou partiellement, du projet majeur de cette province: son autodétermination?

G. G.: Il n'en tient qu'à eux d'en faire partie. Ils sont les bienvenus, d'ailleurs, pour en faire partie. La campagne de 1981 a porté sur cette réalité: qu'il fallait convaincre les immigrants de s'associer à la victoire du Parti québécois et du gouvernement du Parti québécois. Je crois que la réflexion qu'ils ont faite dans leur pays ne peut qu'être utile à la réflexion que le Québec doit faire sur son propre avenir. Donc, en ce sens-là, ils sont profondément et intimement liés à la réalité québécoise, même dans son tournant national, si vous voulez.

V. V.: Certains milieux ont dit et même disent encore que les néo-Québécois ne devraient pas avoir droit de vote lors de consultations sur des questions majeures comme l'indépendance, que le droit de vote devrait être limité aux Québécois de souche. Qu'en pensez-vous?

G. G.: Ce serait une connerie, en plus d'une injustice. C'est une chose rétrograde. Si nous voulons faire le Québec ensemble, il faut qu'ils soient associés à toutes les démarches: la réflexion, le vote, et tout. Il y a même des gens qui disent qu'ils devraient pouvoir voter un an après leur arrivée au Québec, et non pas attendre trois ans qu'ils soient citoyens canadiens. C'est peut-être une option à envisager, comme on accorde le droit de vote à un Ontarien ou à un Canadien anglais qui arrive ici de Toronto: après un an de résidence au Québec, il peut voter.

V. V.: Comment voyez-vous le Québec dans le monde, dans la francophonie?

G. G.: Le Québec est à l'avant-poste de la francophonie. Le Québec est la partie de la francophonie la plus exposée du monde. J'ai déjà dit que le Québec était le «canari de la francophonie», le canari avec lequel les mineurs descendent au fond de la mine. Quand le grisou, ce gaz dangereux, se répand, le canari meurt et les mineurs remontent à la surface. Si le Québec manque d'oxygène linguistique, les autres pays francophones vont sauter aussi. Le Québec est donc très important non seulement pour la francophonie, mais aussi pour tous les petits peuples, pour toutes les cultures secondaires. Quand la culture d'un petit pays meurt, l'ensemble est menacé.

V. V.: J'ai l'impression que beaucoup d'immigrants ne vous connaissent pas ou peu. Ils vous voient un peu fermé, un peu silencieux, imperturbable. Pourquoi avez-vous cette image?

G. G.: Peut-être par timidité de poète, mon cher Jean-Victor! Non. Au fond, je ne suis pas Zorba le Grec. Je suis plutôt timide et réservé. C'est peut-être ce qui explique cette froideur qui n'est pas, en fait, le fond de mon cœur.

V. V.: J'ai aussi l'impression que vous êtes un peu triste, parfois.

G. G.: Parfois, évidemment. Quand je vois ce qui se passe au Québec dans certains cas, dans certains coins, ça me rend triste. Mais je suis également un optimiste. Il faut, après avoir été triste, identifier le problème et tenter de secouer la cage, pour le résoudre.

V. V.: Dans certains de vos poèmes, vous parlez beaucoup de souffrance. Vous parlez même, dans *Les cantouques*, avec un langage «vert», un langage violent. Cependant, j'ai l'impression que, dans *Sarzènes*, vous vous êtes un peu retenu et que votre parler, qui était très ouvert, est devenu plus «civilisé»…

G. G.: ... plus français! *Les cantouques* datent de l'époque où j'étais un écrivain joualisant tandis que *Sarzènes* fait partie de la nouvelle phase: après la loi 101, où le français devient, redevient la langue du pays.

V. V.: Vous ne semblez plus vouloir insister pour écrire dans le style des *Cantouques*?

G. G.: Non. C'est du passé.

V. V.: Peut-être pourrait-on lire quelques vers en langage «vert»? Retrouvez vous-même un très bel exemple.

G. G.: Voici:

le pays que je travaille pour est un câlice un enfant
de chienne de nous maudire icitte sans une bougrine sans un
    ancêtre
sinon nous-mêmes hostie d'humus

ma jeunesse a crissé le camp comme un voleur
emportant tout sinon des dettes et des cassures à réparer
sémantique du blasphème et de l'injure
rien d'autre n'avons-nous sinon perclus au fond des tripes
entêté jappant sans cesse le cri bêlant d'un pays à naître[12]

V. V.: C'est tout un cri[13]! Alors qu'ici vous criez, j'ai l'impression que dans *Sarzènes* vous parlez.

G. G.: Oui. Je suis plus «sérieux».

V. V.: Vous vous adressez parfois à la communauté anglophone. La considérez-vous un peu, parfois ou toujours, comme une communauté «immigrante» en votre terre?

G. G.: Elle représente autre chose. Elle représente la queue de la comète de la domination de l'Angleterre sur le Québec. En ce sens-là, elle a un rôle particulier à jouer. Je constate qu'elle change, elle aussi. Elle aussi se rend compte que la langue française est ce qui définit et délimite le Québec, et que c'est aussi important pour eux que pour nous que cette langue existe. Il y a donc un nouveau Québec anglais aussi. Ce qui m'intéresse, c'est précisément ce dynamisme social qu'on constate au Québec de façon permanente et qui est provoqué souvent par des lois comme la loi 101, qui a fait beaucoup de secousses. Mais le résultat, la conclusion des tourments et des drames, c'est que les anglophones acceptent mieux le caractère français du Québec et, je dirais, adhèrent en partie aux objectifs des Québécois francophones. En ce sens-là, c'est nouveau.

[...]

V. V.: Est-ce que vos amis grecs d'ici vous disent comment ils vous voient?

G. G.: Ils sont heureux ici avec moi, avec nous. Nous le sommes avec eux là-bas et ici. Je pense qu'il y a une grande fraternité qui s'est développée avec les années, qui est très affectueuse. Et c'est ce qui est le plus précieux, dans cette carrière de politicien.

Dans son œil passe
un poisson d'or
faisant l'amour
entre deux portes
arrachant au temps
la splendeur d'un instant
dans un cri déchirant[14]

Ça, ça veut dire que le temps est très précieux, qu'on est mieux de le garder précieusement et de ne pas le dépenser. Il n'y a pas pire expression que «tuer le temps». Il faut vivre le temps, non pas le tuer. Ce que je tiens des Grecs. Ils savent vivre le temps.

V. V.: C'est un enseignement phénoménal. Tout est compris dans le temps, tout est comprimé dans le temps.

G. G.: Et tout est subi aussi.

V. V.: Je vous croyais triste, je vous trouve dansant. Et vous chantez des mots qui dansent.

Entretien de Jean-Victor Nkolo avec Gérald Godin
(*extraits*), décembre 1984; *Vice Versa*, juin-juillet 1985

---

1. Gérald Godin a été ministre de l'Immigration en 1980-1981, puis ministre des Communautés culturelles et de l'Immigration en 1981-1985, avec une petite interruption en septembre-décembre 1984. L'entrevue a lieu durant cette interruption, en décembre 1984.
2. *Les cantouques*, Éditions Parti pris, 1967; *Sarzènes*, Trois-Rivières, Écrits des Forges, 1983.
3. *Cantouques & Cie*, l'Hexagone, 1991, p. 53.
4. *Ibid.*, p. 65.

5. La loi 101 ou Charte de la langue française, parrainée par le ministre Camille Laurin et sanctionnée le 26 août 1977. Gérald Godin, en 1982-1985, est le ministre responsable de l'application de cette Charte.

6. Voir *Sarzènes*, p. 21.

7. *Ibid.*, p. 18.

8. Gérald Godin a été journaliste à Trois-Rivières (1958-1961 et 1962-1963) et à Montréal (1961-1962 et 1963-1976). La période la plus connue est certainement celle où il a travaillé à *Québec-Presse* (1969-1974).

9. Voir toutefois l'article: «Les immigrants. Travailler en anglais et... moins cher», *Québec-Presse*, 9 juin 1974.

10. *Sarzènes*, p. 30.

11. *Ibid.*, p. 36.

12. *Cantouques & Cie*, p. 38.

13. Dans *Les cantouques*, la première strophe ici citée est annoncée par un «Cri du cœur».

14. *Sarzènes*, p. 53.

La vie en Rolls

Il avait lu quelque part: la révolution, ça commence dans la rue et ça finit derrière un bureau. Mais, dans le cas de celle-ci, il n'en était rien. De plus, pour ce qui est du Québec, frappé d'une sorte de méfiance et d'un cynisme universel, dans les décombres duquel on trouverait probablement les raisons de l'échec du projet de pays qui avait stimulé tant d'énergie et de dévouement il y a une quinzaine d'années, en voilà une révolution à laquelle on n'avait pas foutu dans les pattes:

— Oui, mais les peuples autochtones, eux?

— Oui, mais mon augmentation de salaire?

— Oui, mais ma participation à la gestion, elle?

— Oui, mais ma semaine de trente-deux heures?...

Une révolution, donc, qui avait réussi. La seule, en fait, qui était passée à travers la course à obstacles du cynisme québécois, du cynisme de ce pays qui réagit comme s'il avait mille ans, comme s'il avait vécu deux ou trois guerres, en un mot, pays de maturité précoce, pays tout jeune pourtant, mais qui se conduit déjà comme s'il avait tout vu, tout connu, tout vécu, tels ces enfants au visage ridé. Et c'est pas facile, savez-vous, d'impressionner ces enfants-là!

— On vous a demandé d'être personnel, monsieur, de parler de l'effet qu'ont eu sur vous ces quinze années de féminisme.

— Ah, je suis dans une période de ma vie où je trouve que le «je» est détestable et bien peu intéressant. De toute manière, le lecteur saura bien trouver le «je» sous ces propos.

Tiens, l'autre soir, aux nouvelles télé. En Ontario, un jury de braves protestants, pas plus évolués que bien d'autres, reconnaissait, par une décision unanime, le droit des femmes à se faire accoucher par une sage-femme, au lieu d'un médecin. Qu'une idée aussi neuve et aussi centrale à la pensée féministe ait fait son chemin en si peu de temps, ait été banalisée, en un mot, si rapidement, dans le

196

crâne bien protégé de gens qui normalement auraient cessé d'évoluer après leur sixième année, voilà bien la preuve par *a* plus *b* du succès de la révolution des femmes.

— Oui, mais vous, vous, quel effet a-t-elle eu sur vous?

— Tout d'abord, une bonne vieille réponse de macho: elle a fait apparaître dans le paysage une nouvelle espèce *nova species* de femme, la femme de tête. Pas confinée dans les schèmes traditionnels, calculatrice en main, plus rapide, plus intelligente que les hommes du même milieu, moins encombrée des traditions et règles du milieu, tout à fait innovatrice, et tout ça l'air de rien, les doigts dans le nez, comme on dit, atterrissant en douceur dans n'importe quelle complication pour la résoudre évidemment avec une assurance sublime.

— Amerigo Vespucci, tiens, jetant l'ancre en rade de l'Amérique, en ayant l'air de dire: «Ce n'était donc que ça!»

De véritables mutantes. Mais extrêmement sortables en plus. À jeter n'importe qui en bas de sa chaise.

— Vieux matou dégueulasse!

— Bien sûr, bien sûr, c'est bien ce que je dis, le «je» est détestable.

— Vous voulez dire pas montrable?

— Zaquetement.

C'est bien là un des effets les plus nets du féminisme, quinze ans après. Il y a des choses que les hommes n'osent plus dire.

— Et des mots qu'ils n'osent plus utiliser.

— C'est déjà un progrès immense quand on pense à la quantité de conneries qui se disaient et s'écrivaient, il n'y a pas si longtemps.

Il nous aura donc été donné de secouer l'âme anglaise du Québec et, pourquoi pas, de la faire apparaître, elle qui, où que ce soit dans le monde, et Dieu sait si elle fut en moult endroits, est si discrète, si timide, comme honteuse de ses actes. Elle est donc apparue, et peut-être même pour elle, ce fut une surprise. Et elle parut sous une forme qui ne fut pas tellement différente de celle du Québec français, c'est-à-dire d'abord préoccupée de la langue et de l'importance de la langue dans tous les domaines.

— Mais là n'est pas notre sujet, Zerlinguot. Notre sujet, c'est le fé-féminisme et non pas le na-nationalisme.

— Pas d'accord; le sujet, c'est les changements survenus au Québec en quinze ans, les concomitants au fé-féminisme, aussi bien que les féministes eux-mêmes de changements. C'est que moi, voyez-vous, en ces quinze ans, c'est au nationalisme que j'ai consacré ma vie. C'est là ce qui m'a grugé. Et, de toute manière, et vous le verrez ce tantôt, tout cela se touche, comme les gens dans le métro, à l'heure du «roche».

Donc, voilà pour les effets du nationalisme québécois. Ce n'est pas un peuple souverain qui est apparu, mais une minorité culturelle et nationale de plus. Or qui dit minorité dit majorité. Donc les francophones sont maintenant, corollaire oblige, une majorité qui ne s'en est pas rendu compte, c'est-à-dire certaines personnes, mais le peuple, lui, si.

— Ce qui expliquerait certaines attitudes, inexplicables autrement.

— Eh oui.

— Je la vois venir, l'analogie.

— Les femmes, au Québec, ont réussi. Le Québec est maintenant un pays d'égalité totale entre hommes et femmes, mais les femmes ne le savent pas encore. Elles ont gagné mais elles l'ignorent.

— Oui, c'est quelque chose comme ça. Mais, en même temps, c'est plus compliqué que ça parce que la victoire des femmes, leur arrivée au sommet de l'Everest, il y a encore trop d'hommes qui l'ignorent.

— Sauf que, maintenant, il n'y a pas un homme d'ici qui, à la veille de prendre une décision, petite ou grande, ne se pose pas la question: «Oui, mais qu'est-ce que les femmes vont dire?»

— C'est bien ça.

— Mais tu te mets un doigt dans l'œil, mon vieux. Ce que tu décris est peut-être vrai, mais tu n'as pas compris que l'égalité, c'est quand c'est les femmes qui ont le pouvoir, c'est le jour où c'est elles qui, en comité, en Conseil des ministres ou en conseil d'administration, se poseront la question: «Est-ce que nous avons assez d'hommes, est-ce qu'on leur donne le nombre de postes auxquels ils ont droit en proportion de leur nombre dans la société?»

Mais nous sommes encore dans un monde où ce sont les hommes qui se posent ces questions. Après quinze ans, c'est là où nous en sommes.

— C'est quand même un pas en avant!

— Peut-être, mais ce n'est pas encore le pouvoir.

— C'est vrai.

— Donc, elles doivent continuer à râler à mort.

— Vous voulez dire à se battre.

— C'est bien ça.

— Quant à moi, G. G., je ne suis pas assez important, ou du moins je ne m'estime pas tel, pour vous dire quel effet cette mutation a eu sur moi.

— Avouez donc la vraie raison, c'est que vous avez peur d'être indiscret et que votre témoignage trop intime ne vous crée des ennuis privés et publics.

— En toute honnêteté, il y a de ça aussi.

— Au fond, vous avez écrit plus que vous n'avez témoigné.

— C'est tout à fait ça, mais écoutez, ça fait quatre fois que je le recommence, ce texte-là, bien méchant ou méchante qui le refuserait.

— Ou, bien greyée en textes de rechange, ce qui ne sera pas le cas car je vois assez peu de mes collègues passer l'été, comme moi, à remue-ménager sur ses six pages pour *La Vie en rose*.

— La vie en Rolls.

— En voilà du «je», zigoto. Des blagues, toujours des blagues, les sujets les plus graves au fond ne t'ont jamais mené qu'à blaguer et à rire.

— Théorie de la relativité. Albert Steinberg. Mon «je», c'est pas écrivable. Ce serait trop personnel, trop compromettant. Ça me vaudrait trop d'ennuis...

— Peureux, peureux.

— Je l'écrirai plus tard quand vous serez bien vieille, le soir au coin du feu, comme dirait Ronsard:

Mignonne allons voir si *La Vie en rose*
à qui ce matin manquaient des proses
n'a pas trouvé cette vesprée
tous ces textes avant la tombée.

Moi, au fond, ce qui m'intéresse dans ce mouvement féministe, bien au-delà de ce petit «je» succulent qui aurait pu être scandaleux, imaginez: les confidences d'un ministre sur sa vie sexuelle, car c'est ça, au fond, qu'elle voulait, *La Vie en rose*, c'est la même chose qui intéressait Arthur Rimbaud, il y a cent quatorze ans, et qu'il évoque dans sa lettre du «Voyant».

— Il y a plus d'un siècle, donc.

— Oui, oui, vous avez bien lu. Avant que la moindre scintille de l'idée même du féminisme n'apparaisse dans le cerveau d'une femme, Rimbaud écrivait donc ce qui suit: «La poésie ne rythmera plus l'action; elle sera en avant. Ces poètes seront! Quand sera brisé l'infini servage de la femme. Quand elle vivra pour elle et par elle, l'homme — jusqu'ici abominable — lui ayant donné son renvoi, elle sera poète, elle aussi! La femme trouvera de l'inconnu!»

Et c'est là l'important: ses mondes d'idées différeront-ils des nôtres?

Il n'y a de déplaisant dans ce texte que cette trace de machisme: «l'homme lui ayant donné son renvoi». Je n'aime pas ça du tout, mon cher Arthur. Même voyant, vous ne pouviez pas tout voir. Aujourd'hui, l'homme ne donne plus son renvoi à la femme, c'est elle qui arrive et qui reste et qui part, à son gré.

Que nous annonce le Voyant?

«Elle trouvera des choses étranges, insondables, repoussantes, délicieuses.» Cela s'est-il produit?

— Pas encore, parce que l'«infini servage de la femme» n'est pas encore terminé.

À certains signes, tout donne à croire que le Voyant a vu juste. Donc, au plus sacrant, la liberté libre pour la femme et, surtout, le Pouvoir, que l'on voie ce que deviendra le monde entre ses mains.

— C'est là mon seul intérêt pour ce mouvement. En sortira-t-il un monde neuf, des rapports neufs entre le pouvoir et le peuple? Entre les hommes et les femmes? Sauront-elles trouver une solution à des crises comme celle de la famine en Afrique? Nous mèneront-elles à la paix? Y aura-t-il moins de violence, moins de sang versé? Verrons-nous la fin des dictatures? Par quoi remplaceront-elles l'affreux rapport de force entre les peuples, les blocs, les groupes d'intérêts?

Il y faudra une imagination sans précédent, une chose «étrange, insondable, repoussante, délicieuse».

— Enfin, c'est ce que je veux voir, peut-être d'ici les trente ans du mouvement.

La Vie en rose, novembre 1985

«Le Québec, c'est ma vie, et être député me permet d'être au cœur de cette passion»

Guide Mont-Royal: Monsieur Godin, vous célébrez ces jours-ci votre dixième anniversaire de vie politique. Vous étiez déjà engagé en politique bien avant la victoire du PQ en 1976?

G. G.: Ah, oui! J'étais journaliste engagé, comme on disait à l'époque, à *Québec-Presse*. Je me suis rendu compte que ce n'était pas assez efficace et que je ferais mieux de siéger à Québec plutôt que de dénoncer le régime de l'époque dans les domaines, linguistiques et autres, qui m'intéressaient.

G. M.-R.: Comment s'est réalisé le passage du journalisme à la politique?

G. G.: Il y a eu deux circonstances extérieures qui m'ont conduit dans la campagne de 1976.

D'abord, en tant que journaliste, je couvrais Mercier[1] où un ami à moi, Marcel Boily, était impliqué pour le PQ. Marcel, un homme que j'admirais beaucoup, m'a demandé de joindre l'équipe du PQ dans Mercier, et j'ai accepté. À ce moment-là, j'étais chargé de cours à l'UQAM et en chômage forcé à cause d'une grève. Au lieu de faire la grève, j'ai fait la campagne contre Bourassa[2].

G. M.-R.: Votre entrée dans la vie politique s'est faite rapidement.

G. G.: Quand M. Boily m'a téléphoné, j'y ai pensé pendant deux jours, puis je l'ai rappelé pour lui dire que j'embarquais. Dans le temps de le dire, j'étais dans les escaliers du bureau de Mercier à me convaincre qu'il fallait que je gagne. C'est ce qui s'est passé.

G. M.-R.: Outre la question linguistique, quelles étaient vos motivations politiques en 1976?

G. G.: À l'époque, *Québec-Presse* était un journal militant des centrales syndicales qui haïssaient Bourassa à mort, comme elles vont bientôt le faire de nouveau. Et Bourassa avait «foutu» nos représentants syndicaux en prison[3]. Il était devenu notre bête noire. Il était donc temps, en 1976, de prouver qu'on pouvait s'en débarrasser. Et c'est exactement ce qui est arrivé.

Dans Mercier, il était aussi très détesté. Il était insensible aux problèmes des gens. Il est d'ailleurs de nouveau reparti dans cette voie...

En résumé, c'était pour cesser d'être un gérant d'estrade que je me suis lancé en politique.

G. M.-R.: Aujourd'hui, dix ans plus tard, est-ce que ce sont ces mêmes raisons qui vous motivent à continuer?

G. G.: Non, c'est tout à fait différent maintenant. Je suis devenu plus proche des besoins des gens de Mercier, en partie à cause du fait que j'ai été frappé d'une tumeur au cerveau[4]. J'ai vu dans mon bureau des gens, frappés d'une incapacité quelconque, venir pleurer. Maintenant, je les comprends mieux. Je retrouve dans Mercier des «compagnons de douleur», des accidentés du travail, des gens qui ont des problèmes de santé, des chômeurs, etc. Il y a une plus grande solidarité humaine entre les gens qui viennent dans mon bureau et moi. C'est donc, d'une part, un engagement plus personnel.

D'autre part, je veux que la souveraineté du Québec se fasse. Après dix années passées dans Mercier, je constate comment il serait important et utile que l'on commence à rêver un peu à un projet autre que celui d'un gouvernement qui administre bien, qui coupe les salaires s'il a besoin d'argent, qui passe des lois pour casser les grèves indécentes, comme celle dans les hôpitaux. Au-delà de ça, je crois qu'il faut qu'il y ait une dimension supérieure à la vie quotidienne du Parlement. Moi, j'ai l'intention de continuer à militer dans Mercier précisément parce que je veux redonner aux gens le goût de rêver à ce que serait aujourd'hui le Québec si nous étions souverains, à ce qu'il serait si, en 1980, nous avions voté OUI à une société entièrement québécoise, qui bâtit le Québec à son modèle et non sous la tutelle gênante d'un oncle à Ottawa.

G. M.-R.: En 1980, les Québécois ont dit NON. En 1985, ils reportent au pouvoir un gouvernement fédéraliste[5]. Depuis, le PQ dilue constamment sa position sur la question de l'indépendance. Malgré tout cela, récemment, vous déclariez à un journaliste d'un quotidien, lors de la victoire du RCM[6], que les Québécois balaieraient aussi le fédéralisme un jour. Vous y croyez donc encore?

G. G.: Je constatais que les Québécois en 1976 ont planté le régime Bourassa et en 1986 le régime Drapeau, comme ils balaieront en 1996 le régime fédéraliste. Le Québec vit par cycles de dix ans. Le temps fait son œuvre. Les Québécois réalisent que ces régimes ne correspondent pas à leurs aspirations personnelles ou collectives.

G. M.-R.: Le Québec a déjà dit NON à la souveraineté.

G. G.: La perception qu'ont les gens d'une question comme celle-ci change. Il faut donc maintenir le rêve — le projet — vivant plutôt que l'enterrer, comme le PQ semble vouloir le faire. Le Québec est devenu une espèce d'animal en hibernation. Je vais m'employer dans les années qui viennent à réveiller la capacité de rêver des gens du Plateau Mont-Royal et de Mercier[7].

G. M.-R.: Quel a été, selon vous, l'événement le plus marquant depuis dix ans au Québec?

G. G.: Je pense que la victoire du PQ en 1976 a été un événement marquant pour le Québec et le Canada entier, et l'aurait été encore plus si les Québécois avaient dit OUI au référendum. Avec l'élection du PQ, le Québec s'est imposé comme société française et a commencé à faire sa marque dans le monde et à être une société qui correspond à ses besoins.

G. M.-R.: Dix ans de travail à l'Assemblée nationale! De quelle réalisation êtes-vous le plus fier?

G. G.: Le rapprochement entre les francophones et les allophones du Québec est peut-être l'œuvre à laquelle j'ai le plus contribué et dont je suis le plus fier. De même, les écoles aujourd'hui sont de plus en plus imprégnées de cultures autres que française et anglaise, ce qui va conduire à la naissance d'un Québec nouveau, à partir de plusieurs cultures, l'une enrichissant l'autre, dans la perspective d'un Québec francophone.

Guide Mont-Royal, 26 novembre 1986

---

1. La circonscription de Mercier, lors des élections d'avril 1970.

2. Cette grève des employés de soutien de l'UQAM, appuyée par celle des professeurs, a duré près de six semaines, en mars-avril 1976. Robert Bourassa est alors non seulement le premier ministre du Québec, mais aussi le député de la circonscription de Mercier.

3. Marcel Pépin, président de la Confédération des syndicats nationaux (CSN), Louis Laberge, de la Fédération des travailleurs du Québec (FTQ) et Yvon Charbonneau, de la Centrale de l'enseignement du Québec (CEQ). C'est à l'occasion d'une grève illégale et illimitée du Front commun intersyndical que les trois leaders sont traduits en justice, reconnus coupables d'outrage au tribunal et condamnés à un an de prison par le juge Pierre Côté (voir le texte du jugement, *Le Devoir*, 10 mai 1972). Ils iront en prison du 8 au 23 mai et en sortiront afin d'être à même de continuer la négociation.

4. Pour laquelle il a été opéré en juin 1984.

5. Le Parti libéral du Québec, dirigé à nouveau par Robert Bourassa, redevenu chef du PLQ en octobre 1983.

6. Jean Doré, à la tête du Rassemblement des citoyens de Montréal (RCM), devient maire de Montréal le 9 novembre 1986, contre le Parti civique, parti de l'ex-maire Jean Drapeau.

7. C'est onze mois plus tard, à la suite de l'opération dite «Les grandes oreilles» — durant laquelle il a entendu ce qu'il a entendu —, tournée de consultation, dans l'ensemble du Québec, de plusieurs députés péquistes, que Gérald Godin sonne l'alarme. Dans une entrevue au *Soleil*, parue le 30 octobre 1987, puis dans d'autres entrevues parues les jours suivants, il conteste publiquement le leadership de Pierre-Marc Johnson, chef du PQ. Cette contestation, qui fera couler beaucoup d'encre, déclenchera le processus qui ramènera Jacques Parizeau en politique, lui qui avait démissionné avec plusieurs collègues en novembre 1984. Jacques Parizeau deviendra chef du PQ en mars 1988 et reviendra au projet en question.

Entrevue de Jean Cournoyer

J. C.: Nous avons le plaisir d'accueillir à nos micros aujourd'hui quelqu'un qui était là à l'époque, parmi les victimes les plus immédiates de cette décision de mettre en vigueur la Loi sur les mesures de guerre: Gérald Godin. Il est aujourd'hui député du Parti québécois à l'Assemblée nationale...

G. G.: ... depuis quinze ans.

J. C.: Gérald, en 1976, vous nous mettiez dehors et vous preniez la place (*rires*). Et vous, vous aviez le privilège de mettre qui dehors, en particulier? Contre qui étiez-vous?

G. G.: C'était celui qui m'avait mis en prison quelques années avant, mon ami Robert Bourassa, qui d'ailleurs ne l'a jamais oublié. Et moi non plus (*rires*). On s'aime beaucoup tous les deux[1].

J. C.: Est-ce que c'est de l'ironie que tu fais ou, effectivement, vous vous parlez encore?

G. G.: Non seulement on se parle, mais chaque fois qu'il revient en Chambre après une absence prolongée, il m'envoie un mot de bienvenue, tu comprends, pour que je me réjouisse du fait qu'il est encore là (*rires*)! C'est de l'ironie, ça. C'est de l'ironie pour un cynique.

J. C.: Vous le trouvez toujours cynique, comme il l'était?

G. G.: Absolument. Et de plus en plus.

J. C.: Cette nouvelle d'aujourd'hui, qu'est-ce que ça vous a fait, vous qui voyez peut-être une partie de la vérité sortir vingt et un ans après[2]? C'est plus que quinze ans, ça?

G. G.: Moi, j'ai écrit à la Commission fédérale et provinciale d'accès à l'information en novembre dernier pour mettre la main sur un document qui me dirait pourquoi ils m'ont arrêté...

J. C.: ... vous-même...

G. G.: ... moi-même. Et j'ai eu seulement hier, par hasard, une réponse de mon ami Gilles Loiselle, au Trésor. Parce que ç'a été très compliqué avant de pouvoir mettre le doigt sur la bonne adresse. Je le sais, j'ai écrit d'abord à la GRC[3]. Évidemment. À qui d'autre écrire?

J. C.: Vous avez écrit à la GRC?

G. G.: La GRC a aussi un service d'accès à l'information à qui j'ai écrit et qui m'a dit: «Écoutez, monsieur le citoyen, il y a sept cent quatre-vingt cinq adresses où vous pouvez aller pour avoir ce document-là.»

J. C.: Sept cent quatre-vingt cinq!

G. G.: Alors, je leur ai dit: «Pourriez-vous m'envoyer la liste desdites sept cent quatre-vingt cinq adresses?» Je les ai fait travailler un petit peu parce que je ne suis pas sûr qu'ils font autre chose que du tricotage dans les bureaux. Là, ils m'ont dit: «Il y en avait une, mais on ne la trouve plus.»

J. C.: La liste, on ne la trouve plus.

G. G.: La liste est disparue. «Mais si vous la voulez, allez essayer au Trésor.»

J. C.: Au Conseil du trésor, Gilles Loiselle.

G. G.: J'ai pensé à Gilles Loiselle, en effet. Il était à Paris le délégué général du Québec. Puis j'ai reçu hier, justement, figurez-vous, le document de mille pages.

J. C.: Combien?

G. G.: Mille pages!

J. C.: C'est dans cette charge de foin que vous cherchez…

G. G.: … l'aiguille!

J. C.: Vous avez donc ce travail-là à faire maintenant. Personne ne vous dira jamais ou ne vous a dit encore ou ne semble vouloir vous dire pourquoi vous, en particulier, vous étiez sur la liste de ceux qu'on devait arrêter ou qu'on a arrêtés…

G. G.: … comme les êtres dangereux. Ce qui est peut-être vrai, remarquez.

J. C.: Qu'est-ce que vous avez fait, Gérald? Mettons, parce qu'eux, ils ont l'esprit différent du vôtre, que vous commenceriez à vous interroger vous-même. Qu'est-ce que vous pensez que vous auriez pu leur faire pour qu'ils vous mettent sur une liste semblable?

G. G.: Je vois deux choses. À l'époque, j'étais éditeur à Parti pris, et j'avais publié d'une part un livre de Pierre Vallières intitulé

Nègres blancs d'Amérique[4], d'autre part un livre intitulé *Le lundi de la matraque*[5].

J. C.: Ça, c'est le lundi...

G. G.: ... où Pierre Trudeau s'est fait élire...

J. C.: ... le lendemain de la Saint-Jean-Baptiste...

G. G.: ... après avoir refusé de se sauver devant les roches que tiraient nos petits intifadas[6] en direction de la table d'honneur. Les gens qui étaient arrêtés étaient matraqués par la police.

J. C.: Et c'est pour ça que, effectivement, vous avez appelé ça *Le lundi de la matraque.*

G. G.: Et qui était l'auteur du rassemblement des textes? C'était Paul Rose, que j'ai vu souvent pendant ce temps-là[7].

J. C.: Forcément, vous étiez l'éditeur d'un livre.

G. G.: C'est peut-être là que, si quelqu'un suivait Paul Rose ou espionnait mon téléphone, ils ont dit «c'est un grand ami de Paul Rose». Je ne le renie pas, mais ça ne fait pas de moi un des kidnappeurs de l'un ou l'autre des hommes importants qui ont été enlevés à l'époque par le FLQ. Alors j'imagine que, dans leurs têtes, c'est ça qui faisait de moi un homme dangereux.

J. C.: Mais on ne vous l'a jamais dit.

G. G.: Non.

J. C.: Combien de temps avez vous passé derrière les barreaux?

G. G.: Sept jours[8].

J. C.: Sept jours en ligne. C'est arrivé quand? On n'avait pas encore trouvé les restes de M. Laporte, on n'avait pas encore réglé le cas de M. Cross.

G. G.: Non.

J. C.: C'est arrivé quand l'armée est arrivée? Le 15 octobre 1970.

G. G.: C'est ça. À quatre heures du matin[9].

J. C.: Ils sont arrivés chez vous comment?

G. G.: Un coup de pied dans la porte.

J. C.: Ils ne voulaient pas que vous partiez.

G. G.: Comme n'importe qui de cet âge-là, j'ai été humilié, comme on dit. Ils m'ont suivi jusque dans les toilettes. On a tous vu dans des films policiers des espions qui déchirent des papiers dans les toilettes (*rires*). Je n'avais aucun papier, mais j'avais quand même réussi à uriner.

J. C.: Est-ce que Pauline Julien était avec vous à cette époque-là?

G. G.: Oui.

J. C.: Est-ce qu'elle était là?

G. G.: Elle était dans la maison. Elle était dans mon lit, comme d'habitude.

J. C.: Mais elle n'a pas été arrêtée.

G. G.: Oui, elle a été arrêtée.

J. C.: Elle, son crime, est-ce que c'était d'être avec vous ou quoi?

G. G.: Je vais vous dire comment ça s'est passé. La personne en charge de mon arrestation a téléphoné à son central et a demandé: «Qu'est-ce qu'on fait?» La réponse: «Embarque-la, elle aussi.» Elle a donc décidé de l'embarquer. Et on s'est retrouvés au Parthenais-Hilton.

J. C.: Au Parthenais-Hilton (*rires*)! Est-ce qu'il y avait une chauve-souris qui annonçait la maison hantée?

G. G.: Non.

J. C.: Ça fait vingt et un ans que c'est arrivé. Vous, vous êtes resté vraiment marqué par ça.

G. G.: Oui. D'ailleurs, je vais vous en conter une bonne, que je n'ai pas contée à personne encore, mon cher monsieur Cournoyer. Parce que je vous aime bien et que vous êtes un ancien collègue du Parlement. Un de mes «arresteurs», je ne sais pas si on peut dire ça comme ça…

J. C.: … un poète peut faire toutes sortes de choses…

G. G.: … était un nommé Gilles Dieumegarde. À l'époque où je suis ministre[10], une délégation de députés français débarque à Montréal et je dois les accompagner, au complexe Desjardins, d'un bureau de ministre à un autre bureau de ministre. Je sors d'un bureau et qui vois-je, paisiblement installé dans la salle d'attente: «Qu'est-ce que tu fais icitte, crisse, viens-tu encore m'arrêter? (*rires*) — Non, je te conduis aujourd'hui.» La réhabilitation existe en prison: je passe d'un gars qui arrête à un gars qui conduit, quinze ans après.

J. C.: Je prends Gilles Dieumegarde à témoin: c'est un type qui obéit aux ordres de ses supérieurs immédiats, ordres qui viennent, en fait, de beaucoup plus haut[11]. Est-ce que vous avez quelque chose contre lui?

G. G.: Pas du tout. Il a fait son boulot, tout simplement.

J. C.: Est-ce qu'il l'a fait d'une façon dégueulasse, comme on le voit des fois dans les films?

G. G.: Non. La seule chose qui me met encore le feu, c'est que, quand on est arrivés au Parthenais-Hilton, dans le lobby qui était dans le sous-sol où il y a les beaux stationnements chauffés pour les flics, on descend de la voiture puis, Pauline et moi, on se fait la bise, ne sachant pas quand on se reverrait. La gang de beaux flics qui étaient là se mettent à siffler. J'avais envie de leur dire: «Ça, c'est pas de vos crisses d'affaires.» Excusez-moi encore une fois si je parle comme ça mais, quand on parle de flics ou à des flics, il faut parler comme ça...

J. C.: ... parce que c'est un «langage» qu'ils avaient à l'époque...

G. G.: ... pour qu'ils nous comprennent. Ça, je ne l'ai pas encore oublié parce qu'ils se foutaient de ma gueule. Moi, je n'aime pas que quelqu'un, pas plus Bourassa que Trudeau ou Lalonde ou Catho[12] (*rires*) rise de moi, comme disait dans le temps Duplessis.

J. C.: Qu'a rise donc d'elle avant qu'a rise des autres!

G. G.: Duplessis avait nommé un pauvre député d'arrière-ban, Roméo Lorrain. Le député avait demandé à Duplessis: «Qu'est-ce qu'y disent?» et Duplessis avait répondu: «Y risent.» (*Rires.*)

J. C.: Gérald Godin, vous n'avez finalement jamais été poursuivi. Vous avez fait vos sept jours, mais en détention dite préventive.

G. G.: C'est ça.

J. C.: Est-ce que ça vous est déjà venu à l'idée, avant aujourd'hui, de les poursuivre, ces gens-là, pour arrestation illégale? Là, vous cherchez pourquoi on vous a arrêté[13]. Mais quand vous étiez ministre, par exemple, vous étiez plus proche du pouvoir.

G. G.: Je n'avais aucun pouvoir relié aux incidents de 1970 ou à la Loi sur les mesures de guerre, étant ministre à Québec. Je ne pouvais pas avoir accès aux dossiers de n'importe quel ministère. Et, même là, ces dossiers étaient bien cachés.

J. C.: Le CAD en particulier, cet endroit où on gardait des dossiers sur à peu près tout le monde au Québec, surtout ceux qui étaient des politiciens ou des hommes publics. Quand tout a été détruit, cela a été fait pendant que le Parti québécois était au pouvoir, sur ordre, finalement, de l'Assemblée nationale, si ma mémoire est bonne[14].

G. G.: Oui.

J. C.: À cette époque-là, Gérald Godin, est-ce que cela ne vous a pas tenté de demander au premier ministre d'aller chercher les informations qui vous concernaient?

G. G.: Ça m'a tenté, mais ç'aurait été un travail… Les milliers de dossiers qu'il y avait là…

J. C.: Je ne les ai jamais vus, moi.

G. G.: Moi non plus.

J. C.: Gérald Godin, on est en 1992 et ces événements sont encore, semble-t-il, très frais à votre mémoire.

G. G.: Très frais, effectivement.

J. C.: Quelle leçon devons-nous tirer, comme société, de ce genre d'opération qui a fait que vous, vous avez ça sur le *brain,* dans la mémoire, sur le cœur depuis tant d'années?

G. G.: Quelle leçon? C'est, tout simplement, qu'on va gagner ce qu'on veut, pas en kidnappant des consuls ou des ambassadeurs[15], mais en allant chercher des votes. Tout simplement.

J. C.: Vous avez réussi ça, de toute façon, peu de temps après…

G. G.: … en faisant les escaliers, dans Mercier et ailleurs, comme candidats[16]. Et en déclenchant l'enquête Keable qui a fait, à mon avis, un suivi très honorable.

J. C.: On aurait voulu parler à M. Keable aujourd'hui pour savoir si, effectivement, il y a des choses qu'il connaissait déjà ou qu'on lui avait dites et qui ressemblent à ce que, nous de la population, on voit aujourd'hui dans la presse.

G. G.: Keable s'est fait barrer son enquête par la GRC qui a refusé de répondre à ses questions, alléguant, encore une fois, la sécurité de l'État. Son enquête a été interrompue à cause du refus de témoigner de la police…

J. C.: … avec un motif — la sécurité de l'État — qui est un motif habituellement accepté par les juges.

G. G.: Ce qui avait fait dire à René Lévesque à l'époque qu'il y avait des sortes d'animaux — je pense qu'il pensait à la pieuvre — qui lançaient un liquide fétide pour cacher leur turpitude. C'est interprété comme bête puante (*rires*). Il avait été condamné pour outrage au tribunal — la cause est encore devant le tribunal —, et cela avait mis un terme à l'enquête Keable. Alors qu'il était sur de bonnes pistes, Keable s'est vu, donc, mettre le bâillon.

J. C.: Est-ce que ç'a été le cas du «mistrial» ou est-ce autre chose? Il y a eu un «mistrial»: un agent de la Gendarmerie royale était accusé d'avoir mis le feu à une grange; René Lévesque avait fait une déclaration en Chambre et il en était résulté un non-lieu.

G. G.: Un non-lieu, c'est ça[17].

J. C.: Gérald Godin, comment êtes-vous aujourd'hui, en 1992? Je vous sens mieux que je vous ai vu déjà.

G. G.: Effectivement, ma santé est revenue et mon cancer s'est résorbé. Comme ils disent à l'hôpital, il s'est nécrosé. C'est-à-dire qu'il est devenu comme sec, qu'il n'est pas actif. Donc, je suis «sauvé». Si on me permet de faire la prochaine campagne électorale, je vais voir enfin un vote qui va dire «O.K., votre Québec, faites-le donc».

J. C.: S'il y a un référendum, vous êtes là, activement. Vous êtes en train de vous préparer pour ça.

G. G.: Plus que jamais.

J. C.: Est-ce que vous écrivez encore?

G. G.: Oui. J'écris des poèmes.

J. C.: Publiés quand?

G. G.: Ça va dépendre de mon éditeur, s'il les accepte ou non, quand ils seront prêts. Je m'en vais justement en Europe pour les finir...

J. C.: ... et vous reposer...

G. G.: ... et aussi pour en écrire, si l'inspiration me vient[18].

J. C.: Gérald Godin, je vous souhaite bonne chance. Si on pouvait compter sur des gens comme vous, le cœur, il est là.

G. G.: Ce que j'ai à vous dire, c'est qu'on passe pour vivre dans une démocratie. C'est ça qu'on nous apprend à la petite école et qu'on constate tous les jours dans les discours de nos fines lumières, de nos fines gueules — avec des pousse-crayon derrière — de politiciens. On est donc fiers d'avoir une culture d'accès à l'information au Canada et au Québec. Or voici que ce joyau de la couronne démocratique du Canada, à toutes fins utiles, est non avenu puisqu'ils ne nous donnent pas les renseignements qu'ils ont et qu'on sait qu'ils ont...

J. C.: ... comme dans votre cas. Gérald Godin, je vous souhaite bonne chance et j'espère que vous allez obtenir ces renseignements qui vous sont dus parce que les affronts de la nature de ceux que vous avez subis doivent, à un moment donné, être réparés.

(Tribune téléphonique — *extraits*)

C. Jolis: La question qu'on vous pose: «Comment avez-vous, vous-même, vécu ça (si vous l'avez vécu de façon aussi dramatique)?» Ou autrement: «Est-ce que vous vous sentez manipulé par les gouvernements? Quelles sont vos réactions par rapport à ce qu'on vient d'apprendre aujourd'hui?»

Mme Dalpé: Je tiens à vous féliciter, monsieur Godin, pour le courage que vous avez dans toutes les épreuves à travers lesquelles vous avez passé. Moi, je n'en reviens pas. Comment vous pouvez avoir une certaine force, certainement une force intérieure qui vous fait passer à travers tout ça, à travers la fameuse Crise d'octobre. On s'en rappelle mais, avec ce que vous avez dit tantôt, ça me fait mal, réellement.

G. G.: Madame Dalpé, je vais vous dire: ce qui m'anime et me fait me battre sans relâche, c'est que j'aime beaucoup la démocratie et la liberté d'expression, soit dans un journal, soit dans un poste de radio, soit sur une chaîne de télévision. Ça m'apparaît absolument essentiel que la vérité, sur quelque sujet que ce soit, soit connue. Le journaliste Gilles Paquin de *La Presse*, en dévoilant ce matin des grands pans de la réalité cachée du fonctionnement des gouvernements, a fait son travail de façon merveilleuse. C'est rare qu'on puisse voir ça dans nos journaux. Je félicite aussi *La Presse* de l'avoir laissé travailler librement. Ce qui n'est pas souvent le cas.

Mme Dalpé: Je souhaite que ça continue. Et ne lâchez surtout pas.

G. G.: Ne vous inquiétez pas, madame, je vais lâcher quand on aura notre pays...

Mme Dalpé: Oui, ça oui!

G. G.: ... et pas avant.

Mme Dalpé: Mon Dieu que je vous le souhaite donc, de tout cœur, ainsi qu'à tout votre groupe!

G. G.: Merci, madame Dalpé.

212

[…]

M. Daniel: Monsieur Godin, je tiens à vous remercier. Vous m'avez transporté dans les années soixante-dix. Vous avez une lucidité effrayante. Je vais répéter des propos. Vous pourrez me contredire. Le seul débat que je vois maintenant, c'est «assimilation ou indépendance». Qu'est-ce que vous en pensez?

G. G.: On peut dire qu'il y a plusieurs formules de rechange, mais la seule qui, vraiment, va donner enfin, aux Québécois et aux Québécoises, la paix intérieure quant à leur avenir…

M. Daniel: Eh! monsieur…

G. G.: … c'est la souveraineté…

M. Daniel: Et voilà…

G. G.: … et l'indépendance. Autrement, on ne sait jamais ce qui peut se passer. Autrement, voyez-vous, M. Chrétien nous annonce qu'il est prêt à nous envoyer l'armée. Encore faut-il qu'il soit élu, ce qui est loin d'être sûr. À Ottawa, il y a toujours une gang de crapauds ou de crapettes (*rires*), de joueurs de tours antidémocratiques qui attendent le Québec au tournant et qui, au besoin, vont avoir recours à n'importe quel moyen pour freiner son évolution.

M. Daniel: Mais pourquoi continuer à parler français?

G. G.: Mais, mon cher monsieur, parce que c'est la seule langue que je maîtrise (*rires*), que je maîtrise un petit peu.

Série *Contact*, animée par Jean Cournoyer et Chantal Jolis, CKAC, radio montréalaise, 31 janvier 1992

---

1. Leur première rencontre remonte à février 1969 lorsque l'un interviewe l'autre à propos des taxes à Montréal (*Le Magazine Maclean*, mars 1969). La photo qui illustre l'entrevue est reproduite dans *Écrits et parlés I*, vol. 2.

2. Gilles Paquin, «Le cabinet fédéral savait qu'il n'y avait pas d'insurrection en octobre 1970», *La Presse*, 31 janvier 1992.

3. En août 1991.

4. *Nègres blancs d'Amérique*, 1968.

5. *Le lundi de la matraque*, sans date. Voir la note 7.

6. Rappel, dans lequel s'insère la guerre des Palestiniens en 1988, de telle formulation du «Cantouque menteur».

7. *Le lundi de la matraque*, sans date. Louis Fournier (*FLQ. Histoire d'un mouvement clandestin*, Québec-Amérique, 1982, p. 176) précise que Jacques Lanctôt a aidé Paul Rose dans ce travail et que le livre est paru en novembre 1968. L'élection fédérale qui porte au pouvoir, pour la première fois, Pierre Elliott Trudeau a

lieu le mardi 25 juin 1968. Le lundi en question est donc le jour de la Saint-Jean 1968. Par ailleurs, le 3 novembre 1968, Gérald Godin participe avec Hubert Aquin, Jacques Godbout et Françoise Loranger, entre autres, à la discussion suivant la conférence que donne Michèle Lalonde («Le mythe du père dans la littérature québécoise») à la fin des Journées organisées par la revue *Interprétation* — dont s'occupe Julien Bigras, entre autres — à l'Université de Montréal. Il y déclare notamment ceci: «On retrouve ici ce que Frantz Fanon décrit dans *L'an V de la révolution algérienne* [sous-titre de *Sociologie d'une révolution*, 1959], c'est que les pères sont dépassés par les fils et par intérêt, calcul, compromis ou peur, se laissent dépasser et souvent même entrent en lutte contre les fils au lieu de continuer à être avec eux. On ne voit jamais de père et de fils ensemble dans une même lutte, mais plutôt les pères et les fils luttant les uns contre les autres. Ceux qui pourraient peut-être suivre, ceux qui ne se renient pas, ne s'abdiquent pas, on les fout en taule. Comme si quelque chose nous dominait et à chaque fois que ce quelque chose est contesté, il fout les gens en taule ou les achète.» (*Interprétation*, vol. III, n⁰ˢ 1 et 2, janvier-juin 1969, p. 231.) Cela fait suite au canevas d'une pièce en trois actes improvisée, par Gérald Godin toujours, pour les fins de la discussion: «1ᵉʳ acte: le père et son fils discutent de l'avenir du Québec, et jusqu'à un certain point parlent le même langage. Ils ont un projet commun. 2ᵉ acte: le père en vieillissant se rend compte qu'il a atteint son plafond et que le plafond n'est pas très haut. Alors là il devient député ou ministre à Ottawa. Moi, je vous dis ça parce que je suis de la génération dont les pères, si vous voulez, ont été Pelletier et Trudeau. Alors on s'est retrouvés tout d'un coup orphelins en quelque sorte. Et dans un 3ᵉ acte: les fils, à qui on demandait de s'exprimer, l'ont fait et ont été matraqués par les pères.» (*Ibid.*, p. 227-228.)

8. Gérald Godin sera en prison du 16 au 23 octobre 1970.

9. «À 4 heures du matin, le vendredi 16 octobre 1970, le cabinet fédéral décrète l'état d'"insurrection appréhendée". [...] À l'aube, la police, aidée de l'armée, commence la razzia. Au-delà de 500 citoyens seront écroués incommunicado à la suite des rafles de ce "Vendredi Noir" et des jours qui suivront, sans compter des dizaines d'autres détenus brièvement et qui n'apparaissent pas au bilan officiel», écrit Louis Fournier (*op. cit.*, p. 340). C'est donc plutôt le 16 octobre. Le 15 octobre, l'armée est mandée: «Malgré les apparences, il n'y a pas de rapport formel entre l'intervention de l'armée, faite en vertu de la loi de la Défense nationale, et la loi des [*sic*] mesures de guerre. Toutefois, le gouver-nement fédéral a jugé bon de faire coïncider ces deux mesures d'exception afin qu'elles soient associées dans l'esprit du public» (p. 338). La première est demandée en début d'après-midi par Jérôme Choquette, ministre de la Justice; la seconde, en soirée par Robert Bourassa, premier ministre.

10. Gérald Godin est ministre de l'Immigration (novembre 1980 - avril 1981), ministre des Communautés culturelles et de l'Immigration (avril 1981 - septembre 1984), ministre responsable de l'application de la Charte de la langue française (septembre 1982 - octobre 1985), ministre délégué aux Affaires culturelles (septembre - décembre 1984), ministre des Communautés culturelles et de l'Immigration (décembre 1984 - octobre 1985), ministre des Affaires culturelles (octobre - décembre 1985).

11. Gérald Godin et Gilles Dieumegarde s'étaient déjà rencontrés, pour ainsi dire, le 31 octobre 1969 lors d'une perquisition de la Sûreté du Québec dans les locaux des éditions Parti pris (au domicile de Pauline Julien et Gérald Godin, en fait), afin de saisir «quantité de livres, de revues, de documents et de dossiers ayant un rapport plus ou moins direct avec Pierre Vallières et Charles Gagnon». Voir Léopold Lizotte: «Perquisition chez Pauline Julien», *La Presse*, 1er novembre 1969 (et la photo qui sert d'illustration).

12. Allusion à tel personnage de *L'ange exterminé*: Jean Catholique, alias Jean Chrétien, ministre du gouvernement Trudeau et, depuis novembre 1993, premier ministre du Canada.

13. Plus de trois mois avant cette entrevue, Gérald Godin rendait déjà compte de l'essentiel de sa recherche à Daniel Brosseau: «21 ans après la Crise d'octobre. Gérald Godin ignore toujours pourquoi il fut emprisonné...» (*Le Journal de Montréal*, 22 octobre 1991). Et près de onze mois après cette entrevue, Gilles Paquin peut encore écrire: «Ottawa refuse de donner les raisons de l'incarcération de Gérald Godin en octobre 70.» (*La Presse*, 20 décembre 1992.)

14. CAD: Centre d'analyse et de documentation. Voir Denis Lessard: «Certains documents du CAD n'ont jamais été détruits Il s'agit d'analyses et de fiches sur des "associations" qui ont été remises à la Sécurité publique en 1977», *La Presse*, 4 avril 1992.

15. James Richard Cross, enlevé le 5 octobre 1970, est l'attaché commercial du Haut-Commissariat de la Grande-Bretagne, en poste à Montréal. «Ce kidnapping de nature politique — le premier à survenir en Amérique du Nord — va déclencher une crise sans précédent au Québec et au Canada. La loi des [sic] mesures de guerre sera proclamée pour la première fois en temps de paix et l'Armée canadienne occupera le Québec.» (Louis Fournier, *op. cit.*, p. 296.) Cette occupation durera jusqu'au 4 janvier 1971 et l'état d'exception jusqu'au 30 avril 1971. La veille de ce kidnapping, les felquistes avaient hésité entre Cross et John Topping, consul des États-Unis, également en poste à Montréal (*op. cit.*, p. 292).

16. Allusion aux campagnes électorales de 1973 et de 1976. C'est à l'élection du 15 novembre 1976 que Gérald Godin, pour la première fois, est candidat. Il est élu dans la circonscription de Mercier, battant, comme il a été dit plus haut, Robert Bourassa, candidat du Parti libéral du Québec et, faut-il le rappeler, premier ministre du Québec. Le Parti québécois remporte la victoire et René Lévesque forme un premier gouvernement.

17. Il n'y a pas de lien, en fait, entre Jean Keable qui a pu terminer les travaux (1977-1981) de la commission d'enquête qui porte son nom et en publier le rapport (*Rapport de la commission d'enquête sur des opérations policières en territoire québécois*, gouvernement du Québec, ministère de la Justice, [mars] 1981) et l'avortement du procès («mistrial») des agents de la Gendarmerie royale du Canada en mars 1982, à la suite de cette intervention du premier ministre. Sur les épisodes du vol des explosifs (avril 1972), de l'incendie de la grange (mai 1972), du kidnapping de Me André Chamard (juin 1972), du cambriolage des locaux — adjacents — de l'Agence de presse libre du Québec et du Mouvement pour la défense des prisonniers politiques du Québec (octobre 1972) ainsi que du cambriolage des

Messageries dynamiques (janvier 1973), tous faits sur lesquels a enquêté la commission Keable, voir Louis Fournier, *op. cit.*, p. 444-445, 450, 452-453 et 462-465.
18. À partir du 2 février; retour le 3 mars 1992. Ces poèmes (et d'autres) sont maintenant publiés: *Les botterlots*, l'Hexagone, coll. «Poésie», 1993.

IV

Maladie

Mille victoires dans une

Non, il ne s'agit pas ici des victoires politiques d'un ministre. Mais de celles que, chaque jour, un homme essaie de remporter sur le désespoir qui est venu avec la maladie. C'est en contenant difficilement son émotion que Gérald Godin en fait part à son interlocutrice.

Il y a un an[1], le ministre Gérald Godin subissait une opération au cerveau où on lui avait découvert une tumeur. Il a senti sa vie basculer comme sous l'effet d'une secousse tellurique. Sa réhabilitation fut l'occasion d'un voyage au bout de lui-même, au cours duquel l'idée du suicide s'était installée. Il s'en est confié à un journaliste de la Gazette, *l'automne dernier[2].*

Après la parution de l'article, de nombreux témoignages lui sont parvenus, entre autres de gens qui avaient déjà jonglé avec cette éventualité. Il a découvert que ses confidences rendues publiques ont aidé des personnes désespérées, ce qui lui a donné la force de poursuivre la longue remontée vers ce qu'il est convenu d'appeler la vie normale.

Lorsqu'il est arrivé chez moi un samedi matin pour parler de sa maladie, il y avait une inquiétude dans son regard et une attitude trop dégagée de ma part. Nous savions que cette entrevue échappait à la loi du genre. Ce n'était pas d'idées, d'opinions et d'interprétations des événements qu'il serait question. Mais de peur, de mort, de découragement, d'espoir et de courage. Surtout de beaucoup de courage...

Denise Bombardier: Avant cette épreuve, est-ce que la maladie vous était familière?

G. G.: Pas du tout. J'étais même un peu cynique face à la maladie, face à la faiblesse physique.

219

D. B.: C'est-à-dire?

G. G.: C'est-à-dire que je me moquais des gens qui étaient malades. Je me disais que c'était parce qu'ils n'avaient pas la capacité mentale d'y résister.

D. B.: Vous vous sentiez invulnérable alors?

G. G.: J'étais au-dessus de cela. J'avais d'ailleurs lu un livre où l'on démontrait qu'on est responsable de son cancer. Je sais maintenant que c'est aussi relié à ce qui nous entoure.

D. B.: Dans cette optique, établissez-vous une relation entre ce qui vous est arrivé et les différentes maladies qui ont atteint un nombre élevé de vos collègues?

G. G.: Je fais un lien entre l'affaire Lortie[3] et l'espèce de déprime physique qui a suivi. Il y a eu une sorte de chute nerveuse à l'Assemblée nationale à cause de cette affaire-là. Un choc nerveux, quoi! Et qui a entraîné une réaction psychosomatique chez certains.

D. B.: Revenons à la maladie. C'était quelque chose que vous méprisiez…

G. G.: Les malades, surtout. S'ils veulent s'en sortir, me disais-je, qu'ils travaillent. Qu'ils montent l'échelle, qu'ils escaladent leur montagne.

D. B.: Que s'est-il passé lorsque vous avez eu vos premiers symptômes physiques?

G. G.: J'ai paniqué.

À ce moment, je peux lire dans son visage, l'espace d'un instant, cette panique paralysante, effrayante, qui a été sienne et qui réapparaît soudain.

G. G.: Parce qu'au fond, dans le cerveau, ce sont des choses que l'on ne maîtrise pas. Ça arrive l'on ne sait d'où. J'appelle ça ASTRUM.

D. B.: ASTRUM?

G. G.: Un astre, oui. Une tumeur au cerveau, c'est une sorte d'étoile filante qui passe, imprévisible. On trouve cela très injuste. Pourquoi moi? Est-ce une punition? Et le tunnel s'ouvre et on s'y engouffre…

Il cesse de parler. L'émotion…

D. B.: On est malade comme on est dans la vie, non? Est-ce qu'on peut perdre une partie de sa personnalité sous la panique?

G. G.: On est le même. Ça ne fait que développer ce qui est déjà en nous. Une sorte d'extrapolation du tempérament. Autant dans le désespoir que dans l'espoir.

D. B.: Comment vous êtes-vous comporté au début?

G. G.: Je me suis dit qu'il fallait que je me fasse opérer. Que je renonce à six mois de ma vie. Que je me soumette à la rééducation. Mais la suite des événements a été différente de ce que j'avais prévu. La découverte, ce fut les gens. Certains étaient de parfaits inconnus. Ils m'ont aidé plus que quiconque.

D. B.: Avez-vous retrouvé chez les autres cette attitude que vous aviez devant la maladie avant qu'elle ne vous touche?

G. G.: Non, je n'ai pas retrouvé ça. Plutôt une sorte de cocon tissé par la sympathie extrême qui m'a été témoignée. On se sent sur-protégé, sur-aimé, sur-entouré. C'est un bon traitement mais le danger, c'est de s'y habituer et de devenir totalement dépendant.

D. B.: À quel moment vous êtes-vous senti absolument déterminé à vous en sortir?

G. G.: D'abord, il y a eu la rééducation, après ma sortie de l'hôpital. J'étais aphasique…

D. B.: Vous aviez perdu l'usage de la parole?

G. G.: À peu près. Plus l'usage du bras gauche. Et la mémoire. Partiellement. J'oubliais des choses.

L'émotion de nouveau. Le souvenir de ses handicaps, vaincus aujourd'hui, lui est source d'accablement. Comme si de les décrire les faisait revivre. C'est à ce moment précis que j'ai pensé mettre un terme à cette conversation. Lui parler plutôt d'écriture. À lui, le poète qui a un jour défait dans sa circonscription l'économiste premier ministre.

G. G.: J'étais déprogrammé. Incapable de faire des nœuds de cravate, des nœuds pliés. Des choses élémentaires avec les doigts. Parce que le centre nerveux de la main gauche était affecté. C'était un rappel quotidien… Le pire moment…

La question qui amènera la réponse. Nous y sommes. Je dois la poser. C'est pour cette question-réponse qu'il est là.

D. B.: C'est à ce moment que vous avez été le plus découragé?

G. G.: Oui… Devant les petites défaites qui s'accumulaient… Les lacets qui m'échappaient des mains…

Les sanglots. Son visage défait sous la douleur. La douleur qui lui a donné envie de mourir. D'arrêter sa remontée vers lui-même. Vers nous. Il a raconté cet épisode au journaliste de la Gazette. *Comment il a joué avec l'idée du suicide. Mais, entre nous, le mot ne sera pas prononcé. D'ailleurs aucun mot ne sera prononcé durant de longues secondes.*

G. G.: Ce sont des médecins de l'hôpital de Sherbrooke qui m'ont redonné confiance. Oui, ils m'ont donné envie de m'en sortir. En m'expliquant que chaque petite victoire était importante.

D. B.: Vous avez toujours eu un grand sens de l'humour. Cela vous a aidé sans doute.

G. G.: Non… Non… Je l'avais perdu… C'était impossible… Impossible…

Les mots se perdent. Il n'y a plus de journaliste et de ministre! Plus d'interviewer et d'interviewé. Nous sommes là, face à face, sans rôle, sans fonction. Donc, sans artifice… «On continue?» dis-je sans conviction. «Oui, oui», répond-il. Car il est venu pour porter témoignage.

G. G.: J'ai décidé de m'en sortir en me comparant à des gens plus handicapés que moi et qui se battaient et survivaient. Je me disais: si eux s'en tirent, pourquoi pas moi? C'est donc par comparaison que l'idée m'est venue que c'était stupide de ne pas lutter.

D. B.: Ça s'est fait progressivement?

G. G.: Très, très lentement. En fait, je me disais: il y a tellement de choses à voir dans le monde. Je pensais donc beaucoup aux voyages, aux livres à lire. L'art, au fond, et les villes inconnues, c'est ce qui m'a sauvé.

D. B.: Voir les villes que vous ne connaissiez pas. Ça vous soutenait, cette idée-là?

G. G.: Voir la vie, au fond…

D. B.: Vous n'êtes pas homme à raconter votre vie intime. Comment en êtes-vous arrivé à parler publiquement de votre maladie et de ce qu'elle a entraîné en vous?

G. G.: Eh bien, au début, je ne voulais pas en parler beaucoup. D'autant plus que les médecins m'avaient conseillé à l'hôpital de ne rien dire. Un politicien qui a une tumeur au cerveau, c'est mal vu par la population. C'est une image négative. Voilà ce qu'ils m'avaient déclaré. Mais j'ai vite senti que je ne pouvais pas garder ce secret pour moi seul. Alors j'en ai parlé, une fois... de ce désir de... Et la réaction a été immédiate. Beaucoup de gens m'ont écrit pour me dire à quel point je les avais aidés en avouant l'inavouable auquel ils avaient eux-mêmes été confrontés.

D. B.: Et cela a fait partie de votre réhabilitation, je suppose?

G. G.: C'est la phase la plus importante de tout, je pense.

D. B.: De savoir que vous n'étiez plus dépendant, que vous étiez utile à d'autres?

G. G.: C'est ça.

D. B.: Est-ce que votre rapport avec les gens a beaucoup changé?

G. G.: Oui.

D. B.: Dans quel sens?

G. G.: Je n'ai plus aucun cynisme...

L'émotion revenue. Et les larmes, cette fois. Comme s'il pleurait sur sa vie d'avant. Lorsqu'il jouait l'insouciant, l'indifférent à la souffrance d'autrui. Lorsqu'il la défiait. Car pour le cynisme, il se trompe. Ceux qui le connaissent, qui l'aiment, savent que le sourire séducteur de son regard n'a jamais pétillé que de malice.

G. G.: Au fond, la grande découverte de la dernière phase, ce fut de me rendre compte du nombre important de gens qui ont un jour pensé au suicide.

Il a prononcé le mot, mais pour parler des autres également. Je suis maintenant autorisée à le reprendre.

D. B.: Justement. Est-ce qu'avant, vous compreniez ceux qui voulaient se suicider?

G. G.: Pas vraiment. J'ai plusieurs amis qui l'ont fait. Claude Gauvreau (le poète), entre autres. Je n'ai jamais pu m'expliquer pourquoi. D'ailleurs, je ne le comprends pas davantage aujourd'hui. Après coup, je me dis que c'est une bêtise invraisemblable de le faire.

D. B.: Et il y a une chose que vous ne connaissiez pas et que vous connaissez maintenant, c'est la souffrance?

G. G.: C'est exact. Comme j'ignorais la faiblesse. Il est sûr que je suis plus près de l'émotion que je ne l'étais.

D. B.: Et pourtant, vous étiez poète?

G. G.: Oui. Mais je le suis beaucoup plus, je pense.

D. B.: Que pouvez-vous dire aux gens qui vous écrivent?

G. G.: Bien, je réfléchis là-dessus. Je sais surtout ce qu'il ne faut pas dire. Par exemple, que la vie est belle, qu'elle vaut la peine d'être vécue. Cela, c'est de la foutaise. Il faut parler des petites victoires quotidiennes sur soi-même et de la bonté des gens. Ce sont les gens qui m'ont sauvé[4].

D. B.: Vous êtes en politique. C'est donc que vous avez une vision de la manière dont la société doit être organisée. Diriez-vous que même cette vision s'est modifiée?

G. G.: Oui. Je pense qu'il faut être plus vrai, tous. La vérité, il n'y a que ça.

D. B.: Est-ce que vous allez faire de la politique de façon différente?

G. G.: Pour le moment, je n'ai plus de discours. Parce que le discours traditionnel n'a plus de place dans ma logique.

D. B.: Qu'est-ce qui est le plus important alors?

G. G.: L'écriture. Mon vrai métier, c'est ça. Et au fond, il n'y a pas une loi qui dure aussi longtemps qu'un poème ou qu'un beau roman.

D. B.: Est-ce que c'est difficile pour vous comme personnage public de vivre avec ces émotions qui vous habitent?

G. G.: Admettons que oui. Ça n'est pas acceptable pour un homme politique d'avoir le «motton». Un jour, je vais m'en sortir, un jour, je vais pouvoir aller au cinéma sans fondre en larmes, sans traîner mon paquet de Kleenex.

Et il sourit. Pour la première fois depuis le début de la conversation, il me sourit, mais en souriant de lui. «Le vrai Godin», diraient ses amis.

224

G. G.: Ce que je n'ai pas encore pu surmonter, comment dire... c'est la peur de me perdre. Le risque de me perdre.

D. B.: Êtes-vous devenu plus attentif aux gens?

G. G.: Je dirais surtout que je suis moins craintif. Je leur fais plus confiance. Je suis plus à l'écoute de l'indicible et de l'inavouable en eux. Je peux établir des relations plus compromettantes, plus émotionnelles, si vous voulez.

D. B.: Vous n'avez plus cette distance où l'humour noir jouait un rôle?

G. G.: Oh! Je peux encore y avoir recours en certaines circonstances! Méfiez-vous...

Et il sourit. Et ce sourire devient rire. Un rire de soulagement. L'entrevue est terminée. Nous descendons à la cuisine. Une amie commune un peu fofolle arrive. Elle le taquine sur son pouvoir de séducteur. Il joue le modeste. Placotage léger entre nous. Il est aussi question de politique. Puis, il se lève. Monsieur le ministre Godin doit rencontrer un groupe de Portugais. Il met son manteau, noue son foulard. Les gestes usuels pour nous, des gestes de victoire pour lui. J'ai envie de pleurer, enfin. Mais je me retiens. Devant le courage, les larmes sont déplacées.

Entrevue de Denise Bombardier avec Gérald Godin,
Châtelaine, mai 1985

❏

Ghila Benesty-Sroka: Vous sortez d'une maladie qui vous a beaucoup affecté. Comment vous sentez-vous?

G. G.: Parfaitement rétabli, je me sens beaucoup mieux.

G. B.-S: Est-ce que cette maladie vous a rendu solitaire?

G. G.: Elle m'a rendu plus sage, plus mûr, certainement. La maladie est une école; on y apprend beaucoup, surtout dans nos rapports avec les autres, ceux à qui on parle dans le contexte de cette rééducation, de cette réhabilitation. C'est extrêmement important et, sur le plan humain, c'est extraordinaire.

G. B.-S.: J'ai lu votre entrevue avec Denise Bombardier dans *Châtelaine* où vous parliez de la solitude. Qu'était cette solitude dont vous parliez?

G. G.: C'était celle du début de la réhabilitation; pas celle de maintenant. Dans les premiers temps, on se sent très seul. Mais quand on commence à parler aux gens qui sont passés par là, on se sent moins seul. Ce que j'évoquais dans l'entrevue avec Denise Bombardier, c'était ce contact avec les déprimés anonymes ou les réhabilités anonymes, mais maintenant, c'est fini.

Entrevue de Ghila Benesty-Sroka avec Gérald Godin
(*extrait*); *Tribune juive,* novembre-décembre 1985;
repris dans Ghila Benesty-Sroka, *Identités nationales.
Interviews,* Éditions de la Pleine Lune, 1990

---

1. 1er juin 1984.

2. David Johnston, «Ordeal made Godin consider suicide», *The Gazette,* 30 octobre 1984. Voir aussi l'article de la Presse canadienne: «Godin a songé au suicide», *La Presse,* 31 octobre 1984.

3. Le 8 mai 1984, le caporal Denis Lortie s'introduit à l'Assemblée nationale, tue trois personnes et en blesse treize autres.

4. Brièvement interviewé par Simon Durivage à l'occasion d'une table ronde sur l'euthanasie (*Le Point,* télévision de Radio-Canada, 19 janvier 1990), Gérald Godin, qui a été opéré pour la deuxième fois au cerveau six mois auparavant et qui a été élu pour la quatrième fois deux mois après cette opération, déclare que l'euthanasie, ça «met un terme à des potentiels trop énormes», ajoutant qu'il essaierait de convaincre celui qui veut se faire enthanasier «de faire du Terry Fox et de partir à courir lui aussi dans son corps, dans sa tête, et puis de gagner la course». Allusion ici au jeune athlète de Colombie-Britannique mort du cancer à vingt-deux ans, en juin 1981, après avoir réalisé plus de la moitié du «Marathon de l'espoir» qui consistait à traverser le Canada d'est en ouest en courant à sa manière — la moitié de sa jambe droite étant une prothèse — afin d'amasser des fonds pour la recherche sur le cancer, justement. À l'occasion de cette table ronde, Gérald Godin (contre) est opposé, pour les besoins de la discussion, à Elizabeth Moreau (pour), Simon Durivage résumant ainsi les deux témoignages: «Je veux vivre jusqu'au bout»/«Je ne veux pas souffrir jusqu'au bout.»

Note à propos de la maladie

Il entendait claquer le bout plastifié de ses lacets de bottines sur le parquet ciré. Le même bruit qu'une souris qui trottine. Pas encore, tabernacle, eh oui. Encore. Ses nœuds s'étaient défaits. Il avait perdu. Son ordinateur avait égaré le logiciel des nœuds de bottine. Et aussi le logiciel des nœuds de cravate, et celui d'éteindre les ronds de la cuisinière quand le café est prêt, et celui de fermer le robinet après usage. Et celui-ci et celui-là. Faire des nœuds qui tiennent constituait une victoire sans nom. Attacher ses boutons de chemise dans l'ordre où ils devaient aller était l'équivalent de Hastings et ensuite Azincourt et la...[1]

Et toutes ces victoires accumulées le remettaient en selle. En selle pour faire quoi? Cela en valait-il la peine encore? Quel sens tout cela avait-il? Et quelle importance?

C'était un des effets mortels de ce mois de marde: que les choses prenaient peut-être leur poids véritable et il les trouvait bien légères après les avoir trouvées si significatives et si déterminantes. C'était là le vrai déficit. Non pas le déficit de sa main gauche. Non pas le déficit des centres de la parole. Mais le déficit de sa vie elle-même. Le déficit de ce qui lui semblait être sa mission sur ce coin de terre d'ici.

Sur une feuille volante,
sans date, 1984 ou 1985; inédit

---

1. Phrase inachevée. Hastings (en Angleterre): victoire, en 1066, de la France sur l'Angleterre. Azincourt (en France): victoire, en 1415, de l'Angleterre sur la France.

Entretien avec Jeanette Biondi

On a l'habitude de croire que la poésie et la politique sont aux antipodes l'une de l'autre. Pourtant, nous connaissons tous, au Québec, notre poète-politicien. C'est d'ailleurs lui que je vais vous présenter aujourd'hui.

Je suis venue rencontrer Gérald Godin à la Bibliothèque nationale, à Montréal.

J. B.: Gérald Godin, vous avez souhaité nous rencontrer dans une bibliothèque parce que vous aimez beaucoup les bibliothèques et les livres?

G. G.: Beaucoup. C'est ma vie, en fait. Si je n'avais pas été député, j'aurais été éditeur à plein temps. Mais, malheureusement, j'ai été élu; j'ai donc dû quitter le métier pour devenir un simple lecteur et un rat de bibliothèque — vraiment un rat, c'est-à-dire quelqu'un qui bouffe les livres et qui, j'espère, n'est pas trop bouffé par eux.

J. B.: Comment vous est venu ce goût pour les livres?

G. G.: Eh bien, il y en avait dans la maison, chez nous. Par ailleurs, j'étais voisin d'une bibliothèque. J'y passais mes journées et je voulais lire tous les livres qu'il y avait là, au rythme d'un par jour! Et aussi tout savoir (l'*Encyclopédie de la jeunesse*, et autres) pour pouvoir être brillant dans, je ne sais pas si vous vous souvenez, *Match inter-cités*, l'émission de radio dans laquelle il y avait des équipes de Montréal, de Trois-Rivières et de Québec. On posait des questions et on répondait. Et moi, comme j'étais faible en classe, je voulais au moins me faire un nom auprès de mes parents, de mon père, en étant bon dans l'émission. Je voulais donc tout savoir — pour répondre à votre question — de ce que la radio posait aux invités[1].

J. B.: De cette curiosité, j'imagine, est né aussi votre goût pour les mots?

G. G.: D'abord pour les livres parce qu'un livre qui sort des presses, ça sent très bon, c'est comme un enfant qui vient de naître. L'odeur qui se dégage de l'encre, du papier, de la colle, c'est vraiment pour moi une des bonnes odeurs du monde.

J. B.: Quand on a préparé cette émission, vous avez dit à la recherchiste: «Au fond, je ne suis pas un vrai poète, je ne suis pas un vrai politicien, je ne suis pas un vrai cérébro-lésé, je ne suis pas un vrai amoureux.» C'est une belle phrase, mais j'aimerais qu'on la décortique ensemble.

G. G.: Ça me fait toujours penser à la phrase célèbre d'Elmyr de Hory, qui est un faussaire très connu, qui a fait les œuvres que Réal Lessard — le nouveau mythe québécois, le plus grand faussaire du monde entier, paraît-il — signait d'ailleurs[2]: «Un faux Modigliani dans un musée, après vingt-cinq ans, devient un vrai Modigliani[3].» Alors moi, après vingt-cinq ans en politique, je deviendrais un vrai député. Et un vrai poète, maintenant, après vingt-cinq ans en poésie. Avec le temps, je peux devenir tout ça pour le vrai. Mais, au départ, c'était par jeu, au fond, c'était pour le plaisir.

J. B.: Quand vous dites que vous n'êtes pas un vrai poète, qu'est-ce que vous voulez dire? Vous ne prenez pas ça au sérieux?

G. G.: Je veux dire qu'on ne peut le devenir qu'en l'étant longtemps. Je l'ai fait, au fond, beaucoup plus pour le plaisir que pour toute autre raison. Et ça paraît dans des poèmes, et des lecteurs, des critiques l'ont vu. Pour moi, quand ils disent «ce qu'il fait, ce n'est pas de la vraie poésie», ça confirme que je n'en suis pas un et donc ça me confirme dans le fait qu'il faut continuer, qu'il faut m'amuser. Ça paraît quand même dans bien des poèmes que j'ai faits: je m'amuse trop.

J. B.: Vous avez quand même obtenu beaucoup de prix avec votre poésie: le prix de la Ville de Montréal, le prix Ludger-Duvernay et, tout récemment, le prix France-Québec[4]. Comment vous réagissez à tous ces honneurs?

G. G.: Ce ne sont peut-être pas de vrais prix (rires). Je vais aller chercher ce dernier prix à Paris bientôt, donc pendant quelques jours je vais me prendre pour un vrai poète! Au fond, cela confirme qu'on peut s'amuser et arriver quand même là où on voulait aller. Je dis donc: «Vivons d'abord en souriant et en riant, et on va peut-être finir par réussir à devenir un vrai quelque chose, peu importe ce que c'est.»

J. B.: Qu'est-ce que vous vouliez dire par votre poésie?

G. G.: Pas tellement dire qu'utiliser les mots que je trouve beaux. Au fond, le poète, qu'est-ce qu'il fait? Il prend un mot et il l'écoute. On compte d'abord les pieds, la redondance, combien de notes il contient, et on le met dans la partition ou dans la symphonie, si vous voulez, pour que ça fasse quelque chose qui fasse pleurer, qui émeuve ou qui transmette une image du Québec contemporain. Mais surtout les mots avec lesquels les gens parlent tous les jours, et non pas les mots compliqués. J'ai donc tenté en poésie de valoriser les mots de la rue, ma principale job ayant été précisément de prendre ces mots et de les mettre sur du papier. Au fond, le plaisir est là, pour moi.

J. B.: Est-ce que, pour vous, l'inspiration, ça existe?

G. G.: Oui, ça existe, l'inspiration.

J. B.: Qu'est-ce que c'est?

G. G.: Ben, il faut se mettre dans la tête, comme dans un ordinateur, deux, trois éléments et laisser les neurones brasser tout ça. À un moment donné, il y a des connexions qui se font. Ce qui fait qu'il y a une étincelle qui mène à une image, très belle, ou à une idée.

J. B.: Qu'est-ce qui vous inspire le plus: les mots ou les émotions?

G. G.: Les mots.

J. B.: D'abord les mots.

G. G.: Souvent, je prends un dictionnaire. À l'époque, il y avait un dictionnaire avec des «ne dites pas… mais dites…»: «ne dites pas bines, mais dites haricots au porc», par exemple (*rires*). Je prenais la colonne «ne dites pas…» et c'est là que les mots m'inspiraient le plus de poésies[5]… ou de souvenirs, et je me rends compte, après vingt-cinq ans d'écriture, que bien des gens au Québec les ont lues et ont perçu les mêmes émotions que j'y ai mises. En ce sens-là, un dictionnaire, c'est un vrai poème.

J. B.: Parce que, pour vous, les mots ont vraiment une saveur particulière?

G. G.: Les mots ont une vie autonome. Les mots sont souverains, si l'on peut dire. Ils existent par eux-mêmes et se modifient par eux-mêmes. Le mot «ketchup», au Québec, cela a beaucoup de sens: c'est le ketchup Heinz de 57, c'est également le ketchup maison que nos mères faisaient, mais on dit aussi «l'affaire est ketchup» (qui veut dire «tout va bien»); on a volé un mot aux Anglais et on l'a transformé, transmué en un mot québécois, avec un sens nouveau. Moi, j'aime beaucoup porter attention à ce genre d'appropriation. On se retourne donc contre nos maîtres, on leur vole leurs mots et on leur donne un sens nouveau. On est autonome, on est souverain.

J. B.: Vous avez été ministre; aujourd'hui, vous êtes dans l'opposition. Comment vivez-vous, avez-vous vécu ce changement? Avez-vous trouvé cela difficile?

G. G.: Très difficile, surtout à cause de la paye (*rires*). Parce que baisser de moitié son revenu alors qu'on est habitué à dépenser et à mettre ça sur Visa, Master Card et autres agents de plastique, et réussir à avoir un crédit respectable, ça prend plusieurs mois. L'autre problème, c'est que le chauffeur se foutant complètement, à l'époque, des feux rouges, des feux verts, tout ça, moi aussi j'ai tourné sur les feux rouges (*rires*) et j'ai perdu beaucoup de points, j'ai même été privé à cause de ça de permis pendant six mois. Le principal transfert de ministre à député, c'est un transfert très concret, je veux dire: on manque de fric pendant des mois, d'une part, et il faut avoir un budget pour réussir à se remettre à flot, d'autre part. Sur la route, il faut être très prudent: l'excès de vitesse est interdit à un député, mais peut-être pas à un chauffeur de ministre...

J. B.: Mais est-ce qu'on n'est pas traité avec moins de déférence? En quelque sorte, quand on est ministre, un peu tout le monde vous porte sur la main. Ça fait un gros changement, ça aussi, non?

G. G.: C'est-à-dire que, quand on est ministre, il y a un mur de *yes,* de «oui», de gens qui rient de nos farces plates, souvent. Tandis que, quand on est député, on a un contact beaucoup plus direct, il n'y a pas de mur, il n'y a pas de mur du Cabinet entre le député et le citoyen. Quand on est ministre, il y a un mur et c'est pour ça que les gouvernements tombent: à un moment donné, ils ne voient plus la réalité. J'ai assisté à ça dans le cas du gouvernement précédent, mon gouvernement. Et comme j'aime beaucoup les ruines, je veux aussi voir quelle ruine va donner l'actuel Cabinet, sûrement entouré d'un mur de verre.

J. B.: Comment avez-vous vécu cette vie dans une cage de verre? Est-ce que vous vous rendiez compte que vous étiez coupé du monde?

G. G.: Évidemment. Et je cherchais précisément à traverser la frontière, à monter sur la clôture et à sauter de l'autre côté très souvent, en fréquentant les tavernes, et là, des gens me disaient: «Mon Dieu, tu es ministre, qu'est-ce que tu fais ici? Tu n'as pas d'affaire ici, tout seul, tu pourrais te faire attaquer.» (Ce n'est jamais arrivé, heureusement.) Je pense qu'il faut que le ministre sorte tout seul dans la rue, conduise sa propre voiture et mène une vie normale.

J. B.: C'est difficile à faire.

G. G.: Autrement, il est cuit, autrement, il perd le contact, il perd ses antennes, il perd sa sensibilité et il est condamné, par conséquent, à la chute, à la disparition. C'est très difficile, effectivement.

J. B.: C'est difficile parce que ça demande un esprit de contradiction assez vif. D'une certaine façon. Il ne faut pas s'asseoir dans son…

G. G.: Il faut avoir un petit peu d'humour (*rires*) et il faut aussi avoir une épouse qui n'est pas une «yeswoman». Dans les couples, des fois, il y a la femme qui dit «mon vieux, tu es extraordinaire» et là, le mec se pense une espèce de géant ou de dieu et devient imbécile. Tandis que, s'il a une épouse qui est totalement critique, il a moins de chance de devenir imbécile et de s'endormir sur ses soi-disant lauriers. Moi, j'ai la chance d'avoir une épouse très critique et qui me ramène par terre brutalement (*rires*) chaque fois que je me prends pour un autre (et c'est souvent un politicien).

J. B.: Puisque vous parlez de…

G. G.: … ma tendre moitié (*rires*)…

J. B.: … votre compagne ou votre tendre moitié, parlons-en donc. Vous vivez quand même depuis vingt-cinq ans…

G. G.: … un quart de siècle…

J. B.: … une histoire de couple assez particulière…

G. G.: … assez longue en tout cas.

J. B.: Ce qui est quand même assez rare de nos jours, il faut bien le dire. Comment avez-vous réussi ce coup-là?

G. G.: Avec la patience (*rires*)… mutuelle. Mais aussi parce que Pauline est tellement, je dirais, de bon conseil en politique, en poésie, en n'importe quoi. Et, dans son métier, ce que j'admire en elle, c'est qu'elle ne lâche jamais. Moi, j'aime les gens qui sont persistants, qui sont acharnés, entêtés et Pauline, pour moi, incarne l'entêtement du bélier, si vous voulez, même si elle est Gémeaux (*rires*). Je l'aime beaucoup, donc. C'est un mélange d'admiration et de très grande affection. Parce qu'elle m'a permis de ne pas me prendre pour un autre, ce qui est aussi précieux pour un politicien que pour un écrivain. Elle m'a souvent dit: «Reste modeste, attention à l'air qui gonfle les ballons qui crèvent bientôt.» Je pense que j'ai besoin de ça dans ma vie quotidienne et elle me le donne. En plus de me donner beaucoup d'amour, et tout le reste. Donc, c'est ça la raison qui fait que ç'a duré: on s'est compris, on s'est donné beaucoup de liberté mutuelle et on se complète, quoi, comme on dit. C'est pour ça qu'on «colle» encore ensemble.

J. B.: Il n'en reste pas moins qu'elle fait un métier qui l'appelle souvent à l'extérieur...

G. G.: C'est peut-être pour ça (*rires*)... Si l'on fait le bilan des mois qu'on passe vraiment ensemble dans une année, c'est beaucoup moins que douze. Elle voyage souvent pour chanter en Europe et je voyage souvent pour mon métier de député ou, à l'époque, de ministre ou, maintenant, d'écrivain. Sur les douze mois, on est ensemble peut-être juste quatre, cinq mois. C'est peut-être pour ça qu'on s'endure encore. Je conseillerais donc aux gens qui veulent vivre ensemble longtemps de prendre souvent la distance entre eux: *no man's land* ou *no woman's land* surtout (*rires*).

J. B.: Quand vous dites que vous n'êtes pas un vrai amoureux, qu'est-ce que vous voulez dire?

G. G.: Je veux dire que j'ai toujours cherché, toute ma vie, une autre personne qui serait la femme idéale dont parlent les poètes. Je la cherche tout le temps. C'est peut-être Pauline, en fait. Tôt ou tard, en vieillissant, je vais peut-être m'ouvrir les yeux et me rendre compte que la «jeune fille» que je cherche, c'est elle. Mais, dans la rue, je regarde toujours s'il n'y en a pas une, quelque part, qui serait peut-être celle-là, «peut-être la seule au monde, comme dit Nerval, dont le cœur au mien répondrait[6]». Mais c'est peut-être une illusion, c'est peut-être ce qui me fait encore marcher et avoir les yeux ouverts sur tout ce qui se passe. Une curiosité je dirais infinie pour les femmes, si vous voulez. Mais c'est peut-être une illusion de croire que ce n'est pas celle avec qui je vis présentement. Et peut-être qu'en mûrissant, comme on dit, en vieillissant également, je vais me rendre compte que cette jeune fille-là, c'est précisément celle qui est dans ma vie. Ce qui serait, à ce moment-là, le plus beau poème que je pourrais écrire. Mais je n'en suis pas sûr encore[7].

J. B.: Vous avez toujours réussi à garder, dans toutes les parties de votre vie, votre indépendance d'esprit.

G. G.: J'ai essayé. Pour moi, c'est ce qui est le plus important. Avoir un peu d'oxygène autour: en amour, en littérature, en poésie, en politique aussi. Ne jamais être coincé, prisonnier de quelque chose, de quelque réalité que ce soit. Moi, j'avais besoin de ça, quoi, de toute éternité, j'ai l'impression. Et c'est peut-être pour ça que j'ai toujours fait ce que j'ai fait avec une grande liberté. Ce qui m'amène à me poser la question «suis-je vraiment ce que je prétends être: suis-je vraiment un amoureux?» puisque je regarde ailleurs tout le temps, «suis-je vraiment un poète?» puisque ce que je fais, plusieurs disent que ce n'est pas de la vraie poésie, et ça me touche profondément de les entendre dire ça parce que je me pose moi-même la question.

J'aurais aimé écrire comme Villon, comme Verlaine, comme Rimbaud, comme Jean Royer, comme Roland Giguère, mais je n'écris que comme Godin. Alors, est-ce que c'est vraiment bon? Et ce n'est que quand j'ai des confirmations que les gens ont aimé ça que je me dis: bon, peut-être est-ce que c'est vrai, ce que je fais, c'est de la vraie poésie. Mais plus ils sont pour, plus je doute qu'ils disent la vérité, plus je me méfie d'eux, parce que ça ne se peut pas: au fond, j'ai fait ça avec tellement de plaisir que ç'a sûrement, ç'a seulement pas le poids que ça pourrait avoir…

J. B.: … c'est pas sérieux…

G. G.: … si je m'amusais tant que ça.

J. B.: Gordon Sheppard, vous êtes ami depuis combien de temps avec Gérald Godin?

G. S.: Depuis vingt et un ans.

J. B.: Dites-moi ce que vous aimez chez cet homme.

G. S.: Sa poésie. Et là, je ne parle pas uniquement de ce qu'il écrit, mais de comment il se présente: il est vraiment poète dans sa présentation, lui-même, c'est-à-dire que, quand on lui parle, il a toujours des réflexions poétiques, insolites, et il a un comportement même physique qui est poétique. Par exemple, à North Hatley où il a une maison de campagne, il a une relation particulière avec les arbres, il a un arbre favori et un jour, quand je suis allé là avec lui, il a embrassé l'arbre. Moi, j'appelle ça un comportement poétique.

J. B.: Quel genre d'ami est-il?

G. S.: C'est un ami préoccupé, c'est-à-dire qu'il fait beaucoup de choses; je pense qu'il reste très fidèle dans son esprit mais il n'est pas nécessairement très disponible avec son temps. Je sens que je peux l'appeler n'importe quand, jour et nuit s'il le faut vraiment, et il ne sera jamais dérangé.

J. B.: Est-ce que vous lui trouvez des défauts?

G. S.: Sans doute qu'il y en a. Sûrement pas de grands défauts. C'est vraiment un plaisir de connaître Gérald. Il rend ma vie beaucoup plus intéressante ici, même si l'on ne se parle pas beaucoup, même si, de temps à autre, on ne se voit pas beaucoup. Juste de savoir qu'il est là et que cet esprit existe, ça me donne beaucoup de plaisir et ça me donne de l'inspiration aussi.

J. B.: Comment vous définissez-vous, alors, à travers tous ces rôles-là?

G. G.: Je n'ai pas trouvé encore. C'est pour ça que je veux vivre encore quelque vingt-cinq ans, au moins. Pour peut-être découvrir le vrai Gérald Godin, la vraie personne que je suis. Et peut-être que je devrais écrire sur ça, d'ailleurs: qu'est-ce que c'est qu'être vrai — dans la vie? Je ne sais pas encore.

J. B.: En 1984, vous avez subi une opération dont on a beaucoup parlé. Vous avez maintenant du recul par rapport à cette maladie qui vous a terrassé pendant un certain temps. Comment vous voyez cette expérience maintenant?

G. G.: Ben, j'ai découvert la bonté grâce à ça, parce que je me suis rendu compte qu'on était des milliers, au Québec, qui étaient passés par là, par ce qu'ils appellent l'exérèse d'une tumeur. Moi, par chance, on m'a dit — un cas sur un million — qu'elle n'était pas cancéreuse, cette tumeur. Pendant vingt ans, elle a tranquillement grossi et je m'en suis rendu compte juste à la veille de l'opération, d'ailleurs, par des petits signes qu'elle m'envoyait. Et je me suis rendu compte, en étant en rééducation, qu'il y avait des milliers de personnes au Québec qui étaient passées par là — accident de bagnole, tumeur maligne ou bénigne —, et ça m'a ouvert la porte à l'amitié de centaines de personnes. Et je me suis senti, comme je n'étais pas cancéreux de cette tumeur-là, la mission de devoir m'en sortir et d'être vraiment (comme on dit «comment ça va?», on dit «mais est-ce qu'il y a mieux?») mieux, mieux qu'avant même, dans ma tumeur, afin d'être une espèce d'exemple pour tous ceux que j'ai aimés. Je me suis rendu compte que j'avais une job à faire qui était de recommencer à parler correctement et de m'en sortir mieux que j'étais avant, afin de montrer que ça peut se faire.

J. B.: Votre notoriété, finalement, vous permettait de prouver quelque chose.

G. G.: C'est-à-dire m'amenait, me forçait à vouloir dire à tous mes amis de ce secteur-là, Jacqueline Dumontier, puis Normand Léveillé, le joueur de hockey de Boston que j'ai vu évoluer sur la glace et tenter de parler dans des réunions de membres du club des cérébro-lésés: «Il faut qu'entre nous on monte l'échelle marche par marche parce que chaque marche qu'on monte aide tous les autres.» Moi, ceux qui me regardent doivent se dire «ça peut se faire».

J. B.: Quand la maladie frappe un homme ou une femme dans la quarantaine, c'est toujours un choc important parce qu'on remet toute sa vie en question et on découvre sur soi-même des choses, très souvent.

G. G.: Effectivement.

J. B.: Qu'est-ce que ça vous a fait de vous savoir tout d'un coup malade?

G. G.: Deux choses. J'ai découvert autour de moi, donc, la bonté. De mes amis qui sont venus me voir parce qu'ils se disaient «qu'est-ce qui se passe avec Godin, on va-tu le perdre?» Je me disais moi-même «je vais peut-être disparaître», ce qui m'a amené à décider de faire plus vite des choses que j'avais dit que je ferais plus tard: écrire un roman, voyager, passer un mois à Venise à écrire, passer un mois au Brésil à écrire, faire des choses de luxe, si vous voulez, ou prendre des vacances vraiment exceptionnelles que je voulais faire ou prendre quand j'aurais soixante-cinq ans, quand je serais «vieux», quand je serais peut-être à quatre pattes ou en chaise roulante. Et je dis aux gens «c'est une bonne expérience à faire, ce que vous pensez faire à soixante-cinq ans, faites-le donc maintenant, quitte à vous priver et à avoir un budget très serré». Il faut se dire que la vie est plus courte qu'on pense. Ma conclusion, c'est ça: j'ai voulu faire au plus coupant ou, comme on dit à Trois-Rivières, au plus crisse ce que je voulais faire plus tard parce que je me dis que, plus tard, je ne serai peut-être plus là. Il faut faire dès maintenant ce qu'on veut faire étant vieux parce que, Villon, on l'est maintenant.

J. B.: Vous êtes allé au fond de la détresse, du désespoir presque, à certains moments.

G. G.: Parce qu'on perd beaucoup la mémoire, effectivement, à ces moments-là; à cause de l'éther qu'on donne pour endormir, à cause des pilules qu'on prend en grande quantité, on oublie tout. Mais c'est une expérience fantastique, la mémoire, quand ça revient: on mesure à quel point on est fragile et aussi à quel point c'est fou, la vie. C'est un désordre constant, la vie. La maladie nous apprend que c'est un désordre, et la maladie nous montre le désordre du monde: les planètes, les étoiles, c'est un désordre, au fond. La maladie nous ramène donc à l'expérience, vécue dans notre propre chair, du désordre, et donne beaucoup d'humour: j'ai jamais autant ri qu'en tombant en bas de mon lit parce que je n'avais plus d'équilibre (rires), en étant incapable de faire un nœud de cravate, en mettant mon manteau à l'envers (pas la bonne manche pas du bon côté) ou en boutonnant ma chemise (trois, quatre boutons en haut, trois, quatre boutons en bas, tout à fait déséquilibrés). Je trouvais très drôle de vivre ça. C'est l'humour qui peut nous sauver.

J. B.: C'est drôle mais, en même temps, c'est effrayant, c'est traumatisant.

G. G.: Pas traumatisant, mais drôle: une expérience du désordre, donc de la vie, du chaos des molécules qui font la terre et le ciel. J'étais au cœur du magma de l'univers, étant aussi «crackpot».

J. B.: Et vous le sentiez vraiment?

G. G.: Oui.

J. B.: On a dit dans les journaux, à l'époque, que vous aviez pensé au suicide. Est-ce que c'est vrai?

G. G.: C'est vrai. J'ai pensé au suicide, vraiment. Mais je me suis dit «c'est long, au fond de la terre, dans un trou, c'est long» et quand je pense à tout ce que j'ai vécu depuis mon refus de me suicider, je me dis que j'aurais été vraiment imbécile de le faire. Les voyages que j'ai faits, les gens que j'ai rencontrés, les gens que j'ai aimés, les femmes que j'ai embrassées, je n'aurais pas vécu ça, j'aurais été totalement imbécile de ne pas vivre ça. En politique, les drames ou les comédies que j'ai vécus depuis deux ans, c'est tellement fantastique que je me dis qu'il faut continuer encore des années à être vivant pour s'amuser autant, pour avoir autant de plaisir à être vivant.

J. B.: Qu'est-ce qui, au moment où vous pensiez au suicide, est allé vous chercher, vous a évité d'accomplir ce geste?

G. G.: Je n'ai pas encore réussi à répondre à la question moi-même. Qu'est-ce qui m'a retenu? C'est l'idée que je n'avais pas vu encore l'île de Chypre, d'où viennent beaucoup de mes amis grecs de Montréal, la ville d'Héraklion et aussi la ville de Corfou, entre autres. J'avais tellement d'images, que j'avais vues au cinéma ou dans les livres, de villes que je n'avais pas encore vues que je me suis dit «je vais aller les voir». Le Brésil, je suis allé. Venise en hiver, je suis allé. C'est ça qui m'a permis de ne pas me tirer une balle dans la tête.

J. B.: C'est le désir...

G. G.: ... et aussi la curiosité de voir la beauté de près.

J. B.: Qu'est-ce que vous vous souhaitez de mieux aujourd'hui, Gérald Godin?

G. G.: Un billet d'avion... pour n'importe où. On choisira.

La franchise, le courage, l'amour du pays et, par-dessus tout, l'amour de la vie. Je pense que Gérald Godin est un bel exemple.

Série *Biondi et Cie*, Radio-Québec,
André Caron réalisateur,
14 avril 1988 (enregistré le 14 mars 1988)

---

1. La radio de Radio-Canada, le dimanche soir. On est ici à la fin des années cinquante.

2. On peut voir et entendre Elmyr de Hory dans *F for Fake* (*Vérités et mensonges*, en version française), long métrage d'Orson Welles (France-Iran, 1974, sorti à Paris en mars 1975). Quant à Réal Lessard, il a raconté sa vie dans *L'amour du faux* (Paris, Hachette, 1988; repris dans la coll. «Livre de poche», 6580, en 1989). Le

Québécois Réal Lessard, en quelque sorte, prend ici la relève du Hongrois Elmyr de Hory qui prendrait la relève du Hollandais Hans van Meegeren (dont l'œuvre de faussaire a été l'objet d'un procès retentissant en 1947).

3. *Le faux Modigliani*, faut-il le rappeler, est l'un des titres de travail du roman qui paraîtra deux ans plus tard. C'est dans le film de Welles qu'on entend cette phrase, me dit Gérald Godin (téléphone du 10 mai 1993).

4. À l'occasion de la parution d'*Ils ne demandaient qu'à brûler* (l'Hexagone, 1987), rétrospective regroupant les sept premiers recueils (publiés entre 1960 et 1986) et quelques poèmes inédits. Vingt-cinq ans, en ce qui concerne les dates de publication, est une façon d'arrondir la chronologie.

5. Ce «dictionnaire», de Gabriel Robert, s'intitule *Parlons français* (Trois-Rivières, Éditions du Bien public, 1961). Gérald Godin, avant d'en faire l'utilisation qu'il vient de dire, en a fait la critique: voir *Écrits et parlés I*, vol. 1, «Culture», p. 19-21.

6. C'est Gérald Godin lui-même qui, à ma question sur la citation qu'il attribue, dans le cours de l'entretien, à Verlaine, retrouvera (téléphone du 11 mai 1993) le poème de... Nerval dont, en fait, il se souvient ici: «Une allée du Luxembourg», d'abord publié en revue en 1832 (l'auteur a alors vingt-trois ou vingt-quatre ans), maintenant intégré à un recueil rassemblé par l'éditeur actuel et intitulé *En marge des Petits châteaux* (en marge, donc, des *Petits châteaux de Bohême*, 1853). Cette «jeune fille» qui, dit Gérald Godin, est «peut-être Pauline [Julien], en fait», un autre vers précise qu'elle a «à la bouche un refrain nouveau».

7. On peut penser qu'il en est maintenant sûr. La dédicace d'*Écrits et parlés I* se lit ainsi: «À P. J., la femme de ma vie et d'après.»

Deux notes à propos de la maladie

Je me suis souvent posé la question de ma propre profondeur. Le galet qui fait quatorze pas sur l'eau calme d'un lac ou, au contraire, la tête chercheuse qui aime et se prélasse au fond des choses.

Moi, c'est plutôt le galet, je dois à la vérité de le reconnaître.

Alors, face à la mort ou au drame, je suis démuni et réduit au silence, à moins de chercher très loin dans ce que j'ai pu lire ou entendre. Mais je suis le plongeur qui remonte toujours les mains vides, quelle humiliation. Je ne saute pas tête première, je me couche de tout mon long, comme sur le terrazzo de la Gare centrale, ou assis dans l'escalier de Pontiac[1], ma tête a beau frapper à coups redoublés les planchers des gares ou les parquets des maisons, je ne creuse quand même pas.

Je reste en surface, désespérément. Comme les terrazzos ne cèdent pas, ni les parquets, je reste à la surface.

Dans un cahier, écrit à l'hôpital;
peu avant la seconde opération, juillet 1989; inédit

❏

Vaincre la maladie, en tant qu'exploit physique. Comme courir un marathon ou relier Champlain à Trois-Rivières[2] à vélo, vent devant.

Il me reste combien de coups de pédalier à donner avant d'arriver? Combien de coups avant la prochaine étape, le prochain réveil, la prochaine sortie du tunnel?

Exploit physique, un point sait tout[3]. L'antédiluvien est toujours là, la patience attrape du vinaigre avec des mouches, le vent lit le journal page par page.

Dans un cahier, écrit à l'hôpital;
peu avant la seconde opération, juillet 1989; inédit

---

1. Allusion à deux crises d'épilepsie: à la Gare centrale, à Montréal, en juin 1989; à sa résidence, rue Pontiac, à Montréal, en mars 1989.
2. Trois-Rivières, ville où est né l'auteur, ville de l'enfance, de l'adolescence et des premiers emplois; Champlain, village où la famille Godin a alors une maison d'été et où, actuellement, réside la mère de l'auteur.
3. Lapsus.

«L'expérience du plus pauvre»
(entrevue de Jean Barbe — *extraits*)

— La politique, ça me donne d'autres perspectives sur ce qu'est la réalité de Montréal et du Québec, auxquelles j'aurais jamais eu accès de mon temps de journaliste. Ça ajoute au kaléidoscope les couleurs politiques: la politique, le bureau de comté, les sans-abri un matin, les jeunes qui veulent des jobs pis qui en ont pas, toute la réalité politique du Québec actuel, les lois du marché... Là, vous avez vraiment l'avalanche de la réalité québécoise.

— Vous faites votre métier de politicien comme un journaliste?

— Oui, avec autant de curiosité, de fureur pour aider les gens mal pris. Quand je sors de la maison pis que j'vois, au coin de la rue, les pauvres qui ont la main tendue, la main bleue crisse, y d'mandent dix cennes pour aller prendre j'sais pas quoi. J'trouve ça scandaleux que dans un pays riche comme le Québec, crisse, on en soit rendu à vivre ça. On a Dernier recours, pis Dernier recours soulève des protestations de bien du monde... Ça, c'est Montréal aussi! Il y a tout un roman à faire là-dessus. Et il faut que le roman ait un rôle à jouer. Il ne faut pas que ce soit un divertissement historique, purement et simplement... Comme la série télévisée *L'or et le papier*, une connerie monumentale... Aucun souci, mon vieux, de la réalité! Alors que, pour moi, la réalité dépasse tout comme stimulation...

[...]

L'expérience du plus pauvre des pauvres à Montréal, je l'ai vécue. Faire une crise d'épilepsie sur le terrazzo d'la Gare centrale[1], c'est dur en crisse... Ou ben la face dans un banc de neige, sur Pontiac[2], en attendant que quelqu'un daigne me rentrer chez eux. La misère du robineux, je l'ai pas vécue, ce serait indécent de dire ça, mais je l'ai approchée.

Voir, 8-14 mars 1990

1. En juin 1989, lors de la réapparition de la maladie. Gérald Godin est opéré une seconde fois au cerveau le 18 juillet.
2. Sur la rue Pontiac, où il habite depuis 1986.

«Le cerveau, c'est comme une carte géographique»
(entretien avec André Gervais)

A. G.: Vous rappelez-vous la première fois où vous avez senti que vous étiez peut-être malade?

G. G.: J'étais à Québec, à deux secondes, si je puis dire, d'une intervention que je faisais devant des fonctionnaires sur le thème «l'administration publique et le pouvoir[1]». Tout de suite après Jean Corbeil, de CROP[2]. Lui, c'était la théorie selon laquelle tu touches aux gens: dans son exposé, il demandait aux fonctionnaires de se fermer les yeux, de s'apprivoiser, de s'approvisionner (*rires*) en clins d'œil et en regards. Il y avait d'ailleurs une sorte de folie dans l'air, comme dans une classe lorsque les élèves sont totalement énervés. Moi, je regarde ça, j'ai du temps. Pendant qu'il termine son show, je vais pisser et là, pendant que je pisse, j'ai une espèce de convulsion à la commissure gauche des lèvres. Je prends une grande respiration, je prends un verre d'eau frette, et je vais faire mon topo…

A. G.: … comme si de rien n'était…

G. G.: … comme si de rien n'était. En arrivant à Montréal le lendemain, je téléphone à mon médecin de famille, le docteur Paul Ferron, le frère de Jacques[3], et lui dis «viens donc chez nous à l'heure du souper». Je lui raconte ce qui s'est passé, et il me dit «c'est le cerveau».

A. G.: Il a vu ça tout de suite?

G. G.: Tout de suite, et pourtant c'est un très bon médecin de famille, mais pas plus: il n'a pas de scanner, pas de résonance magnétique, etc. «Il faut que tu ailles à l'hôpital passer un examen au plus crisse. As-tu des contacts? — Je connais un médecin, Alfred Lavallée, spécialiste de l'appareil urinaire.» C'est lui qui m'a rentré le doigt dans le cul, jusqu'aux glandes de Cowper (*rires*)…

A. G.: … d'où l'expression de l'autre jour[4]!

G. G.: «Je vais t'envoyer voir le docteur Mendez (je pense) à l'Hôtel-Dieu.» Le scanner, à l'époque, c'était une poubelle toute déglinguée, les bolts déboltées (*rires*), comme dans les vieux garages. J'entre là-dedans: cette poubelle-là, c'est un tunnel, ça fait un bruit. Tu sais comment ça marche: c'est une caméra qui tourne autour de toi. Je sors de là, je me lève. Le docteur Mendez est livide: «Avez-vous déjà eu un accident…»

A. G.: … du genre accident d'auto où vous vous êtes cogné la tête?

G. G.: «Oui, j'en ai eu un il y a quelques mois. — Vous avez une lésion.» Un euphémisme pour dire «tumeur». «Il faut vous opérer. On va vous envoyer à un autre hôpital qui est mieux équipé, à Sainte-Justine.» Là, c'est une machine pour les enfants, «hôke spôke» comme disait mon père[5]. «Retournez à l'Hôtel-Dieu pour les résultats.» Là, le docteur Ouaknine, juif séfarade, me dit, enfin, la vérité. Moi, j'appelle Pauline: «Viens me chercher, ça ne va pas pantoute.» Je lui dis: «J'ai une tumeur au cerveau.» On se met à brailler tous les deux comme des chats en chaleur. Je n'avais alors aucune des séquelles qui ont suivi: je marchais, je parlais, etc.

A. G.: Vous n'aviez jamais eu mal à la tête?

G. G.: Non. Ce qu'ils appellent des céphalées, non.

A. G.: Tout ça, ce n'est pas prévu dans le décor. Vous êtes ministre…

G. G.: … avec le chauffeur, les réunions (Conseil des ministres, Conseil du trésor), etc.

Je loue donc une chambre privée à l'Hôtel-Dieu avec le supplément de mon assurance de fonctionnaire[6]. Apprenant qu'il y a dans cet hôpital une chambre en permanence en *stand-by* pour le cardinal Léger, je demande si je peux l'avoir. C'est trente-cinq piastres de plus par jour, mais, comme je suis assuré… C'est une suite, en fait: il y a un passe-plat dans un mur et, de l'autre côté, une petite chapelle où il peut aller faire ses prières. Le cardinal est gras dur! Les fenêtres donnent sur l'avenue du Parc et le corridor est entièrement à lui.

J'avais un chum, Renald Savoie, qui m'achetait chaque soir, juste avant que je sois opéré[7], un smoked-meat chez *Schwartz*. Ça sentait le graillon dans la chambre! Il arrivait avec son petit sac en papier, comme celui dans lequel on met des cafés, et moi je m'empiffrais (*rires*). Un délice pur! C'est pour ça que je ne l'oublierai jamais, ce crisse de Renald-là[8].

Je sors de cet hôpital-là. C'est mon chum Renald qui vient me chercher. Il m'a fait de la bouillie de bœuf, des framboises au sirop d'érable et à la crème 35 %. Après un mois d'hôpital, tu as faim en hostie! J'ai eu autour de la tête le bandage d'Apollinaire le temps qu'il a fallu pour bien cicatriser le pariétal droit. Je portais une casquette.

Revenus à la maison, Pauline et moi, on est invités à un party chez Patrick Hugon, le propriétaire gérant d'une compagnie de transport (Logtrans, je crois), un ami de la famille. Il me disait: «Si tu veux faire transporter deux cents moutons vivants de Saint-Janvier jusque dans le Burkina Faso, je peux te faire ça.» C'est lui qui avait transporté les belles sculptures en terre cuite trouvées dans le cimetière souterrain d'un empereur de Chine — son armée souterraine —, suggérant l'utilisation de la colle epoxy pour remettre ensemble tout ce qui avait été collé avec du pur crachat, de l'eau pis de la farine (*rires*): des statues de six pieds de haut, ça ne tient pas longtemps avec cette colle-là! C'était sa fête, début décembre. Moi, mentalement, dans ma perception des choses, j'étais mieux, j'étais guéri. Il nous sert du champagne, et on en prend.

A. G.: Ça, ça monte à la tête…

G. G.: … ça excite dans la région de l'opération. Le matin, je m'en vais pisser et, poum poum poum, ça cogne ici, c'est l'épilepsie. Je me couche par terre pour ne pas me fracasser le crâne sur la baignoire. Pauline, qui entend des bruits, des râlements, arrive. «Qu'est-ce que tu fais là?» J'essaie de m'expliquer, et ce d'autant plus qu'à l'époque je n'avais pas récupéré ma bouche et mon élocution complètement. Aucune des traces bien connues, clichés, genre écume. Je descends en bas dans le salon, je refais une autre crise. Pauline, par gentillesse, met son doigt dans ma bouche pour pas que je me morde la langue. J'en parle dans un poème: «il mange sa langue / avec appétit[9]» (*rires*). Il n'y a pas plus microbien que de la salive mêlée de sang. Elle en a encore une cicatrice, très longue, ayant dû faire cureter sa blessure pendant deux semaines. Elle aussi, elle est marquée pour la vie.

Après ça, on s'en va à Haïti. On a continuellement la chiasse. Notre voisin de chambre, qui est un pharmacien — il est juif et s'appelle Bernbaum — me donne du Lomotil: ça te bloque, c'est comme le dernier morceau dans un barrage, quand ça tombe...

A. G.: ... la clé de voûte.

G. G.: Et je me baigne dans l'eau chaude d'Haïti, au gros soleil. Pauline et une amie, dont le mari italien travaille chez Fiat, s'en vont se baigner dans un lieu plus tranquille. Moi, je sens que l'épilepsie revient. Je prends ma serviette et je me la mets dans la bouche pour ne pas faire comme la France cette semaine[10] (*rires*)! Je suis dans le bateau et tous les petits Noirs sont autour. La nage en eau profonde, c'est terminé. Jusqu'à la ceinture, ça va.

A. G.: Savez-vous nager?

G. G.: La brasse, un peu, et la nage du chien! Je peux nager.

On revient à Montréal. Je lis alors un livre sur l'importance du sommeil pour un épileptique, tout à fait adapté à la situation, dont je tire ceci: plus on dort, moins il y a de crises. Le médecin qui me soigne actuellement, le docteur Poirier, qui traite surtout des épileptiques en bas âge, me dit: «Fixez un point lumineux dans l'espace, une lumière électrique par exemple, établissez des petits contacts avec lui, connectez, cela empêche la décharge électrique de se faire.»

Au Conseil des ministres, je parlais très peu parce que je ne pouvais pas parler, point final.

A. G.: Avant, au Conseil en question, parliez-vous facilement, parliez-vous beaucoup?

G. G.: J'ajoutais mon message, quand besoin était. Je me souviens qu'une fois, Jacques Parizeau se réjouissait d'une mesure du gouvernement fédéral. «Vraiment, vous êtes naïf, ils sont en train de mettre la vaseline sur le manche à balai avec lequel ils vont nous enculer (*rires*).» Il m'avait dit après: «C'est vous qui aviez raison».

A. G.: Le disiez-vous vraiment avec ces termes-là?

G. G.: Ah oui.

Puis j'oubliais tout, je perdais tout. Deux imperméables, par exemple, dont un acheté à Cologne et perdu en allant à un Conseil des ministres à Fort-Prével, en Gaspésie, l'un des plus humiliants conseils que j'aie vécus, à cause de mon état élocutoire, de mon état humain. René Lévesque m'avait alors fait venir, m'avait fait remarquer la chose, et j'avais été nommé ministre délégué aux Affaires linguistiques[11]. Je ne me sentais pas diminué, pas du tout, par ce changement de ministère.

Je m'étais mis en contact avec Henri Bergeron, grand annonceur à Radio-Canada. Il avait un studio pour évaluer ses «clients». J'avais récité «La cigale et la fourmi». Il avait évalué cet enregistrement et m'avait dit: «Vous n'avez pas de déficit majeur, il n'en tient qu'à vous d'en sortir; prenez votre machine, enregistrez des textes et écoutez-vous.» Il a été très correct.

Ce n'était pas la même chose à… Radio-Cadenas où ils tenaient le monde par la peur, la manipulation. C'était le fascisme quotidien, n'est-ce pas le titre d'un film…

A. G.: … de Mikhaïl Romm: *Le fascisme ordinaire*[12].

G. G.: Je vais utiliser certains souvenirs associés à ça dans mon prochain roman, justement intitulé *Radio-Cadenas*[13].

Le médecin avait dit: «Vous êtes bon pour cinq ans, sans opération. On n'a pas tout enlevé parce qu'un morceau de la tumeur est dans l'*insula*.» Le cerveau, c'est comme une carte géographique, et il y a une botte — comme l'Italie — qui s'appelle l'*insula*. C'est une île. Aller sous ça, il y a tellement de risques de couper quelque chose qui touche à la mobilité de la personne, on n'ose pas.

La vie continue. Je m'en vais en vacances en Europe. Un chum, qui vient du Midi et qui est mon voisin au carré Saint-Louis, Jean Issery, m'avait suggéré d'aller à Aix-en-Provence à cause du climat tempéré. J'y vais donc pour travailler mon roman[14]. J'habite rue Campra, chez Mme Marie-Thérèse Mot. À l'époque, je prends du Dilantin qui couvre tout l'éventail des noyaux, des foyers de départ de crises; avec l'électroencéphalogramme, le temps aidant, ils identifient exactement le foyer central de l'ouragan et te donnent un produit plus spécifiquement adapté; là, tu passes au Tégrétol.

A. G.: En l'espace d'un an, vous êtes donc à peu près complètement «revenu», après avoir surmonté la question du suicide et stabilisé celle des crises d'épilepsie.

G. G.: Oui.

A. G.: Pourtant, cinq ans après, en juillet 1989, vous êtes réopéré.

G. G.: J'étais en pension chez Milan Brautigan…

A. G.: … comme le romancier américain[15]!

G. G.: Chaque jour, des calamars frais pêchés dans l'Adriatique, avec un verre de schnaps avant et même après le repas! Dans l'avion, en revenant de Dubrovnik, un avertissement. Je réussis à descendre de l'avion. Ici, en haut de l'escalier, poum poum poum, je fais des sparages. Pauline, qui m'entend me plaindre et râler, s'approche. Je lui dis: «C'est la mort.» N'ayant pas fait de crise depuis un certain temps, je ne sais pas du tout ce qui se passe. Tu décroches... J'étais sûr que la mort venait de passer. Mais, tout compte fait, il n'y avait rien de spécial: comme l'autre fois, c'était les abus d'alcool à Dubrovnik qui avaient excité, dans le cerveau, la partie de l'opération, provoquant un érythème. Mon cerveau se déchargeait de l'électricité en lui. Parce que c'est ça, fondamentalement, une crise d'épilepsie: un ouragan, un orage électrique dans le cerveau.

A. G.: Quand vous reveniez de Dubrovnik, vous ne soupçonniez pas qu'on devrait vous réopérer?

G. G.: Pas du tout. Il fallait constater que c'était la rupture du Décadron. À l'époque, j'étais beaucoup sous l'effet du Décadron. De la cortisone à haute dose, dont le principal effet négatif est de faire prendre du poids, de développer un pneu Michelin au niveau de la ceinture (*rires*). Quand tu arrêtes d'en prendre, c'est comme si tu buvais douze bouteilles de champagne en ligne! Le noyau de la crise n'étant plus protégé par le médicament, tu n'as plus aucun contrôle.

Par exemple, à la Gare centrale, j'achetais mon billet de train la veille de mon départ pour Québec[16]. J'avais coupé trop rapidement le Décadron. Je suis en train de manger un *smoked-meat* quand, tout d'un coup, en me regardant dans le miroir qui est devant moi, je vois mes yeux, pour ainsi dire, basculer. Je me couche par terre, je fais mes sparages, je me cogne le crâne sur le terrazzo, et là j'entends «c'est un ministre péquiste» (*rires*). Urgence-santé arrive qui m'emmène au Royal Victoria.

Je reviens de Dubrovnik en mars, pour la rentrée parlementaire. Chaque année, c'est pareil: les députés sont en vacances un peu avant Noël et jusqu'au mois de mars. Et je me préparais sans me préparer, vous comprenez. J'étais sûr de participer à la campagne[17], mais je n'en savais pas plus.

A. G.: Campagne que vous avez faite en cycliste, si je puis dire. Je fais allusion, bien sûr, à cette photo parue en première page de *La Presse*...

G. G.: ... et où je porte le casque protecteur[18]. Ça valait cent mille piastres!

A. G.: Le rapport médical dit que la tumeur, cette fois-ci, est cancéreuse.

Sous le crâne du monsieur
il se passe des choses
on ne sait pas quoi
est-ce dans l'insula
les noyaux gris centraux?
on ne sait pas où
mais sa main gauche elle, elle s'en va
tout lui tombe des mains
sauf sa vie sauf sa vie
sous le crâne du monsieur
être ou ne poète
il ne faut pas hésiter
quand on fait de la «pas hésie»
ou de la parésie[19]

G. G.: Voilà. Il m'arrive quatre étudiants en médecine. «Nous avons eu le rapport de l'histologie et votre tumeur est cancéreuse; il faut prendre tous les moyens pour stopper ça.» Ce qui veut dire: chimiothérapie, radiothérapie et régime alimentaire. Pas d'alcool, pas de café, pas de gras animal, pas de beurre, etc. Ce qui changeait pas mal mon alimentation habituelle. Du gruau pas cuit (*rires*) et du café décaféiné. J'en parlais déjà dans un poème: «blondes décolorées / cigares dénicotinisés / bières désalcoolisées / il pensait passer d'un âge à l'autre / sans éther et sans saigner[20]». J'ai effectivement été éthérisé, comme dit T. S. Eliot: «*a patient etherized on the table*». Ma vie a changé du tout au tout. J'ai fait campagne quand même et je suis passé assez fort.

A. G.: C'était la première fois que vous n'aviez plus la même apparence physique: vous qui aviez une bonne chevelure frisée, vous n'aviez plus de cheveux.

G. G.: Les gens pensent que c'est la chimio. Il n'en est rien: c'est plutôt l'infirmier qui m'a rasé le crâne de façon à dégager la place où la trépanation devait avoir lieu.

A. G.: Et la difficulté permanente avec le côté gauche?

G. G.: C'est en sortant de la seconde opération. Je me suis alors dit que j'étais handicapé, ne pouvant plus jouer au tennis, ne pouvant plus être le patenteux qui réparait le mobilier. Je me sentais diminué, pas fonctionnel de la même manière. Mais, contrairement à la première opération, je n'ai pas du tout été affecté dans mon élocution. Je n'ai pas eu besoin de réapprendre à parler comme j'ai eu à le faire après la première. Un gain net.

A. G.: Avez-vous eu, depuis, d'autres traitements contre le cancer?

G. G.: Je me suis inscrit chez le microbiologiste Gaston Naessens pour suivre son traitement[21]. Il est à Rock Forest, je suis à North Hatley, à un quart d'heure. Il m'a fait une prise de sang afin de calculer mes somatides avec son microscope ultrapuissant, puis il m'a dit: «Buvez du jus de carotte et revenez dans une semaine.» Une semaine se passe, et je retourne dans sa clinique-laboratoire. Il me fait une autre prise de sang sur le bout du doigt, qui me fait très mal, puis me dit: «Bonne nouvelle, il n'y a pas de métastases».

C'est la première bonne nouvelle depuis que j'ai été opéré.

Là, je viens à Montréal pour passer un scan à l'hôpital Notre-Dame. Et le docteur Jolivet confirme ce que m'avait dit Naessens: «C'est beau beau beau, ça ne bouge pas, ça ne s'étend pas, ça ne se déplace pas de votre cerveau à un autre endroit de votre corps.» Le cerveau étant une matière assez compacte, surtout dans mon cas (*rires*), ce n'est pas comme le sein d'une femme qui est une matière plus légère et où il arrive souvent qu'il y ait métastase, immigration, si l'on peut dire, migration d'une cellule cancéreuse vers un autre endroit du corps. Je vérifie dans le dictionnaire des noms propres et j'apprends que Métastase est un auteur italien… mineur (*rires*)! Je dis ça à Jolivet qui me répond que ça n'a rien à voir[22].

Deuxième scan trois semaines après: «C'est beau beau beau.» Et je me rends jusqu'à la fin de l'été dans ces conditions-là.

Un jour, André Romus[23] est chez moi, à North Hatley. On s'en va aux champignons. Il faut descendre en bas du plateau — du platon, comme dirait Louis-Edmond Hamelin — la longue côte qui mène à la «forêt aux chanterelles», les champignons dorés. Pour épater Romus et sa femme, j'en croque quelques-uns, quasiment sans enlever le sable qui colle à eux. C'est un lieu que j'ai baptisé mon «sanctuaire zen» personnel et où il y a un petit ruisseau qui chantonne, qui «fait ses gammes» comme je l'ai écrit. Je m'installe au pied d'un arbre et, m'adressant, si je puis dire, à cet arbre, à ce ruisseau et aux deux, trois pierres qui sont là, je médite. Ce que je fais alors pour la première fois. (Le jardin zen du Jardin botanique de Montréal est trop fréquenté: il n'y a pas de place paisible, ici, pour se recueillir vraiment.) Après, on remonte au gros soleil. La côte n'est pas accentuée, mais ça monte dans le foin. En arrivant chez nous, près du jardin, je m'écrase et me cogne la tête sur le sol. Les Romus et Pauline réussissent à me placer dans la voiture afin de m'amener à la maison où je dors profondément pendant une grosse heure. Première crise d'épilepsie après la seconde opération, reliée au cancer qui est encore là, dans son petit coin, à ruminer quelque chose. Après, j'ai continué normalement.

A. G.: Vous connaissez les champignons?

G. G.: Oui. Des fois, quand il y a des espèces trop méconnues, j'ai des coliques.

Et j'avais toutes sortes de douleurs dans la colonne vertébrale, dans les oreilles. Les peurs du cancéreux. Je passe alors le second scan à l'issue duquel on me dit que «tout est sous contrôle». Il faut prendre du Tégrétol. Le problème, c'est que ça enlève de l'agilité, ça ralentit le fonctionnement du cerveau, en plus de provoquer des mictions impérieuses (*rires*). Je prenais aussi chaque jour, alors, une piqûre du produit de Naessens, le sérum AZT14; je puis attester que ça m'a fait un bien immense et qu'il n'y a aucune séquelle du genre nausée comme il y en a avec la chimiothérapie[24]. À part ça, l'été a été plutôt reposant, en attendant la campagne qui s'en venait.

Je me disais «je suis en sursis» et, autour de moi, les mois passaient et ça mourait: des amis à moi et à Pauline, Alice Parizeau, par exemple, à qui j'ai écrit souvent pour lui remonter le moral[25]. Puis j'ai fait l'émission de Janette Bertrand[26] à la suite de laquelle j'ai reçu des lettres et des cadeaux. Des gens, dans la rue, m'ont dit des choses comme: «Monsieur Godin, vous avez un courage extraordinaire.» Moi, je dis que ce n'est pas du courage; je veux vivre, tout simplement.

A. G.: Et, le 4 janvier 1990, vous vous mariez à Trois-Rivières!

G. G.: Pauline m'a suggéré fortement que nous devrions nous marier. Elle m'a convaincu de la marier afin d'assurer ses vieux jours. Elle est ainsi devenue madame Godin, et moi, monsieur Julien (*rires*). Et si nous n'étions pas mariés, c'est que nous n'avions aucune raison de le faire et que nous étions même tous les deux contre, surtout Pauline d'ailleurs. Ç'a donc calmé ses appréhensions.

Le juge qui nous a mariés est Guy Lebrun que je connaissais pour avoir couvert ses plaidoiries à l'époque, quand il était avocat et que j'étais journaliste au *Nouvelliste*. Lors de la réception qui a suivi, il a dit à tous «adieu vice, bonjour vertu»: je n'étais plus dans l'adultère, je me trouvais à devenir un conjoint respectable (*rires*). Toute la famille était là, sauf ma mère qui a toujours eu des réserves face à cette belle-fille-là: «Si, au moins, son mari était mort, le péché serait moins grand.» Si Pauline avait été veuve, nous aurions pu, selon ma mère, nous marier avec moins de problèmes[27].

A. G.: Depuis que votre cancer est nécrosé, comment vous sentez-vous?

G. G.: Il faut se garder de l'épilepsie. C'est la seule séquelle qui reste. Mais je n'ai pas eu de crise depuis plus de deux ans. Ce qui m'a permis d'ailleurs de récupérer mon permis de conduire. J'ai conduit en ville, une fois, sans problème. Si j'avais à conduire sur l'autoroute et que j'aie un signe avant-coureur d'une crise — c'est un signe très bref, une impression fugace —, j'irais doucement sur l'épaule de la route, comme on dit en anglais, et j'attendrais que ça passe.

Quand j'ai fait une crise sur la rue Pontiac, j'allais faire une course chez le quincaillier du quartier. J'étais alors en manque de Décadron. Je me suis couché dans la neige pour laisser passer la crise. Quelqu'un qui passait a mis, c'était vers Noël[28], une branche de sapin sur moi. Puis les gens à la porte desquels j'ai fait ma crise m'ont fait entrer.

A. G.: Pauline trouve-t-elle difficile le fait d'être avec un «gars malade»?

G. G.: Il n'y a qu'elle qui puisse répondre. Mais je pense que oui. La maladie affecte le tempérament. Quand on est malade, on se voit digne de traitements privilégiés, aussi bien au Parlement qu'à la maison. Moi, je prends sur moi de me donner des traitements de faveur. Au Parlement, quand ça ne va pas en Chambre, je m'en vais dans mon bureau, je me couche sur mon espèce de chesterfield et je dors. Après une demi-heure, je suis retapé et je redescends participer au restant des travaux de la Chambre. Des fois, j'abuse de ce statut, en abrégeant d'une demi-journée ma semaine à Québec, par exemple. Je me dis que la seule place au monde où, si je tombe, ça n'a aucun effet dangereux, c'est chez nous, dans mon lit: là, je m'en vais dans ma ouache, comme l'ours en hiver, et je tue le temps — jusqu'à la prochaine crise, qui n'arrive jamais!

De scan en scan, c'est «stabilisé». C'est de cette façon-là que j'ai rencontré Delphine Seyrig, que Pauline avait emmenée à North Hatley avec Luce Guilbault. On parle du cancer et elle me dit: «Moi, mon médecin m'a dit que mon cancer était stabilisé. — Moi, on m'a dit la même chose il y a trois semaines.» Un mois et demi après, elle était morte[29].

J'ai donc continué à faire attention: alimentation, sommeil, détente, régime de vie. C'est comme ça que je me suis rendu à l'âge de cinquante-quatre ans!

Montréal, 15 et 21 novembre 1992; inédit

---

1. Mai 1984.

2. Centre de recherches sur l'opinion publique, maison de sondage.

3. Jacques Ferron, romancier, conteur et dramaturge québécois.

4. «L'avoir près des glandes de Cowper», certainement un godinisme, au sens de «haïr (profondément) quelqu'un». Allusion à notre conversation du 13 novembre, jour de son 54e anniversaire.

5. Au sens de «qui fonctionne (parfaitement) bien». Allusion à l'expression de Paul Godin, qui l'utilisait quand la pêche était bonne, rapportée par son fils Gérald dans «Les chantiers du langage»: voir *Écrits et parlés I*, vol. 1, «Culture», p. 25-27.

6. 11 mai 1984, en vue d'une tomographie axiale du cerveau; 14 mai 1984, en vue d'une scintigraphie cérébrale.

7. 1er juin 1984, pour une tumeur cérébrale profonde.

8. Gérald Godin et Renald Savoie se connaissent depuis 1958 alors qu'ils font du théâtre amateur à Trois-Rivières. Ils seront journalistes au *Nouvelliste*, Trois-Rivières, au tournant des années 1950-1960, puis recherchistes à l'émission *Aujourd'hui* (télévision de Radio-Canada, Montréal) durant les années soixante, etc. Renald Savoie est mort du cancer à cinquante-neuf ans, le 17 août 1991.

9. «Canton», dans *Soirs sans atout* (1986).

10. Allusion au reportage en trois volets de Jocelyne Richer: «La France se mord la langue», *Le Devoir*, 10, 11 et 12 novembre 1992. Sur l'état actuel, en France, de la langue française.

11. De septembre à décembre 1984. Le Conseil des ministres a eu lieu fin août 1984.

12. URSS, 1965, long métrage documentaire sur le phénomène nazi.

13. Jeu de mots emprunté à «Mal au pays», poème écrit en mai 1969, à la fin d'un congé de quelques mois durant lequel Gérald Godin a été recherchiste pour *On est au coton*, long métrage documentaire de Denys Arcand sur l'industrie du textile, et quelques semaines avant de revenir à la télévision de Radio-Canada comme recherchiste-documentaliste; poème retravaillé jusqu'en 1970 et publié dans *Libertés surveillées* (1975). Gérald Godin a travaillé à Radio-Canada de l'automne 1963 à l'automne 1969.

14. Hiver 1985. Un fragment, intitulé «Troisième degré», est paru dans *Possibles*, vol. X, nos 3-4, printemps-été 1986. L'ensemble, intitulé *L'ange exterminé*, est écrit de 1984 à 1989 et publié à l'hiver 1990.

15. Allusion à Richard Brautigan: *Trout Fishing in America* (1967).

16. Début de juin 1989.

17. En vue de l'élection du 25 septembre 1989.

18. *La Presse*, 23 août 1989. Photo reprise ici même.

19. Sur une page d'un cahier, en regard d'un article sur Laurence Olivier (*Le Devoir*, 12 juillet 1989) collé sur cette page et dans lequel Gérald Godin a souligné les phrases suivantes: «Mais il doit également lutter contre la maladie, en particulier un cancer et une thrombose coronaire. // En 1983, il surmonte une fois encore la maladie pour réaliser un formidable *Roi Lear* pour la télévision.» L'opération a lieu six jours plus tard, le 18 juillet 1989.

20. Variante du début de «Neurones», dans *Soirs sans atout* (1986).

21. Début d'octobre 1989.

22. Pierre-Bonaventure Trapassi (1698-1782), qui «changea son nom de Trapassi en celui de Metastasio, en français Métastase, qui en est la traduction» (*Larousse du xxe siècle*), auteur de poèmes, de tragédies et de mélodrames, aussi admiré par la «société aimable et insouciante du xviiie siècle» qu'il est aujourd'hui oublié.

23. André Romus est un journaliste de la RTBF (Radio-télévision belge francophone), d'abord un ami de Pauline Julien.

24. Gérald Godin réitère ici l'essentiel du témoignage qu'il a fait au procès intenté à Gaston Naessens par la Corporation des médecins du Québec en novembre 1989, procès dont il était l'un des témoins «prestigieux». Voir Paul Roy: «Gaston Naessens ne veut plus travailler dans la clandestinité. L'inventeur du sérum "714X" est acquitté de cinq accusations criminelles», *La Presse*, 2 décembre 1989.

25. Alice Parizeau, romancière et essayiste, est morte du cancer à soixante ans, le 30 septembre 1990. Dans son dernier livre, *Une femme* (Leméac, 1991), elle écrit ceci, début de mars 1990: «Reçu deux lettres contradictoires de Gérald Godin. Une du mois de décembre [1989], qui a beaucoup voyagé avant de me parvenir, où il m'annonce une rechute, et une autre de ce mois-ci, où il m'annonce le lancement de son roman et la remontée physique qui lui permet d'être à l'Assemblée nationale, de travailler et de fonctionner. Je ne sais pas comment lui exprimer mon admiration! Quelle horrible maladie! Une force surhumaine pousse certainement ceux qui, comme Gérald Godin, suivent tous les traitements médicaux et paramédicaux qu'on leur

propose.» (p. 461.) Faut-il ajouter, d'une part, que Gérald Godin et Jacques Parizeau — dont Alice Poznanska est l'épouse — se connaissent depuis l'époque de
Québec-Presse (1969-1974) alors que le premier y est journaliste et le second chroniqueur économique, et d'autre part, que c'est Gérald Godin qui, contestant publiquement en octobre 1987 le leadership de Pierre-Marc Johnson, alors chef du Parti
québécois, permettra à Jacques Parizeau de revenir en politique active et d'être depuis mars 1988 l'actuel chef du PQ.

26. Dans la série *Parler pour parler* (télévision de Radio-Québec, Montréal).
Cette émission, intitulée «L'aphasie», a été enregistrée en septembre 1991 et dif-
fusée les 4 et 5 octobre 1991.

27. Pauline Julien et le comédien Jacques Galipeau, qui se sont mariés en 1950,
sont séparés depuis 1958 et divorcés depuis 1967.

28. Mi-décembre 1989.

29. Delphine Seyrig, Française, et Luce Guilbault, Québécoise, comédiennes de
cinéma et de théâtre, réalisatrices toutes deux d'au moins un long métrage documentaire sur la condition des femmes, mortes toutes deux du cancer: la première à
cinquante-huit ans, le 15 octobre 1990; la seconde à cinquante-six ans, le 12 juillet
1991. Cette note qui les réunit est écrite lorsque je lis (*La Presse*, 29 novembre
1992) qu'une rétrospective Delphine Seyrig ayant lieu à Paris, sept longs métrages
impliquant Luce Guilbault (actrice et réalisatrice) y sont également présentés, sans
oublier tel hommage rendu par Pauline Julien (alors à Paris), d'une part, par Coline
Serreau, d'autre part!

Les parents de Gérald Godin,
Louisa Marceau et Paul Godin,
ainsi que l'oncle Jean, à la pêche
à Saint-Roch-de-Mékinac, en septembre 1941. *Collection Louisa
Marceau.*

Gérald Godin à douze ans, au coin des
rues Hart et Bonaventure, à Trois-
Rivières. 1950. *Collection personnelle.*

Avec Pauline Julien, Nicolas
et Pascale Galipeau, fils et fille
de Pauline, rue Pontiac à Montréal. Mars 1989. *Collection personnelle.*

Claude Gauvreau et Gérald Godin, lors de la Nuit de la poésie au Gesù, à Montréal, les 27 et 28 mars 1970. *Photo: Office du film du Québec.*

En campagne électorale pour la quatrième fois, après une seconde opération au cerveau. *La Presse*, 23 août 1989. *Photo: René Picard.*

← Avec Pauline Julien à Rome, vers 1968-1969. *Collection personnelle.*

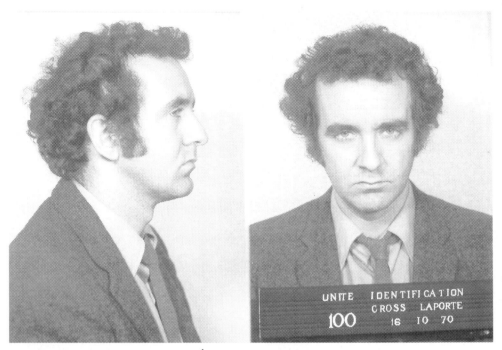

«Prisonnier de guerre» lors des Événements d'octobre. Montréal, 16 octobre 1970. *Photo: Sûreté du Québec.*

Relaxant dans les bureaux de *Québec-Presse*. Montréal, octobre 1972. Et pourtant n'est-il pas inscrit dans la marge de la photo: «Québec (ça) presse»! *Photo: Crépô.*

Avec Paul-Marie Lapointe et Roland Giguère, lors d'une fête d'écrivains chez le journaliste et poète Gaëtan Dostie. Montréal, novembre 1974. *Photo: Kèro.*

Avec Pauline Julien, en 1987 ou 1988. *Collection personnelle.*

Avec Pauline Julien, en 1989 ou 1990. *Collection personnelle.*

Au début des années quatre-vingt-dix. Pour l'exposition «Archives personnelles de Gérald Godin et Gordon Sheppard depuis 1987. Textes et images». *Photo: Gordon Sheppard.*

V

Voyages

Entretien avec Janine Paquet

J. P.: Gérald Godin, êtes-vous un journaliste qui fait de la poésie ou un poète qui vit de journalisme?

G. G.: Disons que la poésie c'est pour le pain, et le journalisme pour le beurre. Alors, il faut faire les deux.

J. P.: Est-ce que le poète et le journaliste cohabitent bien chez vous ou s'il y en a un qui pousse ou presse un peu l'autre?

G. G.: Le journaliste est assez souvent harcelé par le poète qui est jaloux, si l'on peut dire, et qui dit «arrête de penser à gagner ta vie et pense un peu à être heureux et à faire ce qui te plaît». La poésie, c'est les vacances, c'est le repos; en fait, c'est la détente du crayon, après avoir passé des jours et des jours à la machine à écrire à faire des articles sur des sujets sérieux. Non pas que la poésie soit moins sérieuse, mais elle est plus intime et plus secrète; alors, on a moins besoin de faire attention. La poésie, c'est la liberté du journaliste, jusqu'à un certain point. Liberté par rapport à tout le reste: on peut écrire ce qu'on veut. Avec la poésie, on court dans le champ. Le journalisme, c'est le trottoir, la rue, le Parlement, etc.

J. P.: Les choses telles qu'elles sont...

G. G.: Oui.

J. P.: Vous allez publier bientôt un cinquième recueil et vous êtes très jeune encore. C'est donc que vous êtes vraiment engagé dans la poésie parce que la plupart des poètes qui ont votre âge ou qui sont un peu plus vieux abandonnent la poésie au deuxième, voire au premier recueil pour se tourner vers le roman ou vers rien d'autre en matière d'écriture.

G. G.: Je suis peut-être un fidèle. Mais remarquez que je ne suis pas si jeune que ça. J'ai été très jeune, mais maintenant je ne le suis plus. J'ai l'âge que Godbout et Pilon avaient quand je les ai connus: trente, trente-deux ans. Effectivement, à l'époque, ils faisaient encore de la poésie, je pense. Moi, j'en fais toujours et je pense bien en faire toujours. Plus on vieillit, plus c'est difficile de faire de la poésie.

J. P.: Et pourquoi c'est plus difficile?

G. G.: Parce que, au début, on fait de la poésie sur de l'acquis, c'est-à-dire sur des mythes, sur des choses livresques, sur des poètes qu'on a lus: dans mon cas, Verlaine, Rimbaud, Ezra Pound et d'autres que j'admire, qui m'ont influencé et qui m'ont donné le goût d'écrire un peu comme eux, tout en parlant de moi.

Mais plus le temps passe, plus il faut découvrir son propre style ou le genre de poésie qu'on a à faire soi-même, indépendamment des autres et sans être influencé par eux. C'est évidemment plus difficile et on est en terrain moins connu, un peu comme les premiers découvreurs du Canada en arrivant aux rapides Lachine qu'ils ont appelés ainsi parce qu'ils pensaient que cette *terra incognita* sur les cartes était le bout du monde. Quand les poètes vieillissent, ils s'engagent un peu dans une terre inconnue et, comme ils deviennent eux-mêmes, ils ne peuvent faire que des œuvres qui sont plus neuves, plus originales et, par conséquent, plus exposées à la critique, plus exposées à se faire dire «ce n'est pas de la poésie, mon vieux» parce que, dans bien des cas, personne ne l'a fait avant soi. Est-ce que c'est bon, est-ce que c'est pas bon, c'est un autre problème. Chacun décidera selon son goût. Mais on se sent beaucoup moins en sécurité en vieillissant.

J. P.: C'est périlleux de devenir soi-même...

G. G.: ... oui, et c'est périlleux de refléter ce soi-même-là en poésie, parce qu'on l'expose. Soi-même, dans la vie, on peut toujours se camoufler, se cacher, se masquer. Mais en poésie, les masques tombent. On se dépouille du personnage qu'on est dans la société, et le vrai soi — le vrai Godin, le vrai Godbout, le vrai Pilon, le vrai Miron — est là.

Mon livre est prêt depuis plusieurs mois, et j'hésite beaucoup à le publier. Je lis mes poèmes et je me dis «celui-là, je l'enlève»; je relis six mois après et je me dis «celui-là, je le remets». Je suis un peu inquiet. Peut-être parce que je ne suis pas sûr de moi et de ce que je suis maintenant. Je ne le sais pas.

J. P.: Je crois que c'est Valéry qui disait «on ne termine pas une œuvre, on l'abandonne». Quand comptez-vous «abandonner» celle-ci à la publication[1]?

G. G.: Une phrase de Malraux m'a toujours frappé: «J'ai toujours préféré la création à la perfection[2].» C'est peut-être pour ça que je vais publier quand même, probablement au mois de mars. Mais si je m'écoutais, je ne publierais pas[3].

J. P.: Pour le poète mais aussi pour l'homme de la rue, c'est difficile de devenir soi-même, d'être soi, et pourtant tout le monde le veut. On peut se demander pourquoi c'est si difficile.

G. G.: On est peut-être trop nombreux d'une part, on a peur d'autre part. On se retient toujours. On rêve de civilisation ou de pays ou de culture. C'est peut-être ça qui explique qu'on est si attiré par les cultures primitives: on s'imagine que ces gens sont libres. C'est peut-être ce qui explique la naissance de ces nouvelles tribus de jeunes qui, avec l'aide de moyens artificiels (mais pourquoi pas), se libèrent. On a l'impression qu'ils arrivent plus facilement à être eux-mêmes avec le pot ou autrement; on les voit dansant dans la rue, sautant après les poteaux. C'est peut-être un peu superficiel comme énumération, mais c'est une chose qui me frappe comme signe extérieur d'une libération.

C'est peut-être pour ça qu'on est inquiet.

Mais on est partis, nous deux, sur une espèce de repliement sur soi et ça fait un peu triste.

J. P.: On pourrait aérer ça un peu.

G. G.: Enfin, on a tous un peu de tristesse en soi.

J. P.: On ne peut pas la nier, mais on n'est pas obligés de la rendre contagieuse non plus.

Cela a commencé probablement par la poésie chez vous?

G. G.: Moi, j'ai commencé par être le dactylo d'un poète: mon père. Il écrivait en alexandrins et, comme il ne pouvait pas écrire à la machine, c'est moi qui tapais. Au doigt, avec l'index. C'est peut-être de là que m'est venu le goût d'écrire. Ensuite, à l'école, quand il y avait des compositions françaises où il fallait faire, par exemple, un sonnet ou un pantoum (en rhétorique, au cours classique qui existait dans le temps, il y avait toutes sortes de façons de faire des poèmes très compliquées), j'aimais ça beaucoup et j'avais toujours des notes assez fortes. Le professeur, qui était un amateur de poésie,

261

me considérait; peut-être pour avoir au moins un professeur qui me considère (en mathématique et dans tout le reste, j'étais pourri), me suis-je mis à faire un peu plus de poèmes.

Après ça, venu à Montréal, j'ai rencontré des écrivains[4]. Je suis venu à la poésie en m'opposant à eux. C'était le groupe de l'Hexagone: Pilon, Miron, Godbout, van Schendel, Hénault.

J. P.: Michèle Lalonde?

G. G.: Non, elle est un peu plus jeune. Ceux qui m'avaient frappé à l'époque comme étant très obscurs, c'étaient Lapointe, van Schendel, Horic. Moi, j'avais décidé de faire une poésie claire, d'une part, facile à lire, d'autre part, une poésie non pas abstraite comme eux la faisaient, mais très concrète et où il y aurait, par exemple, des autobus, des bancs dans un parc, des trottoirs, des bottines.

J. P.: De toute façon, la poésie, elle est partout…

G. G.: Oui. La poésie qui se faisait ici à cette époque-là était une poésie très hermétique, très fermée, très secrète, et moi, ça me fatiguait beaucoup: je me disais que ça devrait être aussi simple qu'une chanson, en fait, un poème. Mais c'est très différent d'une chanson parce que la chanson a des règles beaucoup plus strictes.

Alors, par opposition à eux, j'ai commencé à faire une poésie beaucoup plus simple. Et de la simplicité j'en suis arrivé à faire de la poésie avec la langue parlée, avec les mots que les gens disaient dans la rue, avec les mots que les gens disaient dans la vie. Et comme je venais d'une région de bûcherons (Trois-Rivières, c'était le bout de la ligne, si vous voulez, pour les bûcherons), il y a toute une culture verbale qui descendait directement des chantiers. De La Tuque, etc. Cette matière-là a été, si vous voulez, le premier matériau de mes poèmes dignes de ce nom.

J. P.: Vous disiez tout à l'heure que la poésie se réfugie parfois, d'une certaine manière, dans une chanson. Pour l'instant, on va passer un Georges Dor. Qu'est-ce qu'on écoute?

G. G.: On écoute *Reste encore un peu,* qui est une chanson d'amour un peu triste.

J. P.: Gérald Godin, avez-vous déjà écrit des chansons?

G. G.: Oui, j'ai écrit trois chansons dont l'une, *Come back, baby,* je pense que c'est le titre, mise en musique par François Cousineau (le coauteur des chansons de Diane Dufresne), a été endisquée par Andrée Lachapelle pour le film *La corde au cou,* d'après le roman de Claude Jasmin. Une autre n'a pas très bien marché, enfin[5]. Je me suis rendu compte que j'en avais assez d'être coincé dans mon métier de journaliste sans me coincer dans des chansons. J'ai décidé de ne plus faire de chansons parce que c'est trop limitatif comme forme[6].

J. P.: On parlait tout à l'heure de votre poésie et vous disiez, par exemple, que c'est les mots et les choses de tous les jours. Est-ce que vous avez des thèmes qui reviennent?

G. G.: Je pense que le thème le plus fréquent, c'est le thème du voyage ou du départ. C'est peut-être une incarnation de notre fond de coureur des bois qui ne pouvait pas s'empêcher de partir, qui avait des frémilles dans les jambes comme on dit. Par analogie, on peut dire que le journaliste qui a des frémilles dans les jambes fait des poèmes ou des romans. C'est peut-être pour ça que les évocations des voyages que j'ai faits ou des souvenirs du passé sont très souvent présentes dans ma poésie, parce que ce sont des appels à partir, à aller ailleurs, à changer de place, à changer d'air, à changer de vie. Tout en ayant une vie malgré tout très stable (j'ai travaillé sept ans à Radio-Canada, je suis depuis trois ans à *Québec-Presse*, je suis depuis onze ans avec la même femme), il y a toujours cet appel du large, peut-être un vieux fond de marin malgré que je ne sois pas né au bord de la mer, qui fait que j'ai toujours le goût de partir. Je ne partirai peut-être jamais, mais…

J. P.: Mais quand vous partez, vous ne vous quittez pas, quand même.

G. G.: S'il y a une rupture quand on part, on ne sait pas si on revient et quand on revient. Peut-être que mon équilibre est au prix des départs que j'écris si je ne les fais pas ou des départs dont je me souviens si je ne repars pas.

J. P.: Quel a été votre plus grand départ?

G. G.: Mon plus grand départ, ç'a été de partir de Trois-Rivières pour venir à Montréal. Les Montréalais ne se rendent pas compte de la façon dont on voit Montréal quand on est en province, à Trois-Rivières ou même à Québec. Mais parlons de Trois-Rivières, puisque je suis de là.

Moi, je me souviens que Montréal était vu comme étant une ville de perdition.

J. P.: Je viens de Québec, je vous comprends.

G. G.: C'était comme New York maintenant, si vous voulez. Et la filiation naturelle, disons, pour passer d'une ville moyenne à une grande ville, c'était Trois-Rivières / Québec où il y a plus de gens mais pas tellement de changements. La rupture, c'est Montréal.

Moi, je me souviens que, quand je suis venu à Montréal, j'étais très inquiet — c'est une émission sur l'inquiétude, quasiment — à cause de tout ce qu'on nous avait mis dans la tête sur les Anglais, pour me rendre compte que ce n'était pas si pire que ça. De là, j'ai extrapolé, comme on dit le soir des élections, pour me rendre compte que dans le reste de la vie c'est pareil, c'est toujours pas si étranger à ce qu'on est et pas si différent de ce qu'on est vraiment. Et, au fond, qu'on nous emplit la tête d'un tas de préjugés qui n'ont pas leur raison d'être.

J. P.: Le monde, c'est le monde partout.

G. G.: Oui, c'est ça.

J. P.: C'était Lalo, c'était un choix de Gérald Godin. Est-ce que vous écoutez beaucoup la musique, Gérald Godin?

G. G.: Oui, chaque fois que j'en ai la chance. Surtout le violon. D'ailleurs, en regardant mon choix de disques (que j'ai fait sans vraiment y penser), je me rends compte qu'il y a du violon dans Georges Dor, dans Lalo et dans la chanson de Philippe Gagnon qu'on va entendre un peu plus tard.

Je me souviens qu'au séminaire de Trois-Rivières, il y avait Arthur Leblanc qui venait donner des concerts. Il a eu une vie personnelle assez tragique, je pense. Et ça correspond exactement à l'idée qu'on se faisait des artistes à l'époque: c'étaient des gens qui avaient des vies personnelles terribles, qui étaient aux prises avec des forces intérieures qui les dévoraient vivants. En plus, Leblanc était un très beau musicien.

Ça m'a toujours frappé de voir (j'ai déjà essayé de jouer un peu du violon, et ç'a été un massacre) qu'on puisse sortir de si belles choses d'une si petite caisse. Ça prenait quelque chose de magique, pour moi, pour réussir ça. Et c'est un instrument qui pleure, alors… Ça me détend, moi, d'entendre pleurer (*rires*).

J. P.: Eh bien, je suppose que ça vous détend aussi d'entendre chanter! Si on passait Pauline Julien.

G. G.: Oui, d'accord.

J. P.: Voilà une très belle chanson. Et vous me disiez que les paroles sont de Pauline Julien.

G. G.: Oui, c'est Pauline qui l'a écrite[7]. Parce qu'elle vient aussi de Trois-Rivières, on parle un peu de Trois-Rivières là-dedans. Ça renoue avec ce qu'on disait tout à l'heure: les petites villes et ce qui se passe quand on passe d'une petite ville à une grande ville comme Montréal. Qui passe de Lyon à Paris vit probablement les mêmes affres avant de s'ouvrir les yeux et de s'habituer.

J. P.: Mais, maintenant que vous êtes habitué, Montréal, qu'est-ce que ça représente pour vous?

G. G.: Bien, je ne pourrais pas me passer de Montréal, en fait, je ne pourrais pas vivre, au Québec du moins, ailleurs qu'à Montréal, longtemps en tout cas. On trouve tout à Montréal pour être sur les nerfs vingt-quatre heures sur vingt-quatre, être intéressé vingt-quatre heures sur vingt-quatre, que ce soit dans le cinéma, le théâtre ou les gens qu'on rencontre. Mais heureusement qu'il vient beaucoup de gens de l'extérieur parce que l'une des limitations de Montréal, c'est qu'on rencontre trop souvent les mêmes gens.

J. P.: Ce serait un grand village s'il n'y avait pas les gens qui passent.

G. G.: Des fois, je vois des amis et, à la réflexion, je me rends compte qu'on se dit les mêmes choses qu'il y a un mois. Donc, on tourne un peu en rond. Par ailleurs, il y a des gens, sûrement, que je devrais connaître et que je n'ai jamais rencontrés: vous, par exemple. On a travaillé sept ans à la même place…

J. P.: … parallèlement…

G. G.: … et on ne s'est jamais parlé avant aujourd'hui, c'est assez curieux. Il y a peut-être des gens ou des choses, comme ça, à

Montréal, qui nous passent à côté et qu'on n'a pas le temps de voir parce qu'on est trop pogné, trop occupé, trop pris, et ça c'est mauvais.

J. P.: Est-ce que vous croyez que le journalisme, à la longue, est blasant ou, au contraire, stimulant?

G. G.: Après quatorze ans de journalisme, je me rends compte que c'est les deux à la fois. D'une part, quand ça fait quatorze ans que les gens nous appellent tous les jours pour nous raconter leur vie — le journaliste, c'est un peu le nouveau confesseur — et nous parler de leur problème, de telle difficulté avec tel ministère, tel groupe, telle institution, surtout à *Québec-Presse* où les gens pensent qu'on peut régler bien des problèmes... C'est intéressant au début, en faits humains...

J. P.: On a l'impression qu'on participe à quelque chose.

G. G.: Quand ça fait quatorze ans qu'on fait ça, on se dit: est-ce que je vais passer toute ma vie à faire ça? C'est pour ça que, des fois, on se lasse.

D'autre part, l'évolution des choses, ici comme partout ailleurs, j'imagine, a quand même lieu. Et on se rend compte qu'il y a des conflits qui se règlent, des rapports de force qui se réalignent, des changements dans les partis politiques, dans les centrales syndicales, dans les grandes institutions québécoises et même à Radio-Canada. Quand on a vécu sur le terrain pendant quatorze ans, on comprend mieux ce que signifient les événements qui ont l'air insignifiants. À ce moment-là, c'est intéressant, c'est comme une partie d'échecs quand on sait jouer aux échecs. Quand ça fait quatorze ans qu'on observe les choses au Québec, on se rend compte que, par exemple et sans donner de nom, telle nomination au sein de Radio-Canada signifie telle chose politiquement. Ce qu'un *beginner* ou une «recrue» ne pourrait pas voir. En ce sens, c'est intéressant parce qu'on peut lire les hiéroglyphes, si vous voulez, de la vie sociale. C'est un des avantages du journalisme et l'une des choses dont je ne me lasse pas.

C'est peut-être l'hiver aussi qui me fatigue de ce temps-là parce qu'il est un peu dur à prendre...

J. P.: ... surtout qu'il n'est pas fini...

G. G.: (*Rires.*) Malgré qu'on se plaigne de temps en temps, ça reste quand même mauditement intéressant comme métier que celui de journaliste.

J. P.: Surtout ici. C'est un pays où tout n'a pas été fait, où tout n'a pas été dit.

G. G.: En plus, ce qui est marrant, c'est que, par le journalisme, quelqu'un peut faire du cinéma, peut faire des chansons, peut faire un tas de choses qui, d'après ce que mes collègues journalistes français me disent, par exemple, sembleraient impossibles dans un autre pays où c'est moins poreux. Ici, c'est très poreux: n'importe qui peut entrer n'importe où sans avertir.

J. P.: Pour le meilleur comme pour le pire.

G. G.: C'est ça, et, pour le journaliste, c'est parfait. Mais pour ceux qui se font déranger par les journalistes, ce ne l'est peut-être pas.

J. P.: Le journaliste a l'impression d'appartenir, d'être là, de participer...

G. G.: ..., et d'avoir la clé de toutes les portes.

J. P.: Gérald Godin, on parlait de journalisme, mais vous vous occupez aussi de cinéma. À quels films avez-vous participé et à quel titre?

G. G.: J'ai été comédien deux fois. D'ailleurs, ç'a fait rager quelques-uns de mes amis comédiens et quelques-unes de mes amies comédiennes qui voulaient faire du cinéma et ne pouvaient pas.

J. P.: Tout le monde n'a pas la tête...

G. G.: C'est peut-être plus une question d'amitiés que de tête. Dans mon métier, j'ai rencontré un tas de gens qui, à un moment donné, mal pris, m'ont demandé de jouer des rôles. De remplacer une personne à pied levé comme dans *Entre la mer et l'eau douce* où Gilles Groulx, le cinéaste, devait jouer un rôle et, un matin, ne s'était pas présenté. Et comme je travaillais déjà aux dialogues de ce film avec Marcel Dubé et d'autres, ils m'ont dit: «Peux-tu faire le rôle?» et j'ai dit «oui». J'ai donc remplacé Gilles Groulx[8]. Quelques mois après, Groulx m'a demandé de jouer dans un de ses films, peut-être pour me remercier de l'avoir remplacé[9].

J. P.: Pour le bénéfice des auditeurs, j'oserais dire que vous ressemblez peut-être à un tout jeune frère de Marcel Dubé.

Ici, vous avez choisi *Au cœur de ma délire,* une chanson dont vous avez un peu parlé tout à l'heure.

G. G.: *Au cœur de ma délire* est une chanson de folklore qu'a reprise Philippe Gagnon qui est, à mon avis, un violoneux génial. Et comme il ne sait ni lire ni écrire, je pense, il la chante par oreille. Ce qui donne une chanson très étrange, extrêmement nouvelle.

J. P.: Gérald Godin, qu'est-ce que vous souhaitez à ceux que vous aimez pour 1973?

G. G.: Pour 1973: des voyages...

J. P.: ... des évasions?

G. G.: ... et du beau temps.

J. P.: À vous, qu'est-ce qu'on doit souhaiter? Beaucoup de succès à votre prochain recueil de poésie?

G. G.: Oui, et de continuer à écrire.

Entretien de Janine Paquet avec Gérald Godin, série
Leur violon d'Ingres, CBF-FM, Pierre Rainville
réalisateur, 30 décembre 1972

---

1. La phrase de Paul Valéry est: «Un ouvrage n'est jamais *achevé* [...] mais *abandonné*; et cet abandon, qui le livre aux flammes ou au public [...] est une sorte d'*accident*.» («Au sujet du *Cimetière marin*», 1933.)
2. Je n'ai pas retrouvé cette phrase d'André Malraux. Cependant, dans *Les voix du silence* (Paris, Gallimard, 1951, p. 372-373), on peut lire: «Nous voulons que l'œuvre d'art soit l'expression de celui qui l'a faite parce que le génie n'est, pour nous, ni fidélité à un spectacle, ni combinaison, et n'est originalité que parce qu'il est — classique ou non — invention. // Et il n'y a pas d'invention hors du temps. Mais l'art connaît de nombreuses "inventions parallèles"; et leur métamorphose des formes est parfois d'autant plus subtile que le peintre conserve de nombreux éléments de la représentation de ses prédécesseurs, sinon de leur art. Il les emploie à *d'autres fins*, en change la signification. C'est sans doute la phase la plus contrôlable de la création, et peut-être l'une des plus révélatrices.» Mais la phrase citée n'est peut-être qu'une formulation, par Gérald Godin, des rapports entre l'idée d'invention (de création) et celle de finition (de perfection) selon André Malraux.
3. *Libertés surveillées*, en préparation à l'automne 1969 (voir *Le Devoir*, 14 novembre) et annoncé à l'été 1971 (voir *Québec-Presse*, 1er août) comme étant à paraître à l'automne 1971, ne sortira, en fait, qu'à l'été 1975.

4. Ces rencontres ont eu lieu au tout début des années soixante, sans qu'il soit possible d'en faire une chronologie détaillée.

5. Ces trois chansons, intitulées *Goodnight, baby, Seul* et *Je t'aime, je t'aime,* ont été écrites par Alexandre — pseudonyme, ici, de Gérald Godin — et par François Cousineau (musique) pour ce long métrage de Pierre Patry, produit par Coopératio, la propre compagnie de Pierre Patry, et sorti en novembre 1965. Les deux premières chansons sont interprétées par Andrée Lachapelle, la troisième par Dominic.

6. Finalement, il collaborera à l'écriture d'au moins cinq autres chansons, toutes pour Pauline Julien: *La chanson des hypothéqués* (poème — «Cantouque des hypothéqués» — de *Libertés surveillées,* musique de Gaston Brisson) sur le disque *Licence complète* (1974); *Poulapaix* (paroles de Gérald Godin, musique de Gaston Brisson) sur le disque *Pauline Julien en scène* (1975); *J'pensais jamais qu'j'pourrais faire ça* (paroles de Gérald Godin, Pauline Julien et Denise Boucher, musique de Jacques Marchand) et *Cool* (paroles de Gérald Godin et Pauline Julien, musique de Michel Rivard) sur le disque *Fleurs de peau* (1980); *Un gars pour moi* (paroles de Gérald Godin et Pauline Julien, musique de François Cousineau) sur le disque *Charade* (1982); sans oublier *Les oiseaux perdus* qu'il adapte (paroles de Michèle Trejo, musique d'Astor Piazzola) sur le disque *Où peut-on vous toucher?* (1985).

7. *L'étranger* (paroles de Pauline Julien, musique de Jacques Perron), sur le disque *Au milieu de ma vie, peut-être à la veille de...* (1972).

8. Le scénario et les dialogues d'*Entre la mer et l'eau douce* (long métrage, Coopératio) sont de Michel Brault (réalisateur du film), Denys Arcand, Marcel Dubé, Gérald Godin et Claude Jutra. Dans les rôles principaux: Claude Gauthier et Geneviève Bujold. Dans les rôles secondaires: Gérald Godin, Louise Latraverse, Denise Bombardier, Reggie Chartrand et Robert Charlebois, entre autres. Le tournage: octobre 1965 - décembre 1966. La sortie: août 1967, à l'Expo-Théâtre, durant le Ve Festival du cinéma canadien.

9. En plus d'apparaître brièvement dans *Québec...?* (court métrage, Office du film du Québec), Gérald Godin a collaboré au commentaire et à la réalisation de ce film dont le scénario (également de Gilles Groulx) date d'août 1965 et la copie zéro de... mars 1967. Groulx, finalement, ne le «signe» pas.

Journal d'une chasse aux chevreuils

L'île d'Anticosti a surgi de la mer, tout bonnement. C'est pourquoi, à chaque pas, on retourne des pierres qui portent encore la marque de fossiles, ce qu'on appelle des trilobites.

Aujourd'hui soixante-cinq mille chevreuils, mille cinq cents orignaux l'habitent. C'est un jardin zoologique sans clôture. Tout y est venu d'ailleurs, sauf, nous dit-on, les renards et un ours blanc venus un jour sur une mini-banquise de la Côte-Nord et qui furent tirés dès qu'ils touchèrent la terre.

Même les grenouilles, elles, furent transplantées là, comme le docteur Grondin transplante les cœurs, sauf que ni elles ni les autres animaux, même les caribous, n'eurent à souffrir du phénomène de rejet. Un «Anticostien» nous racontera, le soir à Port-Menier, que les grenouilles servaient d'éclaireurs: quand elles s'adaptaient à un lac ou à un étang, c'est que l'eau y était bonne à boire.

Soixante-cinq mille chevreuils. De quoi faire rêver le chasseur québécois qui a arpenté une bonne partie de son Québec natal pour ne voir qu'une fois en cinq ans un chevreuil «sur le fly», comme on dit, et régulièrement des pistes, mais seulement des pistes, comme si le chevreuil était un animal de légende qui n'aurait laissé, lui aussi comme les fossiles de l'île, que des traces de son passage. Mais, en cinq ou six ans, jamais un chevreuil «tirable».

C'est donc avec ces cicatrices dans la mémoire et dans l'œil qu'on débarque à Anticosti. On est habitués: on se dit, on n'en verra pas, ou alors il sera «sur le fly», ou alors il ne laissera que des pistes.

Même si on vous a dit: «On en voit au moins une douzaine par jour.»

On est là pour sept jours.

Le dimanche, on fait de la route, de l'avion et du camion. Dans notre cas, cent quarante milles de Port-Menier au camp Vauréal, à l'embouchure de la rivière du même nom. On est donc au bord de la mer. Les goélands, les canards, deux loups marins énormes s'ébattent dans l'air ou dans l'eau en face du camp. Et tous les matins, vers huit heures, un renard escaladera la pente qui va de la mer au plateau ou un aéroport existait jadis.

Le premier jour

On s'attend à voir des chevreuils à chaque tournant de la route. Car il faut dire tout de suite qu'au camp où l'on est, comme d'ailleurs à la majorité des camps de l'île, on ne fait pas la chasse fine, mais la chasse motorisée. Un avantage: on couvre quarante milles de route par jour. Un désavantage: à l'époque de notre voyage (septembre), le chevreuil mâle, autrement dit le gros *buck*, se tient profondément dans le bois vert et non à proximité des découverts. Les plus gros *bucks* tués pendant la semaine le seront par ceux qui font la chasse fine et qui s'enfoncent dans la forêt.

Nous, on est dans la boîte d'un camion, juchés sur une plateforme, les jumelles en bandoulière et la carabine à portée de la main. Il est utile d'avoir une carabine avec un télescope, car la majorité des chevreuils seront tués à deux ou trois cents pieds de distance. Pour le moment, c'est lundi midi et nous n'avons encore rien vu. «On s'est fait jouer, il n'y en a pas tant que ça.»

Dans l'après-midi, on repart sur une autre route. Les heures passent et on s'arrache les yeux à essayer de découper derrière chaque arbre, chaque buisson, une croupe, un cou, une oreille de chevreuil. Puis, vers trois heures, André Poupart, mon compagnon de chasse, donne au guide-chauffeur du camion le signal d'alerte: deux petits coups sur le toit de la cabine. «Il y en a un, il y en a un», me dit-il. Je cherche des yeux, je ne vois rien du tout. Il tire. «Je l'ai», dit-il. Il saute en bas du camion et se précipite. Je n'ai toujours rien vu. Je le suis dans le bois et, effectivement, une femelle gît là. Il l'a eue dans le cou. Le guide lui donne le coup de mort avec son couteau, la vide en un tournemain. C'est notre premier succès. Je suis content, mais très complexé. C'est-y mes yeux de citadin? C'est-y la malchance qui m'a fait choisir le côté de la route où il n'y en a pas? Suis-je condamné à ne pas tirer de toute ma semaine? Mon moral est au plus bas.

271

Et on continue jusqu'au bout de notre territoire. Je n'ai toujours rien vu, sauf des pistes, des pistes en quantité. Un véritable tapis de pistes et de crottes de chevreuil. Sur les passages, on voit plus de pistes d'un seul coup d'œil que l'on en voit en cinq ans au Québec même! C'est bien beau, les pistes, mais j'ai hâte en jériboire de voir mon premier chevreuil. Après tout, ça fait deux ans que je n'en ai pas vu…

Le miracle se produit en rentrant, vers quatre heures de l'après-midi. C'est le chauffeur et guide en même temps, notre Willie, qui arrête son camion et nous fait signe qu'il en a vu à droite. Je regarde du même côté qu'André. Et enfin, je le vois. André aussi en voit un et ce n'est pas le même. Il y en a donc deux. Avec mon télescope, je passe de l'un à l'autre. Ils nous regardent fixement, sans bouger d'un poil. Le tout dure plusieurs secondes. Comme ils sont vraiment trop jeunes, on décide de ne pas tirer. On descend tout de même du camion et on s'avance sur la pointe des pieds dans la forêt, juste pour voir s'ils sont nerveux.

Puis, tout à coup, un sifflement étouffé et un bruit de galop attirent notre regard vers la gauche: la mère était là! Elle s'en va «sur le fly», on essaie de la mettre dans notre mire, mais c'est inutile. Ils étaient trois! La semaine commence bien. Le premier jour, on en voit quatre. C'est plus que lors de mes cinq semaines de chasse des années précédentes. Une seule ombre au tableau: ce n'est pas moi qui les ai vus le premier. Maudits yeux de ville, me dis-je. Forts pour déceler le camouflage des filles de la rue Sainte-Catherine à Montréal, mais absolument pourris quand il s'agit du camouflage du chevreuil. Y aurait-il moyen de louer des yeux de guide chez Gagnon Sports ou ailleurs, pour la chasse?

Le deuxième jour

Le deuxième jour, ainsi qu'on l'avait décidé au début, on change de partenaire: je chasse avec Henri Poupart. Il m'enseigne quelques petits trucs: ne pas essayer de voir trop loin dans le bois; comment reconnaître les traces d'un ravage de l'hiver précédent, etc. Il stoppe le camion et me dit: «Tire, tire», une femelle et son petit traversent la route devant nous. Je lève mon arme. Un coup part avant le mien et la femelle part «sur le fly». Puis on comprend tout.

C'est le chasseur qui est devant nous. Il venait de tirer un petit. «*Belly shot, nice shot.*» Ce qu'on appellera bientôt entre nous *the american shot*. Le guide des deux Américains était en train de nettoyer le faon fraîchement tué quand la femelle, qui était restée tout près, s'éloignait doucement avec son deuxième petit. C'est alors que Ray Kooman, l'Américain, tirera son deuxième coup et nous empêchera d'avoir la belle grosse femelle.

Côté chiffres, la journée commence bien: une grosse femelle et son petit, sans parler du deuxième petit tué. Donc en une journée et demie, sept chevreuils. Toutefois, le *buck* est rare.

Au bout du chemin de terre, on remontera la rivière Vauréal en camion. Le bruit des galets est infernal. Henri me dit: «On n'a aucune chance d'en voir ici, le camion fait trop de bruit.» Vers midi, en haut de la rivière, on s'arrête pour dîner et faire une courte sieste, dans l'herbe douce. Le soleil est chaud. On dort un peu. C'est le paradis. Une heure après, on repart à pied de chaque côté de la rivière en disant au guide de descendre dans une heure.

Le sous-bois est tapissé de pistes et de crottes. C'est absolument incroyable. Au moment où l'on reprend le camion, une pluie fine se met à tomber. Tout à coup, à un tournant de la rivière, à environ six cents pieds, je vois un chevreuil. Je le prends dans ma mire; il est extrêmement loin. Henri, à l'œil nu, me dit que c'est une branche. Moi, je suis sûr que c'est une femelle. Elle ne bouge pas d'un poil, encore une fois, même si le camion approche en faisant son bruit d'enfer sur les galets. Quand nous sommes à trois cents pieds, je le prends dans ma mire télescopique une deuxième fois. Le camion arrête. Le chevreuil regarde toujours dans notre direction. Je tire un coup. Je le manque et il ne bouge toujours pas. Puis, lentement, il tourne et s'en va. On a vu en s'approchant encore qu'il était vraiment trop jeune et on le laisse filer: nous en sommes à huit en deux jours...

Une première chose à souligner: malgré le bruit infernal du camion, il était là et il regardait avec curiosité. Henri me fera remarquer que c'était un petit: «Il n'y a pas un gros *buck* qui serait naïf ou curieux à ce point-là.»

Retour sur la route. Henri en voit un autre qui est «sur le fly». On suit un peu ses pistes dans le bois, mais en vain. Plus loin, j'en vois deux qui dévalent vers un lac tout près. Nous en sommes à onze…

Le troisième jour

Le troisième jour, je chasse avec Roger Gill. Tous mes complexes au sujet de mes yeux de ville sont partis; je dis à Gill qu'on va être chanceux ce jour-là. On n'a pas fait dix milles qu'il voit une belle femelle qu'il manque deux fois. Ce qui fait douze. Un peu plus loin, je vois ma première belle bête, de bonnes dimensions et «tirable». Elle mange et a le cou et la tête cachés derrière les broussailles. Je prends bien mon temps et je la tire dans la région du cœur. Elle tombe. Un faon est tout près. Je cours vers mon premier chevreuil. Le premier de ma vie. Mais il n'est plus là où je l'ai tiré… J'entends du bruit et je le vois déguerpir à ma gauche, sur trois pattes seulement. Il a la jambe avant droite fracassée et il court toujours. Puis il s'arrête derrière un arbre et je l'achève d'une balle dans le cou. Le faon, qui bêlait désespérément, a disparu.

Une femelle de cent huit livres. En la ramenant vers la route, je trouve un bois de trois pointes parfaitement conservé. Dix pieds plus loin, je trouve l'autre. On me dit que c'est très rare. La chance me sourit deux fois. C'était le treizième chevreuil que je voyais.

Puis, nous entrons dans le brûlé. Gill n'a pas confiance autant que moi. On traverse le brûlé au complet, jusqu'à la limite de notre territoire. En revenant, Gill me dit: «Il n'y a rien ici, dis à Willie d'aller plus vite.» On roule donc maintenant à environ quinze milles à l'heure. J'ai tué mon chevreuil de la journée, il reste encore trois jours de chasse. Gill n'a pas confiance, l'attention est au plus bas. Puis Roger fait arrêter le camion et me dit: «un *buck*, un *buck*». Un maudit beau, comme on dit. Et en plein dans le brûlé. Il avait la tête tournée en sens inverse du vent que nous avions dans le dos. Roger a eu le temps de descendre de la plate-forme. Il tire un coup, mais la carabine n'est pas chargée. Il charge, il tire encore et il l'a.

Un peu plus loin, une belle femelle me regarde en plein dans les yeux. Je lui fais un *neck shot*. Et voilà, j'ai mes deux, ma chasse est faite et celle de Gill aussi, qui a descendu une autre femelle la veille. J'en suis à mon quinzième chevreuil vu en trois jours…

On revient au camp avec trois chevreuils dans le coffre, dont un *buck* de cent soixante-cinq livres et deux femelles, l'une de cent cinq livres et l'autre de cent huit livres.

À noter: avec une patte fracassée, le chevreuil s'enfuyait. Il faut donc autant que possible le tirer dans le cou; il perd l'équilibre et reste sur place. De plus, soulignons que Gill a tué son chevreuil dans le brûlé, là où il y avait des repousses de feuillus, par jour de vent moyen, alors qu'il n'y croyait pas. À noter aussi: le *buck* aussi bien que la femelle n'ont pas bougé pendant de longues secondes et, si on avait continué notre route sans les tirer, ils seraient peut-être restés là des heures.

Le lendemain, nous nous adonnons à la chasse photographique. Poupart, qui veut absolument son *buck*, a laissé passer quelques femelles tirables depuis quelques jours. Il part donc devant nous sur la route. Nous le suivons à une demi-heure près. À un moment donné, on retrouve le camion arrêté sur la route. On imagine qu'ils ont vu un chevreuil et qu'ils sont partis après dans le bois. Effectivement, ils sortent du bois quelque temps après, ils remontent dans le camion et on les laisse prendre une avance d'une demi-heure.

Pour tuer le temps, on jase et on fume. Tout à coup, très certainement la femelle qu'ils ont vue tout à l'heure sort du bois, deux cents pieds derrière nous, très lentement. Elle traverse la route, nous voit, nous regarde longtemps avant de reprendre le bois. Deux fois, par conséquent, en quatre jours, on aura observé le même phénomène. Quand un chevreuil est dérangé, il s'éloigne précipitamment. Puis il fait un grand tour et revient voir ce qui s'est passé. Peut-on en conclure que si on lève une bête, il vaut mieux se cacher le temps qu'il faut, à proximité, et attendre qu'elle revienne?

Le dernier jour, Poupart aura son *buck*, illustrant par là sa fameuse théorie du «dernier effort supplémentaire», dont il a déjà parlé dans ces pages.

Ma conclusion: en six ans de chasse auparavant, je n'avais rien tué. En une chasse là-bas, j'ai tué deux femelles de dimensions respectables. Et de plus, j'ai vu une bonne trentaine de chevreuils.

Et surtout, j'ai commencé à observer sur le terrain cette fameuse bête qui est si rare au Québec qu'elle en devient presque un animal mystérieux, légendaire, étrange et fantomatique. Donc, une bonne cure de réalisme. Enfin, c'est cher, c'est vrai. C'est l'équivalent de trois parties de chasse normales au Québec. Mais on peut se demander si un chasseur n'est pas mieux de jeûner pendant trois ans alors que, de toute façon, ses chances de frapper sont minimes et de se garder la quatrième année pour une chasse à Anticosti.

Québec chasse et pêche, janvier 1974

L'anse aux dorés

À l'ombre d'un Montaigne en bronze qui réfléchit plume à la main, un jeune homme rêve sur un banc public. C'était place Paul-Painlevé, à Paris, en mil neuf cent soixante quelque chose, début mai[1]. Il pleuvait des samares, ces hélicoptères végétaux qui sont en fait la semence de quelques feuillus. L'air était doux. C'était à un jet de pierre de la Sorbonne, du boulevard Saint-Michel, du musée de Cluny et de la Seine, de l'île Saint-Louis, de Notre-Dame de Paris.

C'était le Paris des mythes, des cartes postales, le Paris de Pellan, Borduas et Riopelle, le Paris de Hemingway, de Scott Fitzgerald et de millions d'étrangers. Ce n'était plus une ville, c'étaient des souvenirs.

Le premier voyage de sa vie... «De la fenêtre du City Hôtel, sur l'île de la Cité, je lance un cœur de pomme dans la Seine[2]», tandis qu'un peu plus loin, des policiers armés de mitraillettes montent la garde devant le palais de justice où tout à l'heure le général Salan, rebelle d'Algérie, comparaîtra pour haute trahison. C'était le Paris des rêves mais aussi le Paris de l'OAS, des bombes au plastic, le Paris d'une Algérie française qui avait encore des soubresauts.

Tous les matins, place du Châtelet, à l'ombre de la tour Saint-Jacques, dans un café dont le nom refuse de lui revenir, il prenait des croissants et un grand crème qu'il commandait en grasseyant, comme il faut faire ici, pour être compris.

Était-ce son plus beau voyage?

Dix ans plus tard[3], des fenêtres d'un hôtel à Bagdad, il regardait les pêcheurs sur les quais faisant frire leur «massouof» et les boutres qui traversaient le Tigre «qu'on appelle Dijla, par ici», lui avait dit Fawzia. «Entre le Tigre et l'Euphrate», comme on disait dans les cours d'histoire sainte. Il visita même les ruines de Babylone et de la tour de Babel...

Mais ce n'était pas non plus son plus beau voyage. Était-ce à Moscou[4] où les «habitants» de la Géorgie venaient vendre leurs roses fraîches et repartaient en avion, le même soir après souper, après avoir mangé des fraises des bois qu'ils avaient apportées de chez eux enveloppées dans un vieux numéro de *La Pravda*, au restaurant de l'hôtel Ukraïna, où les garçons de table se mouchaient dans les tentures?

Était-ce au Caire[5] où les automobilistes ont peur des piétons, où des troupeaux de moutons traversent tranquillement le cœur de la ville avec leur berger des ruelles? Où les felouques qui s'appellent Schéhérazade ou Cléopâtre attendent langoureusement les touristes qui voudraient naviguer une heure pour deux dollars et se tremper la main dans les eaux bleues du Nil millénaire, le plus ancien fleuve du monde, le plus chargé d'histoire, qui a charroyé le granit rose d'Assouan vers les pyramides ou les obélisques de Louxor ou de Karnak si longtemps ensevelies sous les sables du désert?

Était-ce à Vienne où Arthur C. Clarke viendra présenter tout à l'heure la première mondiale de son film *Odyssée 2001*, à l'occasion d'un congrès international sur les satellites de communication[6]? «Vous savez, dans ce genre de congrès, les Russes ne dévoilent jamais rien, ils ne font que ressasser des données que tout le monde connaît depuis des années», lui dira un membre de la délégation américaine. «Ah, vous venez du Québec? Je connais bien le Québec. Nous y avons une maison de campagne dans le comté de Charlevoix, à Cap-à-l'Aigle. C'est mon beau-père, le président Taft, qui avait acheté ça, il y a longtemps. Nous y allons chaque été. Les gens sont très *quaint,* et tellement gentils.» Le lendemain, les chars russes entraient dans Prague et il se précipita à la frontière de l'Autriche et de la Tchécoslovaquie: les voyageurs étrangers faisaient la queue pour quitter le pays de Pavel Kohout qui, lui, était à Rome, en train de rompre avec son amour. Il mit la main sur un journal de Bratislava imprimé grossièrement et qui invitait les Tchèques à se tenir debout. De retour à l'hôtel, un porteur, qui pourtant était Tchèque, refusa de le lui traduire.

Le lendemain matin, Vienne avait un air grave et bougeait lentement, comme si elle craignait de manquer d'air.

Son plus beau voyage, c'était plus modeste. Au fait, il y en avait deux. C'est quand ils partaient sur l'heure du midi, son père et lui, pour la pêche.

Au printemps, à l'achigan, au maskinongé ou au brochet à Bécancour sur la rivière du même nom et, à l'automne, au doré, à Saint-Roch-de-Mékinac, sur le Saint-Maurice.

Pour Bécancour, on prenait le traversier, le *La Vérendrye,* le *Laviolette* et, plus tard, le *Radisson.* Déjà, c'était spécial.

Il y avait les marchands de bétail qui revenaient du marché avec des camions à claire-voie qui sentaient le fumier. Il y avait des étudiants qui cherchaient des pouces et s'enquéraient à chaque voiture. Il y avait des familles de douze entassées dans des vieux Monarch ou des Lasalle mangés par la rouille. Il y avait ceux qui arrivaient à la dernière minute; la rampe d'embarquement ou *gangway* commençait déjà à relever, pour servir de porte. Ils claquesonnaient avec insistance, achetaient leurs billets en catastrophe et remerciaient le capitaine d'un signe de la main.

Ou autrement, à la toute fin, c'était au tour des gros morceaux: pelles mécaniques ou bulldozers géants étalés sur des *flat-cars* et qui faisaient ballotter le passeur en embarquant. Les amarres étaient larguées, on montait sur le pont, le tonnerre lointain des machines se rapprochait et on partait.

Des goélands suivaient toujours le sillage du traversier.

Il y avait des passagers qui restaient dans leur voiture, des commis voyageurs qui révisaient une dernière fois leurs carnets de commandes. Des camionneurs vérifiaient leurs pneus et la solidité des filins qui attachaient leur cargaison.

Les bateaux étaient ronds et plats comme des assiettes. On les fabriquait à Lévis et je me souviens des cérémonies quand la municipalité en achetait un nouveau. Ce n'était pas différent du lancement de l'*Empress of Scotland* aux chantiers de la Clyde. Quelquefois, dans les grandes chaleurs de l'été, il y avait les excursions sur le fleuve à bord des traversiers. On les transformait en salle de danse. Ils descendaient le fleuve jusqu'à Batiscan et, tard dans la nuit, même quand le bateau n'était qu'une tache de lumière au loin, on entendait de la rive la musique et les cris des danseurs. Ces traversiers-là sont toujours en service, à l'île aux Coudres ou ailleurs, m'a-t-on dit.

Dix minutes plus tard, on était à Sainte-Angèle-de-Laval, sur la rive sud, en face de Trois-Rivières.

On était des déportés ou des gitans, réunis par hasard sur un bateau d'opérette. On jouait le rôle des passagers, pendant que d'autres jouaient le rôle des matelots. Trois-Rivières jouait à avoir sa flotte nationale, le fleuve jouait le rôle de l'océan, et Sainte-Angèle-de-Laval jouait le rôle de Liverpool ou du Havre. Même les goélands et les mouettes avaient l'air de venir de chez Ponton. Mais tout le monde était très naturel.

Ça, c'était la pêche du printemps.

L'automne, c'était tout à fait autre chose.

On passait le matin chez Put Arel prendre nos lamproies, qui sont aujourd'hui interdites. Les lamproies vivent dans la vase et il avait reconstitué leur habitat dans sa baignoire. La maison tout entière était agencée autour de son commerce. Ses vers occupaient la majeure partie de la cour et il y avait une petite enseigne commerciale au poteau de sa galerie: «Put Arel, vers et lamproies», rue Notre-Dame, pas très loin de ce qu'on appelait le gros marteau. C'était par là que mon père était né.

On partait avec notre lunch. On montait à Shawi, on traversait Grand-Mère, on tournait à gauche, vers le nord, à Valley Jonction. Là, c'était vraiment le gros bois jusqu'aux Piles où, enfin, on touchait les fjords du Saint-Maurice.

La rivière était d'abord un moyen de transport pour le bois. La Saint-Maurice River Boom l'avait aménagée à cette fin. Il y avait des corridors pour la pitoune, des corridors pour les bateaux. Il y avait des petits *booms* pour empêcher que la pitoune n'atterrisse. Il y avait, un peu partout, des trains de bois qui attendaient d'être détachés pour filer jusqu'aux moulins de Grand-Mère ou de Trois-Rivières.

La pêche, là-dedans, c'était une activité de rien du tout, c'était du passe-temps.

On avait quatre trous à dorés, suivant les années. Il y avait le trou derrière une série d'îles en face de l'hôtel Champoux, là où on a pris un jour ce qu'on appelle un doré bleu. Il y avait le trou en face de l'hôtel Lemieux, là où on louait notre chaloupe. On l'appelait «L'anse aux dorés». Il y avait le trou en face de la baie, juste en entrant dans le village, et il y en avait un quatrième de l'autre côté de la rivière, à la décharge d'un crique où le brochet abondait.

C'est là qu'un samedi, une femme nous avait fait la barbe à tous les deux. Elle prenait le doré avec deux lignes sans même regarder, sans même faire attention. Elle en sortait à la dizaine, tandis que nous deux, on en pognait un par ci par là. C'était une dame Couture dont le mari était barbier dans Saint-Philippe, à Trois-Rivières.

Il faut transpercer la lamproie à deux endroits avec l'hameçon ou ain, comme on disait aussi. Je sais aujourd'hui que c'est du vieux français. On envoyait ça au fond et je me souviens comment ça mord, le doré: ça téléphone d'abord, deux coups, et ensuite ça y est. Quand il est affamé seulement. Quand il n'est pas affamé, il téléphone ses deux coups, on décroche tout de suite, mais il n'est déjà plus là. Il ne répond plus.

C'est dans cette baie aussi, de l'autre côté de la rivière, que j'ai déjà échappé un brochet. De temps en temps, je castais vers la rive avec un leurre, un quelconque Rapala, probablement. Aujourd'hui, il y a des gens qui crachent là-dessus, ils appellent ça la quincaillerie. Ce sont les moucheurs. Pour eux, il n'y a que la mouche qui compte: les leurres, c'est rien; les lamproies, c'est défendu; et les vers, ne leur en parlez même pas. Dans le temps, la pêche était plus facile. On pouvait pêcher au ver sans se faire engueuler. Aujourd'hui, il y a même des cours qui se donnent sur la manière d'appâter le ver suivant le poisson que vous voulez prendre... C'est bien pour dire.

Toujours est-il que j'échappe mon brochet qui s'enfuit dans un grand remous de sa queue. Mon père me crie: «Je te déshérite!» De toute manière, il n'avait rien à lui: pas une cenne qui l'adorait, rien! Tout juste s'il m'a légué un parapluie avec une poignée en merisier et quelques romans soulignés. C'était ça, la pêche d'automne!

Des fortunes se dilapidaient, des héritages étaient bazardés pour un brochet mal ferré, sans parler des santés mangées aux mites, des orgueils réduits en miettes pour des histoires de poissons. Je me souviens d'un de mes oncles qui avait garroché un moulinet à bout de bras dans la rivière parce que sa ligne était un peu mêlée. Un Shakespeare qui aurait fait mon bonheur. C'est ainsi que les choses se passaient.

Des soirs, on rentrait saouls comme des bottes. C'était avant les autoroutes, il y avait des courbes maudites, on les prenait la pédale au fond, c'est-à-dire à cinquante-cinq milles à l'heure, et les pneus crissaient comme aux 24 heures du Mans. C'était la fameuse courbe dite de Saint-Luc-de-Vincennes, juste dans les brûlés, les terres à bleuets.

Je l'avoue, il y avait aussi des fois où on ne prenait rien. Je ne sais comment on dit ça aujourd'hui, mais dans le temps, on disait «baiser la vieille». Des demi-journées entières sans une morsure!

Il y avait aussi l'abbé Carignan qui pêchait sans canne à pê-che: juste avec deux moulinets dans les poches de sa veste de daim. Il fermait les boutons de ses poches pour ne pas perdre ses mouli-nets, il n'en sortait que les lignes, qu'il tenait entre le pouce et l'in-dex, comme des hosties, pour bien sentir le poisson mordre.

— Sais-tu comment distinguer si c'est un mâle ou une femelle qui mord au bout de la ligne?

— Non

— S'«il» mord, c'est un mâle, si «elle» mord, c'est une femelle.

Pas très fort, mais ça passait le temps. C'était toujours moi qui ramais, le galérien de service, pendant que mon père, assis face à moi, servait de capitaine pour éviter les *booms*, les pitounes qui flottaient entre deux eaux et dont on ne voyait que la tête dépasser.

Des fois, on rentrait chargés à l'os. Chaque poisson qu'on pre-nait, on le gardait vivant dans une nasse en treillis que mon père ap-pelait le «zoo». Quand on arrivait à la maison, le soir, on jetait notre pêche dans l'évier et ça gigotait encore, ça battait encore la mesure d'un orchestre sous-marin, dans un évier de cuisine de la rue Hart, à Trois-Rivières.

Ça espérait encore, contre toute attente, contre tous les paris, contre toute réalité, ça espérait toujours vivre, ces dorés-là.

Ce n'est pas un poisson bruyant, le doré. Il n'est pas de ceux qui grimpent dans les rideaux, comme les achigans ou les truites ou les ouananiches ou les saumons. Ce n'est pas un poisson de surface, c'est un poisson de fond. C'est dans l'eau qu'il se bat, pas dans l'air. Il veut retourner au fond, qui est sa patrie, et il tire dru et cons-tant.

Quand on le mangeait, sa chair floconneuse avait le goût de l'amande. Alors, la boucle était bouclée.

Les jeudis et les mardis, j'avais congé: c'étaient des écoles sur le modèle français. C'étaient des congés pour faire de l'algèbre ou de la trigonométrie, pendant deux heures, pour jouer au softball ou au basket pendant une heure, pour parler des grégousses pendant une bonne demi-heure, mais pas pour aller à la pêche, très certainement. On partait pourtant vers le nord. Et quand mon père y allait un mercredi, c'était une trahison.

Je me souviens encore d'une fois où il avait jeté son *top* de cigarette Sportsman (avec des mouches sur le paquet) par sa fenêtre et qu'il était revenu atterrir sur la banquette arrière de la minoune: une Desoto verte, et que le feu avait manqué de prendre. Il y avait un nuage de fumée dans le char, une affaire épouvantable. On avait éteint ça à la main, mais ça puait que le maudit.

Ou le camion qui avait perdu une roue arrière en descendant la côte qui va au petit village à moitié mort de Montauban-les-Mines. Le chauffeur avait vu une roue de camion le doubler dans la côte. Il terminait à peine de se surprendre, quand son camion a canté sur le côté et qu'il s'est retrouvé dans le fossé, les freins collés au fond. Son moyeu avait laissé un sillon de six pouces dans l'asphalte.

C'était du Chaplin.

C'était ça, la pêche d'automne. Il y en a qui sont morts depuis, à commencer par mon père. Il y en a qui se sont séparés. Il y en a qui n'ont plus jamais mis les pieds dans une chaloupe à L'anse aux dorés.

Il y en a qui rêvent la nuit qu'ils prennent des dorés à la pochetée et qui lèvent leur ligne en dormant, comme s'ils battaient la mesure, la mesure de leurs songes et peut-être la mesure de leur vie. Exactement comme les dorés qui frétillaient dans l'évier, chez nous, sur la rue Hart, avant de retourner dans le grand cimetière des dorés, pour y pondre leurs œufs.

Le Maclean, août 1975

---

1. Mai 1962.
2. Allusion au premier article que Gérald Godin envoie au *Nouveau Journal* (qui le publie le 19 mai 1962), quotidien dont il devient, à l'occasion d'un stage à l'Université du Théâtre des nations, le correspondant. Article repris dans *Écrits et parlés I,* vol. 1, «Culture», p. 325-329.
3. Avril 1972.
4. Mai-juin 1967.
5. Automne 1973.
6. Août 1968.

Entretien avec Wilfrid Lemoine

W. L.: Aujourd'hui, l'Irak et l'Égypte, tels qu'ils sont perçus par Gérald Godin, écrivain et éditeur.

Gérald Godin, qu'est-ce qui vous a attiré dans ces pays très exotiques pour nous?

G. G.: Bien, la première fois, en 1972[1], c'était l'Irak. Le premier pays arabe que j'ai visité, c'était l'Irak, grâce à une invitation du gouvernement irakien qui célébrait, je pense, le cinquantième anniversaire du Parti socialiste Baas, alors au pouvoir. Il avait invité un certain nombre de journalistes ou de représentants de journaux dits de gauche — c'était le cas de *Québec-Presse* — et c'est comme ça que j'ai abouti en Irak. Et, de l'Irak s'est développé mon amour ou mon intérêt pour les pays arabes et je suis allé, de mon propre chef, par mon propre pouvoir, en Égypte l'année suivante[2]. Dans les deux cas, à peu près trois semaines.

W. L.: Donc, en Irak, vous étiez là comme invité. J'imagine que c'est un peu différent comme voyage.

G. G.: Effectivement, c'est très différent quoique ce qu'il y a à voir en Irak aussi bien qu'en Égypte, on ne peut pas passer à côté. Qu'on soit invité par le général Nasser ou qu'on y aille soi-même, de toute façon, c'est les pyramides qu'on va voir.

Mais ce qui m'a le plus frappé de ces deux voyages, c'est de constater à quel point le monde arabe est présent et vivant dans notre culture à nous, gréco-latine, occidentale. Et tout ça nous vient de nos années d'histoire sainte, de nos années de Bible, etc. Lorsque tu vois les ruines d'un palais en Irak, par exemple, et qu'on te dit: «C'est les ruines du palais "Nabuchednezzar"», là tu te dis «c'est un nom qui me dit quelque chose». En fait, c'est Nabuchodonosor. Et là on se souvient qu'on a passé des examens sur Nabuchodonosor. Premièrement, on découvre que cet homme-là a vraiment vécu, deuxièmement, on se demande par quels détours historiques ce roilà a abouti dans notre vie à nous, jeunes Canadiens français, jeunes Québécois, et dans la vie, j'imagine, de tous les francophones du monde, catholiques ou chrétiens.

W. L.: Dans notre histoire sainte.

G. G.: L'Irak est un pays situé entre le Tigre et l'Euphrate, deux fleuves qui sont beaucoup plus connus de nous que le Saint-Laurent et le Saint-Maurice sont connus des Arabes. C'est le berceau, effectivement, de toutes les religions qu'on connaît, ou à peu près…

W. L.: … et de la civilisation.

G. G.: Et de la civilisation, en fin de compte. Ce qui m'étonne, c'est: comment se fait-il qu'on connaisse ça, nous autres? C'est un mystère pour moi. Comment se fait-il que moi, je connaisse Ninive, une ville qui a vraiment existé, qui est en Irak? Babylone? On a visité les ruines de Babylone et, entre autres, on a vu les ruines des fameux jardins suspendus, classés comme l'une des sept merveilles du monde par je ne sais plus qui il y a plusieurs siècles. À l'époque, on classait les merveilles du monde! Depuis lors, on en a eu bien d'autres — on est peut-être rendu à quarante maintenant —, mais, à l'époque, il n'y en avait que sept. Et il y avait ce palais-là qui a vraiment existé. Quand on marche dans les ruines de Babylone, on est ramené, d'une part, à la petite école, d'autre part, dans une espèce de monde totalement mythique.

Ce qui me frappe aussi, c'est que les gens qui vivent là, les Irakiens ou, enfin, les descendants des gens de Ninive, de Babylone, etc., on dirait qu'ils sont dans un habit trop grand.

W. L.: Ah…

G. G.: Nous, ici, on a un habit qui nous convient parfaitement — à part, peut-être, les Jeux olympiques qui sont un p'tit peu grands pour nous (*rires*). Si on visite notre pays, on se rend compte qu'il est à notre mesure: il n'y a rien de trop grand là. Mais si on va voir les pyramides, par exemple, ces trois masses fabuleuses, énormes, dont on fait le tour en une heure à dos de chameau, on se dit, et on regarde autour les Arabes dont les ancêtres les ont construites, que ça colle pas, on trouve que leur histoire est trop grande pour eux. Et on ne s'explique pas comment, eux, ils ont pu faire des choses comme ça.

W. L.: L'histoire est trop grande pour eux. Est-ce que ça veut dire que vous avez eu l'impression que c'était un peuple petit ou un peuple indigent, quoi?

G. G.: Non. Ce n'est pas ce que je veux dire. Je veux dire qu'ils sont au même niveau que nous dans la vie quotidienne, sauf qu'ils ont, en plus, les pyramides et le Nil, un fleuve millénaire qui a peut-être charrié plus d'histoire que tout cours d'eau dans le monde, sauf qu'en Irak ils ont Babylone et Ninive. Je me demandais s'il n'y avait pas eu une espèce de mutation, à un moment donné, qui a fait que les gens — nous inclus, remarquez bien — sont devenus plus petits que ce que l'être humain était il y a des milliers d'années. Je ne m'explique pas autrement, moi, le fait qu'il y ait des pyramides. Remarquez, c'est peut-être le système politique ou social qui l'explique, mais il y a autre chose que ça qui fait qu'on avait, toujours dans le but de communiquer avec un dieu, quel qu'il soit, un tel besoin de créer des choses grandes, que c'est les seules qui restent encore aujourd'hui.

Les pyramides, ç'a presque cinq mille ans. Quand on pense à ça, cinq mille ans, c'est du monde à messe: l'«Amérique du Nord» existe depuis deux cents ans, et nous, la Nouvelle-France, le Canada français, le Québec, depuis plus de trois cent cinquante ans[3]. Et il y a encore des choses qui subsistent: tu te dis que ces gens-là avaient une espèce de manie ou de hantise de l'éternité qui, aujourd'hui, est disparue. Si tu veux, le contraste entre la pyramide et une maison québécoise qui a cent cinquante ans et nous semble très vieille, c'est un peu dérisoire quand on y repense dans cette perspective.

W. L.: Ce choc — qui semble en avoir été un pour vous —, n'est-ce pas le choc de l'histoire, en fin de compte?

G. G.: Ce n'était pas mes premières ruines, si je puis dire (*rires*). Mais ces ruines-là ont la particularité d'être profondément enracinées dans notre culture à nous.

W. L.: Vous parlez de la Grèce, de l'Europe en général?

G. G.: Non. Versailles, au fond, ou les châteaux de la Loire, tout ça, les racines ne sont pas très profondes, on n'a pas suivi de cours d'histoire de France dans nos écoles. Ça ne nous dit pas grand-chose. Tandis que Babylone, Ninive, la tour de Babel… Parce que j'ai visité les ruines de la tour de Babel. L'Irakienne qui était notre guide m'a dit qu'il y avait cinq ou six endroits, en Irak, où ce pouvait être les ruines de la tour de Babel; en fait, il reste deux tours — il y en avait peut-être dix, douze à une époque — qui pourraient être également la tour de Babel. C'est une espèce de gâteau de noces circulaire autour duquel un chemin monte.

W. L.: Un peu comme on voyait sur les gravures dans le temps.

G. G.: C'est, exactement, les gravures. Vous avez un chemin qui monte tout le tour de cette tour-là par l'extérieur. Il y avait un roi à Samarra qui, tous les jours, montait à cheval au haut de cette tour et qui, rendu en haut, foutait son cheval en bas et redescendait à pied.

W. L.: Il jetait son cheval en bas?

G. G.: Oui. C'est un cadeau qu'il faisait aux dieux. D'ailleurs, du haut de cette tour de Samarra qui est entourée de désert, on voit Bagdad, la célèbre ville des *Mille et une nuits*: on imagine les voiles, on imagine les couleurs, on imagine les rubis, les émeraudes et les joyaux, on imagine les danseuses, la danse du ventre, et tout. Ce n'est pas tout à fait ça dans la réalité. Dans la réalité, c'est une ville assez moche et grise, poussiéreuse à cause d'un vent qui souffle régulièrement et qui s'appelle le *touz*, mais que les gens de Bagdad appellent familièrement le *tob*. Ce vent-là recouvre de poussière, régulièrement, la ville de Bagdad.

W. L.: Ce n'est pas une ville qui brille.

G. G.: Ce n'est pas une ville qui brille de tous ses feux, comme on peut l'imaginer. Sauf que, du haut de cette tour de Samarra, on voit, un peu avant Bagdad, une mosquée dont la coupole est recouverte de feuilles d'or. Quand le soleil est à la bonne place, je veux dire dans le bon angle, on voit briller une boule d'or dans le désert, au loin. Ce qui est merveilleux. Et elle a été faite en or pour qu'elle soit vue de Samarra et d'ailleurs. La boule de feu, la boule d'or dans le désert, c'est également une image qui est fabuleuse. Ces gens-là avaient, très développé, le sens de la perspective géographique, physique ou architecturale. Et, dans la même foulée, si vous voulez, quand vous quittez Le Caire, une ville très près des pyramides, des trois grosses pyramides…

W. L.: Contrairement à ce qu'on s'imagine, c'est tout près.

G. G.: C'est très près: on prend l'autobus pour aller aux pyramides et on roule un quart d'heure.

W. L.: Ce n'est pas à des journées à dos de chameau.

G. G.: Pas du tout. À titre de comparaison, c'est quasiment comme… l'Expo.

W. L.: Ah oui. C'est en banlieue.

G. G.: C'est en banlieue…

W. L.: … immédiate…

G. G.: … et c'est entouré de villages, enfin, de villageois, mais c'est le désert tout de suite après.

L'Égypte est construite le long du Nil comme le Québec le long du Saint-Laurent, en majeure partie — avec quelques excroissances, comme la baie James et autres, dont on ne parlera pas (*rires*). C'est le long de l'eau que c'est construit, et les pyramides ne sont pas très loin, pour la raison très simple suivante: on voit sur les photos que les pyramides ont des espèces de marches énormes, mais tout ça était recouvert, il y a des millénaires, de dalles de granit rouge. Vous aviez alors une surface plane.

W. L.: Ah bon. Donc, on ne pouvait pas se servir de la paroi pour gravir.

G. G.: Non, pas du tout. On ne pouvait pas monter. Il reste une couronne de granit rouge, un peu comme à la cime d'une montagne de neige. Or ce granit vient d'Assouan, c'est-à-dire de cinq cent cinquante milles plus haut sur le Nil…

W. L.: … où il y avait les fameux temples.

G. G.: Il y avait les temples, d'une part, les carrières, d'autre part. On remplissait les bateaux à sec et, quand l'eau du Nil montait lors des crues, l'eau arrivait sur les immenses barges chargées de granit qui descendaient le Nil jusqu'aux pyramides, cinq cent cinquante milles plus bas.

Mais, pour revenir à ce que je vous disais à propos de la perspective architecturale, si vous prenez une petite route qui s'éloigne un peu du Caire, et que vous alliez peut-être à dix, douze milles du Caire, vous trouvez un autre village où il y a un autre alignement de pyramides.

W. L.: Parce qu'il y a beaucoup de pyramides?

G. G.: Il y en a une quinzaine. Rendu là, si vous montez sur une butte près d'une pyramide, je pense à celle du roi Zoser, et faites ce qu'on appelle au cinéma un panoramique, vous voyez les trois pyramides au loin, à dix, quinze milles du Caire, dont la plus grosse avec sa petite couronne de granit, et, si vous continuez à tourner, vous en voyez six autres. Alors, vous avez un alignement sous les yeux d'à peu près dix, douze pyramides. C'est beaucoup plus beau que les trois qu'on voit très loin dans la brume du désert et dans l'espèce de vibration que le soleil fait. Moi, c'est l'une des images qui m'a le plus frappé de toute ma vie.

W. L.: À ce point-là?

G. G.: À ce point-là. Je reviens au granit. La paroi lisse de granit rouge permettait à la pyramide — encore le reflet du soleil dans le désert — de retourner des rayons vers le ciel. C'était comme un miroir.

W. L.: On peut s'imaginer, quand c'était entièrement recouvert de granit rouge, ce que ça devait donner.

G. G.: Ce devait être fabuleux. Il y avait le rayon qui tombait sur la pyramide et une espèce de contre-rayon qui repartait de la pyramide vers Dieu, en fin de compte, vers le soleil.

W. L.: C'était le miroir du ciel.

G. G.: On connaît l'importance des mythes solaires pour les Égyptiens. La tombe est au centre de la pyramide et c'est, je pense, un des Ramsès, je ne sais pas lequel — c'est une grosse famille, c'est un peu comme les Dubois de Saint-Henri, c'est une grosse famille (rires[4]) —, qui, enseveli là, devait, j'imagine, avoir fait ça pour que le rayon qui frappe du ciel le ramène à son tour sur ses ailes vers le ciel, par le reflet contraire.

W. L.: C'est une impression extrêmement profonde. Vous dites: c'est probablement l'impression la plus forte que vous avez eue de votre vie. Est-ce que c'est surtout une impression de poète? Il me semble, en vous en entendant parler, que c'en est une.

G. G.: Depuis ce temps-là, j'ai beaucoup lu sur les pyramides. On sait qu'elles ont été «redécouvertes» par les Anglais, comme on dit (rires), comme disent les Anglais...

W. L.: ... et «découvertes» par Napoléon, semble-t-il[5].

G. G.: C'est assez drôle parce qu'au fond il y a toujours eu des Arabes qui vivaient avec les pyramides. Mais, en plus, elles ont été découvertes! Ces Anglais qui étaient des archéologues, des scientifiques, ont également eu cette espèce d'ivresse du désert. Notre ami Lawrence d'Arabie en a également été enivré. J'ai beaucoup entendu parler de lui en Irak par des exilés de l'Arabie Saoudite où, à cause de tout ce qu'on ignore, on s'imagine qu'il n'y a rien, sauf le roi Faysâl, assassiné par son gendre, et que tout le reste, c'est un peuple absolument dominé, exploité, colonisé.

W. L.: Ce n'est pas ça?

G. G.: Ce n'est pas ça du tout. Il y a, il y avait une opposition en Arabie Saoudite. Une partie de l'opposition était dans l'armée, un peu comme au Portugal, en Espagne et partout où il y a des armées. Cette partie de l'armée a dû fuir l'Arabie Saoudite et se réfugier en Irak.

Un soir que j'étais dans un restaurant qui s'appelle d'ailleurs le *Schéhérazade* et où je notais ce que ces exilés politiques me disaient, tout d'un coup, l'orchestre se mit à jouer une pièce musicale qui est bien connue ici: *Comme j'ai toujours envie d'aimer* de Marc Hamilton (*rires*)! Alors, moi...

W. L.: En Irak, dans un restaurant qui s'appelle le *Schéhérazade*!

G. G.: ... Alors, moi, je me suis dit: bon, d'accord! On a été bombardés par Ninive, Babylone, la tour de Babel, le Tigre, l'Euphrate, etc., mais, nous, on se venge en leur envoyant, des siècles plus tard, *Comme j'ai toujours envie d'aimer* de Marc Hamilton. J'ai senti que c'était une forme de vengeance (*rires*), bien anodine culturellement, mais qu'au moins la boucle était bouclée, jusqu'à un certain point!

W. L.: Jusqu'à un certain point, il faut bien le dire. Pour revenir aux pyramides: est-ce que vous êtes allé à l'intérieur?

G. G.: Oui, je suis entré.

W. L.: Comment vous vous y rendez et qu'est-ce que ça donne, une fois rendu?

G. G.: Dans un voyage, il se passe rarement des choses normales (*rires*). Aussi étrange que cela puisse sembler, les pyramides ferment à cinq heures, ce qu'on ignorait évidemment, comme on dit que les pharmacies ferment à six heures. On est arrivés, nous, à cinq heures moins dix ou moins cinq. Le guide, moyennant un pourboire, nous a permis d'entrer. Ça prend vingt minutes aller au fond et remonter. Là, comme un coureur de fond, il est descendu. Comme un fou (*rires*)! Nous, on le suivait à la course!

W. L.: Mais par où entrez-vous? Pas par le «rez-de-chaussée»?

G. G.: Non. On monte sur ces fameux blocs d'à peu près quatre pieds de hauteur, je dirais.

W. L.: Des marches assez élevées.

G. G.: Des méchantes marches, oui. Rendus à peu près à la sixième marche, on arrive à la «porte» de la pyramide, qui n'est pas une porte, en fait. Il n'y avait pas de porte avant, c'était scellé. On s'engage dans un corridor. Et là, si je me souviens bien, on descend à une vitesse folle des marches très escarpées.

W. L.: À une vitesse folle, parce que votre guide est pressé.

G. G.: Il est cinq heures moins dix! Et les pyramides ferment à cinq heures!

W. L.: Et c'est très escarpé.

G. G.: Premièrement, c'est très escarpé, deuxièmement, le plafond est très bas. Vous descendez à la course, mais courbé un peu, comme Groucho Marx marche dans ses films (*rires*). Vous arrivez à un plan horizontal mais, encore là, le corridor est absolument carré: cinq pieds sur cinq pieds. Si vous mesurez plus que cinq pieds, vous devez vous courber, comme Groucho Marx, pour courir au fond du corridor qui est immensément long. Et vous arrivez au milieu de la pyramide où vous avez la tombe vide de Ramsès.

W. L.: La tombe vide.

G. G.: Oui. Là, il y a, je dirais, des meurtrières qui semblent partir de la salle et aller on ne sait où — parce qu'il y a encore des mystères dans les pyramides.

W. L.: Est-ce qu'il y a de la lumière qui vous parvient de ces meurtrières?

G. G.: Non, il n'y a pas de lumière.

W. L.: Donc, il est possible qu'il y ait d'autres chambres scellées.

G. G.: Tout est possible dans ces pyramides-là. D'ailleurs, il y a des savants américains et allemands qui ont installé des machines très coûteuses pour essayer de découvrir s'il y a d'autres «creux» qui indiqueraient la présence d'autres chambres funéraires et, peut-être, d'autres trésors. Vous avez peut-être vu l'exposition de Toutankhamon ici[6]…

W. L.: C'était extraordinaire…

G. G.: … c'était fabuleux. Il y a probablement, en Égypte, mille tombes semblables. Parmi les deux cents, peut-être, qui sont connues, seulement une ou deux — dont, par miracle, celle de Toutankhamon — n'avaient pas été pillées depuis les cinq mille ans qu'elles avaient été faites. Et parmi les huit cents qui sont encore à découvrir, il y en a peut-être six cents qui ont déjà été pillées… Il est donc possible qu'on découvre un jour des trésors aussi fabuleux que ceux de Toutankhamon.

W. L.: Alors, cette chambre, étant donné que la momie du roi n'y est pas... Et, j'imagine, tout le reste a été enlevé aussi.

G. G.: Tout est enlevé.

W. L.: Est-ce que c'est impressionnant quand même?

G. G.: C'est impressionnant dans le sens où on est au cœur d'une masse de pierre fabuleuse. La forme du triangle, pour une raison ou pour une autre, a quelque chose de saisissant. J'en ai fait le tour en chameau, ça coûte juste trente-cinq piastres. On se fait arracher de l'argent pour monter sur le chameau un pied, pour monter l'autre pied, il faut payer encore (*rires*), pour se mettre le derrière sur la selle, il faut payer encore, pour partir, il faut payer encore, pour descendre, il faut payer encore...

W. L.: Si vous ne payez pas, vous gardez le chameau (*rires*)!

G. G.: Peut-être qu'ils nous gardent, mais on ne garde pas le chameau!

Le désert d'un côté, le Nil et son espèce de ceinture de palmiers et de verdure de l'autre côté. Au pied de la pyramide, le Sphinx, qui est beaucoup plus bas. C'est un ensemble architectural sans pareil dans le monde...

W. L.: ... et qui semble tout à fait gratuit, comme forme et comme usage, pour nous.

G. G.: Pour nous, c'est tout à fait gratuit. C'est évidemment religieux et, comme je vous disais, la pyramide est sûrement destinée à faire remonter quelqu'un à cheval sur les rayons du soleil, vers le ciel ou vers Dieu. Pour nous, ç'a quelque chose de démesuré, de fou, d'absolument fou. Quand on pense aux gens qui les ont construites, ces pyramides-là, c'est-à-dire les cinq ou six mille esclaves qui traînaient ces blocs énormes...

W. L.: ... C'étaient pas des syndiqués de la FTQ...

G. G.: ... Et je ne pense pas qu'ils faisaient six cents piastres par semaine comme les opérateurs de machinerie lourde en font aux Jeux olympiques. Comme dirait M. Drapeau: «Dans cette circonstance, le capital et le travail se sont donnés la main (*rires*) pour parvenir à terminer à temps la pyramide.» Je pense que c'est une chose qui serait impossible aujourd'hui, à cause du changement de rapport de force. Seuls les rois fous, qui avaient à leur service des esclaves et des armées pour maintenir ces esclaves dans le droit chemin, pouvaient se permettre des affaires comme ça.

W. L.: Il y avait probablement aussi, derrière, vous l'avez mentionné souvent, leurs dieux et leurs mythes. Il y avait probablement aussi, chez ces gens-là, une foi réelle.

G. G.: C'est sûr qu'il y avait une foi. La principale foi qu'ils avaient, et c'est peut-être en cela qu'ils nous touchent plus précisément, même aujourd'hui, c'est qu'ils voulaient survivre, ils voulaient défier la mort. Au Musée égyptien du Caire, quand vous voyez les momies des rois et des reines, momies de quatre ou cinq mille ans...

W. L.: Ça s'inscrit dans cette logique...

G. G.: ... vous vous dites qu'«effectivement, ils sont éternels». Il y a encore les traits du visage, il y a encore les sourires. Il y a encore les traits caractéristiques: est-ce que c'est une bonne gueule? une gueule insupportable? On le voit encore.

W. L.: On pourrait le reconnaître, si on l'avait connu.

G. G.: On pourrait le reconnaître, effectivement. On se dit, quand on les voit: s'ils ont vécu jusqu'ici, s'ils ont fait cinq mille ans, ils vont en faire un autre cinq mille ans (*rires*) et peut-être deux autres, parce que je ne vois pas pourquoi ils commenceraient à se désagréger ou se désintégrer.

Donc, ils ont trouvé le secret de l'éternité.

On est tous préoccupés par ça. Demain matin, si je meurs, qu'est-ce que je vais laisser derrière moi? Eux, ils se sont laissés derrière eux.

W. L.: Ils se sont laissés, même leurs corps...

G. G.: ... même physiquement...

W. L.: ... même physiquement, en plus de tout le reste...

G. G.: ... grâce aux secrets de leur embaumement qui n'ont pas été découverts.

W. L.: C'est assez étrange. Vous nous parlez de tout ça et ça me tourne dans la tête, ce que vous avez dit au tout début de cet entretien: que ça vous était comme familier, à cause de l'histoire sainte, etc. C'est une culture qui semble, en surface, très loin de nous, mais qui, en somme, est très près.

G. G.: Je pense que, dans la mesure où ils ont été préoccupés par des problèmes vraiment fondamentaux, communs à tout être humain, et où ils ont essayé de les résoudre architecturalement...

W. L.: ... même dans la matière...

G. G.: ... par des monuments, des monuments qui restent comme des témoins de leurs préoccupations qui sont également les nôtres, c'est en ce sens-là qu'on se sent touché et concerné.

W. L.: Même sur le plan technique, on dit qu'ils en savaient plus long qu'on ne se l'imagine.

G. G.: Il y a beaucoup de mystères et de théories qui circulent là-dessus. Je ne veux pas entrer là-dedans parce que ce serait du *Matin des magiciens*[7].

W. L.: Oui.

G. G.: Qu'il y ait des monuments aux questionnements qui étaient les leurs, que ces monuments soient toujours debout et qu'eux soient toujours embaumés et conservés, ça nous les rend très proches.

W. L.: Ça prouve peut-être qu'ils se posaient de bonnes questions.

G. G.: Je pense que oui. Enfin, ce sont les questions qu'on se pose encore aujourd'hui. C'est pour ça que je recommande à tout le monde: visitez l'Égypte.

W. L.: Surtout à cause de ce sentiment que vous venez de nous «expliquer».

G. G.: D'un cinq mille ans à l'autre, en fait, on n'a pas changé d'un poil, qu'on le veuille ou non. La surface des choses change, comme l'écorce des oranges et des pamplemousses, mais au cœur du fruit il y a les mêmes interrogations, les mêmes problèmes...

W. L.: ... les mêmes germes.

G. G.: Mais nous, on n'a pas le pouvoir ni même l'idée de laisser des monuments à nos interrogations profondes.

W. L.: Nous, on veut rentabiliser tout ce qu'on possède.

G. G.: On veut, dès maintenant, avoir ce qu'on veut avoir. Et, le lendemain de notre mort, c'est disparu.

W. L.: Je vois que ça vous a fait réfléchir drôlement, ce voyage en Égypte.

G. G.: C'est un voyage au cœur de la terre, en fin de compte.

W. L.: Parce qu'on vous connaît surtout pour vos préoccupations plus immédiates, d'ordre politique, social, etc. Et, tout à coup, vous devenez philosophe (*rires*), vous allez par-delà vos préoccupations immédiates.

G. G.: C'est possible. Mais ça, c'est l'Égypte, c'est le désert.

Je parlais tout à l'heure de Lawrence d'Arabie, Lawrence d'Arabie qui était un membre de la CIA de l'époque. Certains le savent, qui ont lu sa vie. C'était un agent secret du roi britannique. Aujourd'hui, on soupçonne la CIA de noyauter les mouvements de gauche en se faisant passer pour des marxistes-léninistes; à l'époque, la CIA anglaise noyautait certains mouvements arabes en envoyant des Anglais qui se faisaient passer pour des Arabes. Vous avez eu Abdullah Philby et Lawrence d'Arabie. Abdullah Philby, contemporain de Lawrence d'Arabie, c'est le père de Kim Philby qui a trahi les Anglais pour aller se livrer aux Russes. Dans son livre fameux, *Les sept piliers de la sagesse*[8], Lawrence d'Arabie, malgré qu'il soit un agent secret et qu'il défende surtout les intérêts économiques et politiques des Anglais là-bas, a quand même été frappé, saisi, enivré par le désert, par les mêmes choses qui m'ont enivré. C'est plus fort que tout, que les idées politiques, que les objectifs économiques. En ce sens-là, c'est un pays, c'est un paysage qui est plus grand que l'humain.

W. L.: C'est peut-être en ce sens-là que vous disiez tout à l'heure que vous les trouviez plus petites, les personnes qui y vivent aujourd'hui.

G. G.: C'est exactement ça. Je nous trouve, tous tant que nous sommes, les êtres humains, très petits par rapport à ce pays qu'est l'Égypte.

W. L.: En somme, c'est le berceau de notre civilisation, l'Irak et l'Égypte.

G. G.: L'Irak, l'Égypte et la Grèce sont les berceaux, mais ce qui distingue l'Égypte, c'est qu'en Égypte il reste aujourd'hui, à peu près tels quels, des monuments contemporains de ces gens-là. C'est pour ça que c'est si fabuleux.

Il y a le Nil. D'un côté, il y a Louxor et Karnak qui sont les villes des vivants, les palais où les rois et les reines vivaient, avec les villages autour où le peuple vivait. De l'autre côté, il y a les morts. Et des vallées: la première, la plus belle, la vallée des rois; la deuxième plus belle, la vallée des reines; la troisième, la vallée des nobles. Quand vous descendez dans un des tombeaux, vous marchez un demi-mille au cœur de la terre, au cœur du granit. Il y a douze étapes à franchir avant d'arriver aux enfers, enfin, à Hadès. Chacune des douze étapes est caractérisée par un corridor. Et comme on entre dans les ténèbres, le bleu du ciel passe par douze étapes avant d'arriver au noir total et absolu de l'enfer.

W. L.: C'est un dégradé…

G. G.: … du bleu au noir total. Et les douze nuances de bleu y sont. Elles sont toujours là après quatre mille ans. Au-delà de leurs préoccupations religieuses, il y a, annexée à ça, ce que les économistes appelleraient une infrastructure: une infrastructure artistique qui a laissé des secrets de couleurs qui n'ont jamais été redécouverts.

W. L.: Ce que les Américains appelleraient le *know-how*.

G. G.: Parce que c'étaient des tombes, elles étaient scellées et protégées par des fausses trappes. Tout d'un coup, vous avez un pont, fait il y a peut-être cinquante ans, qui surplombe un puits d'à peu près cent pieds de profond…

W. L.: … pour protéger les gens.

G. G.: C'est pour ça que ça glisse toujours et c'est pour ça que c'est tel quel. Ils défendaient leur mort, en fait, plus que leur vie. C'est pour ça que, même aujourd'hui, ça n'a pas changé.

Quand vous comparez ça à un temple grec, ça n'a pas la même profondeur, non seulement au sens propre mais au sens figuré. Un temple en pleine lumière, c'est très beau. Mais il n'y a pas de drame dans le temple grec. Tandis que, dans la tombe de Toutankhamon, il y a un drame. Le drame de l'éternité. Et ce drame-là, on le vit encore. En ce sens-là, ça nous touche plus qu'un temple grec.

W. L.: Et les Égyptiens d'aujourd'hui, quelles impressions vous ont-ils faites?

G. G.: Je suis allé en Égypte en particulier parce que j'ai connu ici un marxiste égyptien qui s'appelle Anouar Abdel-Malek, qui vit à Paris et qui vient ici régulièrement. Il m'a parlé de son pays avec une telle passion, une telle fureur, que j'ai décidé d'aller voir ce qu'il en était[9]. Et comme j'avais déjà goûté un peu au monde arabe par l'Irak… Il m'avait donné, en plus, le nom de plusieurs de ses amis là-bas, que j'ai rencontrés et avec lesquels j'ai eu de longues conversations.

L'intelligence de ces gens-là, l'analyse qu'ils font de problèmes qui nous semblent très vagues — la guerre du Moyen-Orient, il n'y a rien de plus vague, de plus lointain que ça, pour nous, c'est comme ce qui se passe au Liban, c'est mystérieux, on n'y comprend rien —, les analyses qu'ils font du monde contemporain, c'est d'une clarté, d'une lucidité renversantes. Je dirais que ça explique peut-être certaine grandeur qu'avaient les pharaons avant eux. Il y a sûrement une filiation entre ces grands esprits-là, entre l'effet que le désert ou le monde arabe a toujours eu sur les gens qui l'ont visité, et ces gens, que ce soit Jacques Berque, que ce soit Lawrence d'Arabie, que ce soit Abdullah Philby, que ce soit les grands écrivains français et Napoléon lui-même. Aller en Égypte, remonter le Nil, c'est un voyage au cœur de l'esprit et au cœur de la terre.

W. L.: Encore aujourd'hui?

G. G.: Je dirais: surtout aujourd'hui.

W. L.: Est-ce que vous avez parlé de vos impressions à des Égyptiens, quand vous étiez là?

G. G.: Non. Malheureusement, j'ai surtout parlé aux Égyptiens. Le peuple égyptien, ce qui m'a frappé, c'est que... Vous avez une ville à peu près comme Tokyo, au point de vue voitures: il y a autant de voitures au Caire qu'il y en a à Tokyo. Et c'est la seule ville où les piétons se foutent des voitures, où ce sont les voitures qui font le tour des piétons, et non l'inverse.

W. L.: Il doit y avoir un carnage?

G. G.: Non, je n'ai pas vu d'accident. Il y en a un qui s'est fait frapper, probablement parce qu'il y avait un mauvais conducteur de voiture (rires). Je veux dire: quand ça fait cinq mille ans que tu marches sur une terre, ce n'est pas une invention relativement récente de quelques peuples blancs occidentaux qui va t'empêcher de traverser la rue quand tu veux traverser la rue. Quand tu compares une voiture à une pyramide, tu comprends mieux que les voitures fassent le tour des piétons. La voiture n'est rien dans l'histoire tandis qu'un Égyptien, il a cinq mille ans derrière lui.

W. L.: Pour revenir à cet Égyptien qui se fout des automobiles, quelle impression il vous a faite? Est-ce qu'il est devenu plus ou moins comme nous?

G. G.: Non. On ne peut pas vivre à l'ombre des pyramides sans en être transformé, d'une façon ou d'une autre. Moi, je suis allé trois fois les voir et les revoir, j'y ai passé peut-être six heures. Je pense qu'un Égyptien est modifié par le fait qu'il vit en Égypte, sur le bord du Nil. Pour les mettre un peu partout dans le cœur du Caire, vous avez des pharaons qu'on a sortis des temples ensevelis

sous les sables. Écoutez: nous, on voit une vieille maison canadienne dans le Vieux-Longueuil, on est transformés, on est boule-
versés, on est émus par ça; on voit une vieille chaise, une berçante,
les antiquaires nous vendent des chaises de cent ans et on tombe sur
le dos de voir ça. Il y a des livres qui se font là-dessus: l'encyclopédie du vieux couteau, du vieux meuble, etc. Eux, leurs vieilles
chaises, elles ont, pour ainsi dire, cinq mille ans.

W. L.: C'est d'autant plus impressionnant.

G. G.: Ça fait réfléchir. Ça doit multiplier l'émotion qu'on a,
nous, face à une chaise de cent ans. Multipliez ça par cinquante, ça
doit transformer l'intérieur des gens, j'imagine.

W. L.: Je sais que c'est toujours difficile et souvent irréaliste
d'essayer de définir un peuple. Mais est-ce qu'il y a certains traits
généraux — comportement, vie quotidienne — qui vous ont frappé
chez les Égyptiens d'aujourd'hui?

G. G.: J'ai l'impression, mais ça ressort des conversations que
j'ai eues avec certains intellectuels égyptiens, que leur histoire est
trop lourde à porter. Il y a d'abord eu l'époque pharaonique mais,
plus que ça, d'après eux, l'époque du colonialisme français, puis
surtout du colonialisme anglais qui aurait détruit une fibre fondamentale chez eux, ce qui expliquerait qu'ils se foutent pas mal de
tout. Maintenant, peut-être qu'on peut l'expliquer aussi par le fait
que ça fait cinq mille ans qu'ils sont là: c'est peut-être ça, au fond,
qui leur enlève cette espèce de goût de construire que nous, on a à
un point tel qu'on détruit pour produire.

W. L.: Ils ne l'ont pas, ce goût-là?

G. G.: D'après les Égyptiens qui m'en ont parlé, il y a une espèce de résignation, d'acceptation des choses telles qu'elles sont ou
à peu près, qui est un des traits dominants de l'Égypte actuelle. Ça
peut tenir au colonialisme, effectivement; c'est expliqué en grande
partie par ça. Mais je me demande si ça ne tient pas aussi au fait suivant: qu'est-ce qu'on peut faire de plus qu'une pyramide, quand on
veut construire? Nous, on fait un stade olympique, et c'est le plus
gros en Amérique du Nord. On se cambre là-dessus, on se roule les
muscles. Mais qu'est-ce qu'un Égyptien peut construire qui soit plus
gros que ce qu'il a déjà chez lui depuis cinq mille ans? Ça doit donner une espèce d'humilité qui fait que ce pays-là ne change pas. Et
c'est parce qu'il ne change pas qu'il est beau, à mon avis.

W. L.: Mais comment expliquez-vous tous les remous sur le plan politique, s'ils sont «immobiles» comme ça?

G. G.: Je dirais que les remous ne frappent pas tellement le peuple égyptien. Si vous allez, mettons, à Louxor, je suis sûr que la vie, là, pour l'immense majorité des gens, n'a pas changé depuis des millénaires. Vous voyez encore un enfant aller faire prendre l'eau à sa vache, dans le Nil. La vache, qui a eu chaud toute la journée, s'y vautre littéralement pendant que l'enfant la tient en laisse, par le naseau. Il y a cinq mille ans, on a sûrement eu la même image.

Nous, tout change tellement vite. Si vous partez de Montréal deux ans, la maison où vous êtes né, quand vous revenez, elle est disparue et c'est un garage qui la remplace; deux ans après, un libre-service; trois ans après, un édifice à bureaux de dix étages.

Eux, c'est tout à fait le contraire. Et c'est en ce sens-là que c'est un pays si jeune. Ici, ça fait des pays très vieux, en fait, ce qu'on fait, parce que c'est des pays qui ne vivent pas longtemps. On fait des choses qui ne durent pas, tout devient vieux très vite: vous avez, plein la rue, des vieilles bagnoles...

W. L.: D'ailleurs, c'est calculé pour ça, c'est planifié comme ça...

G. G.: ... d'une part. D'autre part, vous avez un buffle avec un enfant: le modèle n'a pas changé depuis cinq mille ans, parce que c'est toujours jeune et c'est toujours parfait.

En ce sens-là, l'Égypte est le pays qui m'a le plus profondément bouleversé et amené à des interrogations profondes sur ce que c'est que la vie et la civilisation dans laquelle on vit.

W. L.: Je constate que ça rend philosophe (*rires*). Vous l'étiez peut-être un peu avant de partir, vous l'êtes sûrement plus depuis que vous êtes revenu.

Est-ce que vous êtes demeuré dans cette région autour du Caire et de Louxor, ou si vous êtes allé plus loin dans le pays?

G. G.: Le projet était de partir du Caire et de remonter le Nil jusqu'à Assouan, jusqu'au fameux barrage d'Assouan. C'est effectivement ce qu'on a fait: on a pris l'avion jusqu'à Louxor et Karnak, deux villes voisines situées en face, comme je vous disais, de la vallée des rois. On devait passer là deux jours parce que les agences de voyages, qui ne connaissent pas les goûts variés de chacun, font ça de façon systématique et standardisée: tout le monde passe deux jours en moyenne à Louxor et Karnak, donc deux jours c'est assez. Or nous y avons passé dix jours. Ce n'est pas Hertz Rent-a-Car, mais on peut louer des bicyclettes et se promener en découvrant le pays. C'est un très bon moyen.

W. L.: C'est autre chose.

G. G.: Et on a visité la vallée des rois à dos d'âne. Là, on est encore plus intégré au paysage, on est encore plus Égyptien, on est encore plus millénaire et jeune.

W. L.: Mais, à dos d'âne, vous avez fait long?

G. G.: Une journée.

W. L.: Vous n'êtes pas habitué, vous n'êtes pas un amateur d'équitation, à ce que je sache.

G. G.: Non. Moi, c'est le joual (*rires*)…

W. L.: C'est le joual qui vous a sauvé!

G. G.: Étant donné le joual, je suis habitué aux ânes.

W. L.: Mais qu'est-ce que ça donne, une journée à dos d'âne? Physiologiquement parlant, d'abord.

G. G.: C'est dur pour les fesses et l'intérieur des cuisses, d'une part. D'autre part, l'âne est un animal très sûr, au pied très sûr. Alors, vous longez une falaise de deux cents pieds, vous êtes sur une corniche d'à peu près deux, trois pieds et vous êtes sûr que vous allez tomber en bas du «trottoir» (*rires*), deux cents pieds plus bas. On a tendance à ramener l'âne du côté intérieur mais il sait où il va, ça fait dix ou vingt ans qu'il fait ça, et il se fout totalement du cavalier. Si vous voulez le faire aller plus vite ou plus lentement, n'essayez pas, il ne fait qu'à sa tête.

Une journée à dos d'âne, comment dire ça, c'est… Ou à dos de chameau, ce que j'ai fait aussi. Un chameau, c'est un hamac (*rires*), un hamac à quatre pattes, vous vous bercez là-dessus. Le chameau marche dans le désert avec ses pieds qui sont d'immenses éponges qui s'effoirent à chaque pas qu'il fait et il a un cri étrange.

W. L.: C'est haut?

G. G.: C'est deux fois haut comme un cheval.

W. L.: Alors, pour monter dessus?

G. G.: Il se met à genoux, on grimpe dessus littéralement, il se remet sur ses échasses (*rires*) et on part. Et c'est une autre tête de cochon, si vous voulez, qui n'en fait qu'à sa tête. Si vous voulez lui faire faire le tour des pyramides dans le sens que vous voulez, ça marche pas. C'est son sens à lui qui compte (*rires*), qui est d'ailleurs le sens inverse des aiguilles d'une montre.

W. L.: Est-ce qu'on vous donne un petit cours sur l'art de conduire un chameau?

G. G.: Pas du tout. Le chameau sait quoi faire et, de toute façon, il y a un guide à côté, qui prend les pourboires à chaque étape du trajet et qui dit au chameau des mots dans une langue que seul le chameau comprend (*rires*).

W. L.: Vous disiez tout à l'heure: une journée à dos d'âne ou de chameau...

G. G.: Par l'usage de ces bêtes-là comme moyen de locomotion, on se sent encore plus enraciné dans un passé millénaire: d'abord l'odeur, ensuite l'inconfort (surtout à dos d'âne). Le pays nous rentrant par les fesses...

W. L.: ... en même temps que par les yeux...

G. G.: ... on est bouché par les quatre bouttes (*rires*) et on ne peut pas s'en sortir!

W. L.: D'où votre fascination (*rires*)!

G. G.: Effectivement, on ne peut pas échapper à la force de l'Égypte.

W. L.: Et il y a la présence du désert. Le désert en tant que tel, est-ce que ça vous a impressionné autant que les monuments du désert?

G. G.: Il y a cette ceinture verte le long du Nil, et là c'est d'une générosité fabuleuse.

W. L.: De quoi il a l'air, le Nil?

G. G.: Le Nil, c'est très droit. Y faire de la voile, sur un bateau appelé *Cleopatra* ou *Nefertiti,* pendant deux heures, avec un marin arabe, voilà quelque chose que je recommande aux éventuels voyageurs. Le Nil est un fleuve de la dimension du Saint-Laurent à la hauteur de Trois-Rivières à peu près; il n'est pas large comme le lac Saint-Louis et a beaucoup de courant. Avant, il débordait à chaque printemps et laissait, en retournant dans son lit, un limon sur les berges. Ce limon était le meilleur engrais du monde: ça poussait à une vitesse folle, il y avait deux, trois récoltes par saison de culture.

W. L.: D'où le mythe du Nil nourricier, qui n'était pas un mythe, en fin de compte.

G. G.: Ce n'était pas un mythe, c'était la vérité. Maintenant, à cause du barrage d'Assouan, qui ne laisse plus passer le limon, le

Nil reste dans son lit (parce qu'on contrôle son débit) et les berges sont engraissées par des engrais chimiques qui viennent peut-être d'ici...

W. L.: Donc, une transformation écologique.

G. G.: Comme on dit que les tomates américaines qui nous viennent par train ne goûtent rien, comparées aux tomates engraissées dans notre fumier, les Égyptiens disent que, depuis que ce n'est plus le limon du Nil qui engraisse leurs terres, les tomates ne sont plus bonnes, les fruits ne goûtent pas pareil, les dattes ont moins de goût. Je ne sais pas si c'est vrai, remarquez. Il faudrait peut-être «déterrer» un quelconque pharaon (*rires*) pour lui demander si, dans son temps, les dattes étaient meilleures!

Je ne sais pas si les coûts ont été évalués, mais, pour avoir de l'électricité, on a coupé l'arrivée du limon. Qu'est-ce qui coûte le moins cher? Si, par exemple, vous achetez pour deux milliards de dollars de phosphate par année pour engraisser les berges du Nil, et que le barrage vous rapporte un milliard deux cents millions d'électricité, vous arrivez en dessous de huit cents millions.

Pour Nasser, ce barrage était l'entrée dans le siècle, dans la révolution industrielle. Pour les Égyptiens, ç'a été un certain traumatisme, une espèce de viol de ce que l'Égypte avait toujours été. Et je ne suis pas sûr qu'ils n'aient pas raison, même économiquement, quand ils parlent de viol et de modification fondamentale.

W. L.: Donc le Nil est longé par des bandes vertes, par l'agriculture, mais il y a le désert, pas loin.

G. G.: Le désert ne demande qu'à gagner sur le Nil.

W. L.: C'est une lutte...

G. G.: ... constante, perpétuelle. La frontière entre le désert et les berges du Nil n'a pas changé en cinq mille ans. On a fait quelques expériences d'irrigation, mais très peu: ça coûte extrêmement cher.

W. L.: Est-ce que le désert en tant que tel vous a beaucoup impressionné?

G. G.: Moins que la frontière entre les deux, que la tension entre la verdure et la mort. La ligne très menacée entre les deux, c'est ça qui m'a beaucoup impressionné.

W. L.: C'est le seuil du désert...

G. G.: ... et le seuil de l'agriculture.

W. L.: Est-ce que vous avez trouvé en Irak des choses aussi impressionnantes qu'en Égypte? Je vois que c'est surtout les monuments millénaires qui vous ont impressionné. Est-ce qu'en Irak il en existe?

G. G.: Non. C'est beaucoup moins conservé. D'ailleurs, ce qui a sauvé les monuments d'Égypte, c'est le fameux granit. Du côté de l'Irak, c'est fait en brique.

W. L.: Donc, c'est friable.

G. G.: Donc, ça n'a pas duré très longtemps. Par ailleurs, ils ont inventé des choses dans la brique, une manière d'utiliser la brique peinte, la brique émaillée, la brique en relief, etc., une technique qui, même aujourd'hui, sur nos édifices en brique modernes, serait extraordinairement belle. Mais on ne le fait pas parce qu'on n'est pas très «civilisés».

Ce qui a sauvé ces vestiges-là, c'est le désert, justement. Quand les troupes de Nabuchodonosor, mettons, arrivaient à Ninive et y foutaient le feu, chassaient les habitants et laissaient la terre brûler, le désert, pendant mille ans, devenait maître et enterrait les villes. Ce qui fait que, quand on «déterre» les villes, elles sont telles quelles. Elles n'ont pas bougé d'un poil.

En Égypte, c'est encore plus frappant. Vous avez des villes entières, comme Louxor et Karnak, des villes immenses avec les plus beaux palais, qui ont été ensevelies. Il y avait juste deux pieds qui dépassaient, à un moment donné. Vous creusez, et vous trouvez que vous êtes au cœur d'une salle d'un palais. Vous creusez trois cents pieds plus bas et vous arrivez au plancher du palais. Là, tout est conservé tel quel.

W. L.: Tandis que Bagdad, c'est beaucoup moins impressionnant.

G. G.: Bagdad, malgré son nom (on s'imagine que c'est une ville fabuleuse)... Il y a la vieille ville faite en torchis et les maisons en terre. On me dit que ces maisons (dans lesquelles je n'ai pu entrer), très près l'une de l'autre de sorte qu'il y a de l'ombre perpétuellement dans les ruelles, les rues et les souks, c'est très frais.

W. L.: Est-ce que vous sentez, sur le plan de l'histoire, que c'est une ville millénaire? Ou seulement une ville différente des nôtres?

G. G.: Alors que la pyramide a été faite par un roi (qui l'a fait construire par ses esclaves), on sent que Bagdad, c'est une ville qui a été faite par le peuple: d'un certain côté, c'est plus émouvant, mais d'un autre côté, c'est inaccessible, secret, fermé, on ne peut pas entrer là à moins d'être familier, d'avoir des amis, un mot de passe, etc. Cette vieille ville-là, je la frôlais quand j'essayais d'y jeter un coup d'œil, j'aurais aimé y passer une journée pour voir comment ils vivent et prendre un peu de thé au jasmin avec eux. C'est très impressionnant, très attirant, très attachant de voir ces villages-là au cœur d'une ville, c'est comme si vous aviez des huttes en plein cœur de Montréal.

W. L.: Est-ce qu'il reste des choses de la civilisation sumérienne?

G. G.: Il reste, de Sumer, surtout des objets dans la salle sumérienne du musée de Bagdad..

W. L.: Pas de monuments?

G. G.: C'est plutôt à Assur qu'il y a des monuments, des palais. C'est d'une beauté… C'est très différent des choses égyptiennes. La chose la plus connue, c'est cette espèce de tête avec la barbe très frisée et une couronne en forme de fez. Il y a aussi cette espèce de vache à tête humaine avec des seins ou avec un torse. Et c'est également d'une beauté…

Sumer, c'est des petites choses, un peu comme les petites statuettes du Mexique. Assur, c'est l'art monumental, mais il en reste très peu.

Ce qui est la force de l'Égypte, c'est qu'il y en a tellement. Le Musée égyptien du Caire, ça prendrait une semaine le visiter entièrement. À un moment donné, vous voyez une armoire dans laquelle il y a des choses trouvées dans les tombes. Tout ce qui appartenait au roi quand il mourait (ses femmes dans certains cas, ses jouets, etc.) était mis dans sa tombe, en plus de ce qu'on mettait (des bateaux, de la nourriture, etc.) pour faciliter son voyage vers l'au-delà. Vous savez qu'il y a du blé de trois mille ans, découvert dans une tombe, qu'on a semé et qui a poussé. Ils mettaient la vie dans la tombe aussi.

Dans le Musée égyptien du Caire, il y a tellement de stock, comme on dirait ici, qu'on n'arrête pas d'en faire le tour. C'est un capharnaüm.

W. L.: J'ai l'impression que toute cette conversation porte enfin une évidence: vous avez été fasciné, mais vraiment fasciné par l'histoire de l'Égypte surtout. Je me permets, là encore, d'être surpris, vous connaissant, connaissant vos écrits, vos opinions politiques, votre engagement dans le «journalisme engagé», de voir que, d'emblée — il n'y a pas eu d'accord entre nous, avant —, ce dont vous avez voulu nous parler aujourd'hui, pendant l'heure qui se termine malheureusement, c'est beaucoup plus de l'Égypte ancienne et de vos réactions plutôt d'ordre philosophique en rapport avec la civilisation que de l'actualité politique de cette région du monde où il se passe beaucoup de choses.

G. G.: Je pense que l'Égypte a été, jusqu'à un certain point, une sorte de cure de désintoxication. L'avantage qu'elle a, c'est qu'on voit ensuite les choses et même l'actualité dans une perspective plus juste et plus globale. Moi, j'ai enlevé mes œillères en Égypte, en fin de compte. J'avais un certain nombre d'œillères politiques et autres. On se rend compte que bien des choses sont très relatives et que, par conséquent, il ne faut pas attacher une importance démesurée à ce qui se passe aujourd'hui ici quand on voit des pays où sont toujours vivantes des choses qui se sont passées là il y a cinq mille ans.

Entretien de Wilfrid Lemoyne avec Gérald Godin,
série *Du monde entier au cœur du monde*, CBF-FM,
Yves Lapierre réalisateur, 1er janvier 1976
(enregistré le 10 décembre 1975)

---

1. Avril 1972.
2. Automne 1973.
3. Deux cents ans, si l'on considère que la déclaration d'indépendance des États-Unis est adoptée le 4 juillet 1876; plus de trois cent cinquante ans, depuis la fondation de Québec en 1608.
4. Allusion aux «célèbres» frères Dubois qui sont onze et dont quatre, semble-t-il, sont plus connus. Ils font parler d'eux, par exemple, en mai 1974, à l'occasion d'un vol (voir *Le Devoir*, 30 mai). Leur «carrière» commence dès 1959 (voir *La Presse*, 16 janvier 1994).
5. Allusion, d'une part, à Napoléon et à sa campagne d'Égypte (1798) à la suite de laquelle, entre autres, un officier du génie français, au cours de travaux de terrassement, découvre la pierre de Rosette, et, d'autre part, à Howard Carter, archéologue britannique, qui, en 1922, découvre la tombe de Toutankhamon.
6. *Trésors de Toutankhamon*, Galerie nationale du Canada, Ottawa, 1964.

7. Louis Pauwels et Jacques Bergier, *Le matin des magiciens. Introduction au réalisme fantastique*, Paris, Gallimard, 1960.

8. *Seven Pillars of Wisdom* (1926).

9. Voir l'entrevue de Gérald Godin avec Anouar Abdel-Malek: «Une solution à la crise du Moyen-Orient. Rendre Israël à la Palestine et en faire un pays laïc et démocratique», *Québec-Presse*, 12 avril 1970; et le dossier de Gérald Godin: «La crise du pétrole. Pour comprendre le revirement de l'Arabie Saoudite. Un soir à Bagdad...», *Québec-Presse*, 18 novembre 1973. Gérald Godin connaît Anouar Abdel-Malek depuis 1965, sauf erreur.

La chronique du pêcheur malchanceux

1. Les malheurs de Jos Bleau

Cher monsieur Poupart,

Je m'appelle Jos Bleau. Mon nom ne vous dira probablement rien, je ne suis pas très connu. Si je me décide à vous écrire aujourd'hui, c'est parce que, tout d'abord, la grève des Postes est terminée. Vous remarquerez que, pour être sûr que ma lettre se rende à destination, j'ai inscrit le code postal, mais au cas où le syndicat des postiers déciderait une fois de plus de boycotter le code, je l'ai rayé légèrement au crayon, de sorte que j'ai tous les atouts de mon côté. Mais il y a plus important. Il y a le fait que je suis un pêcheur malchanceux.

Depuis fort longtemps, je vais à la pêche. J'ai pêché le doré dans le Saint-Maurice, dans le bout de Saint-Roch-de-Mékinac et des Piles, il y a une vingtaine d'années. Vers la même époque, j'ai pêché l'achigan dans la rivière Décancour, tout près du pont qui traverse la rivière, au village du même nom. J'ai aussi pêché sur la glace, une fois à Saint-Ours, et plusieurs fois à l'île Perrot. Pas à l'île même, bien entendu, mais dans l'eau qui entoure l'île.

J'ai pêché surtout, depuis quelques années, dans un lac maudit, où ça mord très peu, mais où, quand même, des pêcheurs en prennent quelquefois. C'est au lac Massawippi. Un jour de l'été passé, avec mon ami Roland et une douzaine de bouteilles de bière, on a passé une journée sur le lac. C'était au début de juin. On a pêché à la traîne à l'extrémité du lac, où se déverse la rivière Tomifobia. Ce jour-là, comme c'était le temps de la truite grise, il y avait une quarantaine de chaloupes dans le secteur. J'ai vu sortir seulement une truite. Après avoir pêché trois heures à la traîne, deux heures au ver, une heure au lancer léger sans rien prendre, sinon

307

une perchaude minuscule, on a décidé de ficher le camp. Sur le chemin du retour, j'ai dit à mon ami Roland:

— Écoute, Roland, il faudrait bien faire quelque chose, la prochaine fois qu'on viendra pêcher ici.

Il m'a dit, tout surpris:

— Qu'est-ce que tu veux faire? La pêche, c'est la pêche. Si je connaissais une recette infaillible pour prendre du poisson, je serais millionnaire.

Vous savez, monsieur Poupart, j'ai déjà dépensé des fortunes aux courses de chevaux. J'ai quitté les courses parce que le hasard y jouait un trop grand rôle. J'ai remplacé les courses par la pêche. Or j'en suis rendu à me demander si la pêche, c'est pas arrangé, comme on dit que les courses le sont. Si la pêche c'est arrangé, j'aimerais que vous me disiez qui arrange la pêche, et s'il faut payer quelqu'un quelque part pour que la chance tourne un peu dans ma direction.

La vraie raison pour laquelle je vous écris, c'est pour vous dire qu'il manque une chose dans votre revue. La chose qui manque, c'est la chronique du pêcheur malchanceux[1]. Moi qui vous parle, j'en aurais pour des mois et des mois à vous raconter les malchances que j'ai connues à la pêche. Je vous écris donc pour vous proposer une chronique de la malchance, la chronique de Jos Bleau. Car je lis attentivement votre magazine et j'y vois toujours des pêcheurs souriants avec des brochets de douze livres au bout de leur ligne, ou encore des saumons de vingt-deux livres, ou des trente, quarante truites extraordinaires. C'est bien beau tout ça, mais j'aimerais voir de temps en temps si d'autres pêcheurs sont malchanceux comme moi. Comme je suis sûr qu'il y en a et que je suis sûr qu'ils se sentent aussi orphelins que moi à lire les pêches légendaires que font vos chroniqueurs réguliers, j'estime que ce serait un geste de pure justice que de donner une page par numéro au Québécois ordinaire, au pêcheur au-dessous de la moyenne, qui constitue la majorité des pêcheurs d'ici. Je dis au-dessous de la moyenne, et ça peut sembler contradictoire que la majorité soit au-dessous de la moyenne, mais c'est parce que je parle ici de la vérité et non pas des menteries. Si vous enlevez des statistiques de pêche les menteries des pêcheurs, vous en arriverez à des chiffres qui prouvent que la majorité des pêcheurs sont au-dessous de la moyenne.

Pour toutes ces raisons, je vous propose donc ma collaboration mensuelle. Dans l'attente de vos nouvelles, je demeure votre tout dévoué, et je signe.

JOS BLEAU

Québec chasse et pêche, mars 1976

❏

2. Le facteur «F»

Je veux vous parler, cette fois-ci, d'un facteur constant dans la vie du chasseur ou du pêcheur québécois, mais dont les chroniqueurs ne parlent jamais. C'est-à-dire qu'ils en parlent, mais uniquement dans les conversations privées. Conversations autour de la cheminée du camp McDonald à l'île d'Anticosti, ou dans le grill de l'hôtel Belle-Plage à Matane, pendant le Festival du saumon, c'est-à-dire partout où les chasseurs et les pêcheurs pratiquent, loin de chez eux, ce que l'on appelle «le repos du guerrier».

Parlant de facteurs, on connaît déjà le facteur «Rh», qui sert à classifier le sang humain. Le mien, je vais l'appeler le facteur «F».

Mais tout d'abord, un peu d'histoires. Dans le beau grand lac Massawippi, le lac à faire sacrer le plus chrétien des chasseurs[2], la truite brune ne mord que très rarement. D'après tout le monde, elle mord à peu près seulement la première semaine de l'ouverture de la pêche à la brune, si par chance cette première semaine ne vient pas trop longtemps après que le lac a «calé», comme on dit.

Si vous arrivez la semaine d'après, les chances d'en prendre ont déjà diminué de beaucoup. Donc, cette semaine-là a un peu quelque chose de la Semaine sainte.

Le printemps dernier, dans l'espoir d'en arriver enfin à faire une pêche digne de ce nom sur ce lac, j'avais pris des renseignements aux meilleures sources. Un ami, chroniqueur de pêche dans une revue de chasse et pêche québécoise que je ne peux nommer par souci de discrétion, m'avait fait un tas de recommandations qui devaient mettre toutes les chances de mon côté.

309

Au verso du dessous-de-plat en papier de la taverne où on était allés manger une «binne», il m'avait même dessiné grossièrement le lac Massawippi, avec les bonnes places de pêche.

Le lieu de prédilection de la brune, à cette saison, c'était quelque part entre le mini-delta de la rivière Tomifobia et une petite pointe rocheuse qui s'avance dans le lac. Voilà pour l'endroit.

La manière, c'était un leurre du nom de Delphin et dont il existe deux versions: une de couleur or et une de couleur argent. Et si je me souviens bien, la couleur or devait être utilisée s'il y avait du soleil, et la couleur argent s'il n'y en avait pas.

Armé de cette logique, de cette carte et de deux Delphin de chaque couleur, au cas où je m'accrocherais au fond, ou qu'une brune gigantesque arracherait mon bout de ligne et casserait même ma canne, je me voyais déjà, au bout de quelques heures de pêche avec mon copain Roland, nanti de ma limite, rêve de tout pêcheur et, en particulier, des habitués du Massawippi.

Je m'étais même fait donner un cours sur la manière d'agiter mon leurre à la surface de l'eau, pour imiter les éperlans du lac dont la brune se régalerait, disait-on, cette fin de semaine-là.

Mais pourquoi une seule fin de semaine? Parce que, peu de temps après, l'eau se réchauffe et la brune redescend, d'après la théorie toujours, dans les fins fonds abyssaux du lac.

Donc, comme je disais quand j'étais chez les scouts: «Je suis prêt.»

Je me voyais déjà prélevant ma juste part de poisson, un peu comme le gars «de l'impôt» qui arrive enfin à pincer un gros gars de la mafia, ou comme le maniaque de la mini-loto qui en achète depuis cinq ans et qui gagne enfin, une bonne fin de semaine où son horoscope lui disait que tout irait mal pour lui.

J'avais téléphoné à mon chum Roland. On avait retenu notre chaloupe chez Ride, avec le plus gros moteur, parce qu'on avait une dizaine de milles de lac à franchir. On avait acheté toute une variété de bières pour les différentes heures de la journée. J'avais même fait poser une «patche» sur la déchirure de mon imperméable, qui datait déjà de trois ans, par suite de ma première aventure de pêche à la mouche, que je vous raconterai une autre fois.

Mais il y eut le facteur «F».

Aussi bien vous le dire tout de suite, le facteur «F», c'est ma femme, Valéda.

La veille du samedi tant attendu, il y eut de sa part un déclenchement d'hostilités auprès desquelles la guerre des Six Jours, c'est de la petite bière. «Écoute, Jos, qu'elle m'a dit. On n'a pas eu une fin de semaine ensemble depuis deux mois et demi. La semaine passée, tu as passé la soirée du samedi à regarder la partie de hockey entre les Canadiens et le Buffalo. Le lendemain, la partie entre les Flyers et les Islanders. La semaine d'avant, c'était la partie entre les Canadiens et les Canucks, samedi soir, et dimanche, celle entre les Pingouins et je ne sais plus qui. L'autre semaine d'avant, ton oncle Johnny a passé la fin de semaine ici à jouer aux cartes, et tu ne m'as pas adressé la parole de la journée.»

Et ainsi de suite, elle est remontée jusqu'au 17 janvier, alors qu'on était allés ensemble voir *Le parrain* au Champlain. En l'honneur de l'Année de la femme, j'ai renoncé à mon voyage, pendant que Roland me traitait de maudit peureux. Il peut parler, lui, il ne connaît pas Valéda quand elle est fâchée noir.

Dans les jours qui ont suivi, j'ai lu dans les chroniques que la fin de semaine avait été très bonne pour la brune sur le Massawippi.

Cette année, si les Canadiens sont éliminés en huitième de finales par les Capitals de Washington, et si j'ai emmené mon facteur «F» voir *Jaws* (*Les dents de la mer*) au Villeray[3], avant la fin de semaine de la pêche à la brune, je vais peut-être réussir à en poigner une. Ce serait la première en dix ans de pêche soutenue sur le beau grand lac Massawippi.

Québec chasse et pêche, avril 1976

❏

3. Lâchez-moi tranquille, je vous ai rien fait!

Dans mon esprit, la pêche était une chose fort simple qui ne prêtait pas à conséquence et dont l'objectif ultime était d'adoucir les mœurs. Dans une chaloupe Verchères, seul ou avec d'autres, ou sur la berge d'un beau lac, à l'ombre de quelques bouleaux, ou sur le bout d'un vieux quai, vous tentez d'établir une communication non verbale avec un poisson. J'ai même connu sur la Bécancour, dans les années cinquante, un pêcheur qui parlait aux poissons. Il leur disait des choses comme celles-ci: «Venez voir mon oncle, mes petits bétails», et chanteur de pomme comme un verrat, il ajoutait: «Je vous ferai pas mal.»

J'ai pêché avec un Voblex, au ver, à la lamproie, qui est maintenant interdite, et toujours sans me poser de questions.

Mais un jour, jour sombre, j'ai rencontré un homme qui a changé ma vie: un pêcheur à la mouche. On était allés pêcher ensemble, et quand il m'a vu sortir mon équipement, ma canne bien ordinaire, mon moulinet avec mon filin de couleur noire et ce qu'on appelait dans le temps un *leader* et qu'on a heureusement francisé en «bas de ligne», il a manqué tomber sur le dos!

— Pourquoi? que je lui dis.

Il me répond avec un mépris teinté de la même commisération qu'avaient nos évêques pour les pauvres dans le passé.

— Tu pêches à la quincaillerie.

— Ah bon! que je lui dis, as-tu quelque chose de contre?

Il se lance alors dans un long exposé assez oiseux sur les vertus de la seule vraie pêche, d'après lui, la pêche à la mouche. Il avait une théorie là-dessus: «Tu sais que les poissons se nourrissent surtout d'insectes à diverses phases de leur évolution. Il y a les œufs de l'insecte déposés au fond de l'eau, il y a le stade où l'insecte quitte le fond et monte vers la surface de l'eau, ensuite il y a le stade où, par l'action du soleil dans l'eau, l'insecte passe du stade de la chrysalide à celui de la maturité. C'est alors qu'il agite ses ailes à la surface de l'eau avant de s'envoler dans l'air pur et frais de l'été.»

Je reconnais une sorte de logique dans son exposé et je lui demande quoi faire pour me mettre à jour. Il m'apprend qu'il se donne des cours de lancer à la mouche et qu'avec un minimum de patience et d'entraînement, «n'importe quel Jos Bleau peut devenir un moucheur».

J'ai été chez John Cuco m'acheter une canne, deux moulinets, un pour la corde flottante et un pour la corde calante. J'ai appris à nouer le nœud du bas de ligne en filin transparent, j'ai appris à fixer la mouche à mon bas de ligne, et surtout, dans la cour chez nous, j'ai pratiqué mon lancer.

Mon chum m'avait dit: «Mets un journal sous ton bras et pratique à lancer comme ça, parce que tu dois lancer avec le coude collé au corps.» Enfin, je vous épargne les détails avant de vous tanner complètement avec ces techniques que vous pourrez acquérir dans les livres.

Venons-en plutôt à ma première pêche à la mouche. Je suis sur le bout d'un vieux quai sur mon beau grand Massawippi. Un ruisseau d'eau fraîche se jette dans le lac tout près du quai. Je me dis: «Ça devrait être bon par ici.» On appelle ça le «flair» du pêcheur. C'est un peu comme l'intuition pour les femmes.

Comme on est en juin, j'ai lu qu'il faut pêcher à la mouche mouillée, puisque le futur insecte est encore entre deux eaux.

Premier coup: c'est pas trop mal, je tire à vingt-cinq pieds. Je fouette l'air avec calme et précision, et quand j'ai assez de *swing* dans ma canne, je lâche le tout.

Premier incident: l'ambition m'a poigné, un moment donné, j'ai visé les quarante pieds, comme les Claude Ferragne aux Jeux olympiques, qui veulent toujours battre des records. Résultat: ma mouche est restée accrochée à un bel orme, un des derniers au Québec, probablement, qui avait poussé depuis quarante ans à la même place et qui devait se demander quel énergumène sur le bout du quai s'amusait à pêcher l'orme à la mouche, le dos tourné. J'ai tiré, tiré encore, puis j'ai fait mon deuil de ma mouche, une «Muddler-quelque-chose» qui m'avait bien coûté 1,25 $.

Et je recommence. Ça s'en vient bien. J'ai repéré l'endroit où je crois qu'il y a du poisson: l'eau y est plus noire, il doit y avoir un trou, passé la batture, causé par les alluvions du ruisseau. Je suis sûr que c'est «la» place.

D'un coup à l'autre, je m'approche tranquillement. Je veux dire que ma mouche tombe de plus en plus près du trou où je suis absolument convaincu que se trouve le plus gros achigan ou brochet ou doré du Massawippi.

Deuxième incident: je ressens une douleur au bras droit. Ma mouche vient de me rentrer dans la peau profondément. Après avoir capturé un orme, voilà que je capture un Jos Bleau dans la force de l'âge. J'ai nettement l'impression que l'orme rit tranquillement de moi, dans un bruissement de feuilles.

J'essaie d'arracher la mouche. Ça tire en sacrement. Elle est poignée dans un cartilage. Un saumon accroché comme je le suis ne réussirait jamais à s'échapper. Je prends mon couteau d'officier

313

suisse. Pour le stériliser, je brûle avec une allumette le bout de la lame et je coupe délicatement le morceau de cartilage qui retient la mouche.

Voilà, je suis libre. J'ai réussi à me débarrasser du maudit pêcheur à la mouche qui a essayé de m'attraper.

J'ajoute ceci pour le bénéfice du lecteur. *Primo:* j'ai écarté la pêche à la mouche de mes préoccupations, pour le moment. *Secundo:* quand on parle de la patience du pêcheur, il ne s'agit plus seulement de sa patience à l'égard du poisson, mais de sa patience à l'égard des nouvelles techniques infaillibles mises de l'avant par des experts. Je ne dis pas que je renonce à tout jamais à la pêche à la mouche. Mais je dis: «S'il vous plaît, messieurs les experts, laissez donc pêcher les Jos Bleau tranquilles de temps en temps. Ils ne vous ont rien fait, eux autres.»

Québec chasse et pêche, mai 1976

❏

4. Le général Crapetto

Dans mon boutte, au lac Massawippi, je suis connu sous le nom de «général Crapetto». Et je vais vous raconter pourquoi.

Imaginez une belle journée d'été, ni trop chaude ni trop fraîche. Votre facteur «F» (pour «épouse bien-aimée») ne file pas trop mal ce jour-là et vous estimez que le temps est venu pour vous de passer une bonne journée de pêche sur le lac.

Aussitôt dit, aussitôt fait. Le soleil n'est pas sitôt levé que vous voilà parti pour la Pointe Noire, ou la baie du Golf, dans l'espoir de capturer achigans, dorés, brochets ou même perchaudes, si la chance vous sourit. Après trois heures sans même une touche dans quatre ou cinq bons trous, je dis à mon chum Roland: «Veux-tu prendre du poisson? N'importe quelle sorte de poisson? En grande quantité? À coup sûr?»

Il me répond: «Oui, oui, oui, oui.» Le vote étant unanime, on s'en va dans un coin tranquille dont je ne vous dirai aucun détail, de peur que d'autres pêcheurs ne me le vident.

Rendus là, mon vieux, c'est un vrai massacre! J'en sors à la pelletée! Après une heure, je suis rendu à vingt-deux. Mais de quoi s'agit-il? Du crapet soleil ou de roche.

J'avais lu quelque part, dans Serge Deyglun peut-être, que c'était comestible. J'en ai déjà essayé, ça goûte carrément la «marde», du moins ceux que j'ai mangés. C'était peut-être des exceptions, mais je n'ai pas pris de chance et j'ai tout simplement éliminé le crapet de mon menu.

Toujours est-il que j'en prenais comme un maudit. Juste pour le plaisir, bien entendu. Seul mon chat en mange, dans la famille. J'en prenais tellement que Roland m'a demandé si je lui céderais ma place à mon bout de la chaloupe. Ce que je fais. Mais aussitôt que j'ai déménagé, le crapet semble-t-il m'a suivi, et le mauvais *spot* à Roland est devenu un très bon *spot* aussitôt que je m'y suis installé, tandis que le mien est devenu pourri dès que Roland en a hérité.

Donc, il y a une histoire d'amour entre le crapet et moi.

Mais on s'écœure de prendre du crapet. J'ai donc décidé de me remettre à pêcher le vrai poisson sportif. Pour ce, je me suis «gréyé» de tables solunaires qui vous disent entre quelle heure et quelle heure le poisson mord, un peu comme les horaires d'autobus.

Un après-midi, je jouais aux dominos avec Roland. On se tanne. Il me dit: «On s'en va à la pêche.» Je lui dis: «Non, la pêche, c'est à 4 h 27.» Il s'est mis à rire de moi. J'ai dit: «Ris tant que tu voudras, les tables solunaires le disent, et Poupart est d'accord avec ça. Fais ce que tu veux, mais en tout cas, moi, je ne bouge pas d'ici avant 4 h 27.»

Il s'est rallié: il a une grosse confiance en Poupart. À 4 h 27, on était sur le lac, pas dans le trou à crapets, mais en face du Hovey Manor, là où la brune mord, quand ça lui chante, paraît-il, ce qui n'est pas souvent, souvent.

À 4 h 32, par quarante pieds de fond, j'ai une touche terrible. Je laisse le poisson bien prendre l'appât, puis je donne un coup sec. Ça y est, je l'ai... Je tire, je tire, je tire... c'est un crapet soleil.

Roland rit tellement qu'il renverse presque la chaloupe à l'envers. Je me dis à moi-même: «La prochaine fois, je l'amènerai pas avec moi.»

La fois suivante, je m'installe pas très loin de la Pointe Noire, dans environ trente pieds d'eau. Je complète mon arsenal de tables solunaires par le fameux thermomètre qui vous dit dans quelle température se tient tel ou tel poisson.

J'ai vérifié mes tables solunaires. Je suis sûr de mon *spot*: j'y ai déjà pris un achigan de huit onces il y a vingt-sept ans. Il ne reste qu'à tester la température de l'eau. Ici, une question pour les experts: comment procédez-vous pour vérifier la profondeur? Utilisez-vous une corde dont les nœuds marquent le nombre de pieds? Ou attachez-vous le thermomètre à votre bas de ligne? Moi, je l'ai attaché au bas de ligne, j'ai laissé dérouler jusqu'au fond et, en comptant les tours de moulinet, j'en arrivais à détecter précisément les profondeurs où il y avait 55 °F, qui est la température préférée de la brune.

Et puis, j'ai attendu, un beau méné tout frétillant à mon hameçon.

Tout à coup, ça mord! J'attends que ça se confirme. Rien ne se passe. Je remonte mon appât: il a la tête mangée. Je le remplace et je recommence mon manège. Je me vois déjà débarquant chez Roland avec cinq ou six belles brunes de trois ou quatre livres. Puis, ça mord encore. Cette fois, ça y est, je l'ai. Je rembobine mon moulinet. Je trouve que la brune est un peu légère et qu'elle se débat bien peu. Enfin, le poisson arrive. Devinez ce que c'est? Un crapet soleil.

J'ai quand même été chez Roland. J'avais décidé d'en rire au lieu d'en pleurer. C'est là qu'il m'a donné mon surnom: «Avec tes tables solunaires, ton thermomètre, tes coupures des chroniques de pêche de *La Presse* dans ton coffre de pêche, l'argent que tu dépenses pour arriver à ne prendre que du crapet, je te baptise ici même "général Crapetto".» Depuis sept ans, le nom m'est resté. Je vous dirai un jour quel est son surnom, à lui. Mais c'est une autre histoire.

Québec chasse et pêche, juin 1976

❏

5. Une bonne pêche, c'est impayable

Mon père, je m'accuse d'avoir menti! En effet, il m'est arrivé, une fois dans ma vie, de faire une bonne pêche dans le beau grand lac Massawippi.

Il fut un temps où l'on pouvait pêcher du haut du pont qui traverse la rivière Massawippi, en plein cœur du village de North Hatley. C'était il y a trois ans. Or, pour une de ces raisons dont les administrations publiques ont le secret, la pêche fut interdite. Ainsi, un des plaisirs de l'été fut détruit, pour des raisons qui ne furent jamais précisées. Est-ce le locateur des chaloupes qui trouvait que le pont lui faisait une concurrence déloyale? Est-ce les citoyens qui n'aimaient pas la vue de deux ou trois pêcheurs accoudés au garde-fou du pont? On n'en a jamais rien su.

À l'époque, donc, où la pêche était permise du haut du pont, il y avait, juste sous le pont, un trou à achigans qui n'était pas piqué des vers. Le seul ennui, c'était la hauteur du pont: très souvent, les achigans un peu plus costauds réussissaient à se défaire de l'hameçon au cours du voyage entre l'eau et l'épuisette du pêcheur.

La solution sautait aux yeux: louer une chaloupe et jeter l'ancre juste au-dessus du trou à achigans. Ce qui fut dit fut fait. Et un beau jour de la fin de juin, en plein soleil, dans trois pieds d'eau, mon ami Roland et moi-même jetons l'ancre sous le pont, sous les regards amusés des passants qui devaient se dire: «Pourquoi ces deux "guerlots" ne pêchent-ils pas du haut du pont?»

Croyez-le ou non, en une heure et demie, on a réussi à prendre douze ou quatorze achigans, sans parler des perchaudes, crapets et carpes qu'on relâchait au fur et à mesure. Et sans parler non plus de l'achigan de deux livres et demie à trois livres que je tenais pour lui arracher l'hameçon qu'il avait dans la gueule et qui a réussi à me planter une de ses nageoires dorsales dans la main, juste assez pour que je le lâche et qu'il saute à l'eau. J'avais eu le temps de remarquer qu'il avait déjà, bien enfoncé dans la gorge, un autre hameçon avec le bas de ligne après, et tout et tout.

Je dis à Roland qui m'engueulait comme du poisson pourri: «Écoute, il avait déjà réussi une fois à échapper à la poêle à frire, il méritait bien de vivre encore.»

Et là, Roland me dit que je fais du sentiment à tort et à travers, qu'il faut se conduire à la pêche comme Dave Schultz sur la glace du Spectrum: sans peur, sans cœur et sans reproches. Aucune concession à l'ennemi. À la guerre comme à la guerre. Messieurs les pêcheurs, tirez les premiers, etc.

Voilà ce que j'appelle des mentalités d'assassins. Moi, je vous le dis bien franchement, j'ai beaucoup d'amitié pour les poissons.

J'en suis même à me demander s'ils ne m'ont pas donné un complexe d'infériorité, depuis le temps qu'ils me surprennent au moment où je m'y attends le moins, depuis le temps qu'ils cassent mes bas de ligne et qu'ils s'en vont avec ma quincaillerie. En tout cas, complexe ou pas, j'ai beaucoup de respect pour les poissons. Malheureusement, ils n'en ont aucun pour moi. En un mot, je suis sûr qu'ils rient de moi au coton. Et quand ils me voient arriver chez Ride pour me louer une chaloupe, ils se disent: «Bon, on va pouvoir passer une journée tranquille, ce n'est que Jos Bleau», et ils retournent se coucher ou continuent de manger sans s'inquiéter de rien.

En tout cas, ce jour-là, exceptionnellement, tout marchait sur des roulettes.

Vers quatre heures de l'après-midi, comme ça mordait un peu moins, on a décidé de paqueter nos petits et de rentrer à la maison pour déguster nos achigans. Imaginez-vous! Pour la première fois en sept ans de pêche, en arrivant au débarcadère, on avait une brochetée d'une bonne douzaine d'achigans qu'on a bien étalés sur le quai, le temps de ramasser tout notre équipement.

Mais là, il s'est passé une chose extraordinaire. Un autre pêcheur revenait lui aussi de sa journée de pêche en même temps que nous autres. Mais il n'avait capturé que quatre perchaudes minuscules. Il avait l'air triste, c'était pas possible. Et humilié aussi. Et quand il a vu notre brochetée d'achigans, il est venu les yeux grands comme des dix piastres olympiques. Il nous regardait comme un maudit malchanceux, comme moi-même, des dizaines de fois, j'ai regardé les autres pêcheurs.

Il s'approche de nous autres et il me dit: «Sacrement qu'ils sont beaux! Où c'est que vous avez pris ça?» On lui indique notre *spot*, à peu près à trente-cinq pieds du quai, alors que lui, il était allé à l'autre bout du lac, à huit milles plus loin, pour prendre quatre misérables perchaudes. Et il ajoute: «Vendez-moi-z-en une couple.»

Là, je fais ni une ni deux, je fais un calcul rapide: sept ans de pêche, à tant par année, plus tant pour l'équipement, tant pour ci et tant pour ça, divisé par douze achigans: «O.K., O.K., on va t'en vendre deux, ça sera 87 $ pour chaque achigan.» Il répond: «Êtes-vous fous, sacrement?» Je lui dis: «C'est ça qu'ils nous coûtent, mon vieux, c'est ça qu'ils nous coûtent.»

J'ai pas besoin de vous dire qu'il a reviré boutte pour boutte. Nous autres, en y repensant bien, on s'est dit que le gars avait raison: il fallait être des maudits fous pour investir autant d'argent pour poigner si peu de poissons.

Québec chasse et pêche, juillet 1976

❏

6. La pêche au livre

Après mes échecs répétés à la pêche à l'achigan dans le lac Massawippi, à l'exception de cette pêche miraculeuse dont je vous ai déjà parlé, j'avais décidé de me renseigner. J'ai été chez Courville Sports (publicité gratuite) pour voir s'il n'y avait pas des livres qui pourraient m'apprendre quelques secrets utiles pour «poigner» de l'achigan.

Mon choix s'est porté sur la *Fishermen's Bible* de Tom McNally dans laquelle il y avait une série d'articles sur l'achigan, écrits par un certain «Buck» Perry.

J'ai trouvé ça intéressant pas pour rire. Il y avait des dessins qui montraient la coupe d'un lac, avec les profondeurs et tout, et qui vous disaient où se tiennent les *schools* ou «écoles» d'achigans. Et ça disait aussi où était le sanctuaire, près des roches ou encore près des arbres morts. Un plan de toute beauté, un peu comme le plan du métro de Montréal. Tout ce qui manquait, c'étaient les horaires des poissons!

J'ai emporté ma *Fishermen's Bible* dans ma chaloupe avec moi, et là, j'ai cherché le bord du lac Massawippi qui ressemblait le plus à la description faite par «Buck» Perry.

En fait, il aurait fallu être expert en plongée sous-marine pour savoir exactement la configuration du lac, et s'il y avait des «écoles» d'achigans ainsi que des «sanctuaires». Et je me suis demandé si l'expert «Buck» Perry, il n'était pas descendu au fond de son lac avec la *Calypso* à Cousteau pour nous faire un plan si précis et si détaillé.

Si tel est le cas, ce n'est plus tout à fait de la pêche comme on la pratiquait par chez nous, quand j'étais jeune, sur la Bécancour ou sur le Saint-Maurice.

Mais j'arrête de chialer et je continue à lire ma Bible du pêcheur. D'autant plus que «Buck» Perry a l'air plutôt sympathique, avec sa bonne gueule brûlée par le soleil.

Donc, je trouve le lieu rêvé, d'après les leçons de «Buck» Perry.

Dans le chapitre suivant, il dit comment pêcher d'après une technique qu'il a mise au point lui-même: le *spoonplugging*. Et ça se pratique avec des *spoonplugs*, qui sont un produit inventé et mis sur le marché par ledit «Buck» Perry.

Encore là, il faut repérer la bonne place, c'est-à-dire les plans d'eau profonds, puis les hauts-fonds, et pêcher à la limite des eaux profondes et des hauts-fonds. Le problème avec le lac Massawippi, c'est que le profond mesure huit milles de long sur plusieurs centaines de mètres de largeur, tandis que le lac dessiné par Perry dans la bible du pêcheur, c'est à peu près grand comme la piscine olympique du maire Drapeau.

En tout cas, je m'installe quand même au lieu qui semble le plus propice et je commence à faire du *spoonplugging* avec les *spoonplugs* de mon nouveau maître à pêcher, «Buck» Perry.

Mon ami Roland m'observe du coin de l'œil, l'air d'un gars qui doute de tout et qui en a vu d'autres.

— Général Crapetto, me dit-il en imitant l'accent espagnol du général Alcazar dans *Tintin et les Picaros,* es-tou sour qué lé systéma, il est buono?

Je lui réponds en joual gros comme le bras:

— Général Morpiôné, va fanculla (c'est de l'italien et en français, ça ne serait pas publiable).

Après une heure de pêche au *spoonplugging*, je sens tout à coup que ça mord. Je ferre, ça y est, je l'ai. Je regarde Roland, l'air triomphant:

— Général Morpiôné, que je lui dis, lé systéma, il est buono en tabernaculo.

Puis, j'amène ma prise à la chaloupe. Enfer et damnation, c'est effectivement un achigan, mais je l'ai attrapé… par le ventre.

J'ai appris qu'il y avait des gens qui téléphonaient ou qui écrivaient à *Québec chasse et pêche* pour mettre en doute la véracité des histoires que je raconte. Et pourtant, c'est la vérité la plus pure et la plus complète que je dis ici. Roland pourrait vous le confirmer, si jamais on était convoqués tous les deux devant la CECO. En tout cas, croyez-moi, croyez-moi pas, c'est la pure vérité. J'avais un achigan par le ventre...

Le général Morpiôné riait dans sa barbe. Moi, j'avais le feu. J'ai pris la *Fishermen's Bible* et je l'ai «garrochée» dans le lac. Les poissons ont dû rire en la voyant descendre en tournoyant lentement jusqu'au fond insondable du Massawippi.

Quant à «Buck» Perry, j'aimerais bien ça qu'il vienne pêcher dans des places comme nous autres, au lieu des lacs à cinq cents milles de la civilisation, là où un enfant de six mois pourrait prendre du poisson avec son épingle à couche!

Québec chasse et pêche, août 1976

---

1. Pendant les cinq prochains mois, Jos Bleau sera, dans le cadre de cette chronique, le pseudonyme de Gérald Godin.
2. Lapsus.
3. Le Champlain et le Villeray sont deux salles de cinéma montréalaises.

Entretien avec Daniel Guénette
(*extraits*)

D. G.: On vous demanderait de nous parler du voyage, et ce dans tous les sens du mot. Je pense qu'on va parler d'écriture et de votre vie puisque c'est vous, ici, qui avez voyagé. J'aimerais commencer en vous demandant comment vous définiriez l'activité du voyage.

G. G.: Pour moi, il y a un phénomène absolument curieux qui se produit quand je voyage: je ne peux pas écrire tellement chez moi. Dès que je pars de Montréal, ou de chez moi, ou de mon environnement quotidien, il me vient un tas d'idées, de personnages. Pour moi, c'est un mystère profond que le fait de l'écriture, que le fait du voyage ou de l'exil, exil, remarquez bien, parfois pas tellement loin: ça peut être Montmagny où je suis allé il y a une semaine et où ça a marché, j'ai réussi à écrire.

J'ai écrit aussi au Brésil l'année passée[1]. Là, je cherchais la partie africaine du Brésil ainsi que la partie portugaise, il y avait donc l'Europe qui se confrontait avec l'Afrique. La ville de Salvador de Bahia est une merveille à cet égard parce qu'il y a la coexistence des églises portugaises, comme à Lisbonne, avec à leur pied le carnaval de Bahia qui est plus fou que celui de Rio, plus africain et plus délirant.

Moi, ce qui m'a frappé et ce qui m'a beaucoup stimulé pour écrire, c'est la coexistence, évidemment pacifique mais non moins réelle, de l'Afrique et du Portugal classique, traditionnel, avec les églises, les couvents, etc. Et je n'ai pas encore compris le phénomène qui fait que ce soit James Joyce qui s'exile à Trieste, je crois, pour écrire *Ulysse*, ou d'autres écrivains que je connais qui ne peuvent écrire que s'ils sont loin de chez eux. Et peut-être en est-il ainsi d'Hubert Aquin qui a dû passer par la prison pour écrire, au fond, et qui s'est enfui à Lausanne, je crois, pour pouvoir réussir à saisir ses personnages[2]. Pour moi, c'est un mystère. Je n'ai pas de réponse à la question. Je pose seulement le mystère tel que je le vis: que l'éloignement stimule des neurones qui font écrire et qui font imaginer des situations, comme si, étant loin, il nous fallait recréer notre monde, et que notre monde peut être un roman, un poème, une murale — une œuvre littéraire ou artistique. Donc, on se refait un abri.

D. G.: Il faut sortir de chez soi pour écrire; mais si on écrit chez soi, est-ce qu'on n'est pas dans une espèce d'ailleurs, par le phénomène même de l'écriture qui nous ferait plus ou moins quitter jusqu'à un certain point notre quotidien? Est-ce que l'écriture n'est pas elle-même un voyage?

G. G.: On peut écrire chez soi, bien sûr. Combien de poèmes j'ai écrit dans ma voiture, entre Montréal et Québec, au risque de prendre le fossé d'ailleurs.

D. G.: Vous les écriviez oralement, mentalement?

G. G.: En conduisant, d'une seule main. Ce qui me frappe là-dedans, et je fais une hypothèse, peut-être est-ce qu'il faut que les gens recréent un environnement dans lequel ils ne se sentent pas trop malheureux, parce qu'au fond, l'abri, ou la maison, ou le quartier, ou le pays, ça répond peut-être à une très vieille notation de Lorenz qui a écrit le fameux livre où il développe le complexe de l'*arena*, c'est-à-dire le territoire. Lorenz développe cette idée que les animaux marquent leur territoire avec de l'urine ou frottent leur musc sur les arbres pour avoir un territoire à eux dans lequel ils se reconnaissent.

Est-ce que l'écrivain, loin de chez lui, ne recrée pas un environnement dans lequel il se sent chez lui? À ce moment-là c'est un territoire ou un lieu littéraire si vous voulez, mais c'est un autre lieu qu'il recrée parce qu'il n'a plus le sien. Donc, l'exil est propice à l'écriture parce qu'il force le voyageur à recréer son monde ou un autre monde dans lequel il se sent chez lui. Aussi, en voyage, beaucoup de Québécois se mettent à chanter des chansons québécoises. J'ai vu ça à Paris en 1962, à l'époque où j'étais étudiant au Théâtre des nations: les Québécois se regroupaient et chantaient de vieilles chansons québécoises, chantaient du Leclerc ou du Vigneault, et là il se dégageait une chaleur intense de ce groupe qui avait recréé un environnement propice. Peut-être que l'exil dont je parle est générateur de tels phénomènes, de tels comportements, ce qui expliquerait que beaucoup d'œuvres s'écrivent en exil. Une œuvre est un nouveau quartier dans lequel on veut vivre.

Par ailleurs, j'ai écrit aussi à la suite d'un autre très long voyage: un voyage dans la maladie, celui-là. La maladie est un voyage que beaucoup de gens font: l'accident ou l'opération majeure, et c'est un voyage, en général, vers le mysticisme et vers soi-même. Parce qu'on découvre un tas de réalités de soi dont on ne soupçonnait pas l'existence. Donc, en ce sens-là, la maladie, je la souhaite à tout le monde, jusqu'à un certain point, ou l'accident, ou l'opération, ou, enfin, un arrêt brusque d'activité qui met en contact avec le drame. Est-ce qu'on va être là dans cinq ans, dans dix ans, dans vingt ans? Seule la maladie peut faire ça, je dirais, une rupture dramatique avec le passé. Ça aussi, c'est un voyage qui est créateur. J'ai mis les deux ensemble. Je sortais à peine d'une opération au cerveau et je me suis exilé en France au début, en Italie ensuite, au Brésil l'année d'après. Parce qu'il fallait que je voie la vie ailleurs. Comme disait Arthur, «la vraie vie est ailleurs», et je pense que c'est vrai. Je me demande si on ne découvre pas sa vraie vie intérieure en étant ailleurs plutôt qu'en étant ici.

D. G.: Vous croyez qu'on découvre notre vraie vie intérieure plutôt ailleurs. Comme s'il y avait une impossibilité d'être soi chez soi.

G. G.: Ce qu'on appelle chez soi! Par une espèce de curieux jeu de mots dont Lacan apprécierait la rime, je ne pense pas que chez soi on est vraiment soi. Parce qu'on est trop protégé, comme l'enfant dans le ventre de sa mère n'est pas encore lui. Je pense qu'on a tendance à recréer le ventre de la mère dans notre quartier, dans notre vie quotidienne, avec notre bureau, nos livres, nos posters, les photos qu'on aime, etc., et on tapisse le ventre de notre mère, qui est notre chambre, de signes qui s'usent très vite et qu'on ne renouvelle pas souvent. Et, à mon avis, ça use nos antennes pour voir ce qu'est la vraie vie.

D. G.: Est-ce que l'écriture permet, d'après vous, de savoir ce qu'est la vraie vie? Vous allez en voyage et vous dites: «Ça me fait écrire, ça me fait me découvrir moi-même.» Est-ce à cause du voyage ou parce que le voyage fait écrire? Est-ce qu'un voyage sans écriture donnerait les mêmes résultats?

G. G.: Non, pas du tout. Le voyage, à mon avis, permet deux choses. D'abord de se confronter à de nouveaux récifs, à de nouvelles rugosités des êtres et des couleurs, des mœurs et des langues aussi, de se sentir donc un peu, comme disent les Américains, un *tumble weed,* c'est-à-dire les foins qui roulent dans les westerns. On disait à l'époque que les voyages forment la jeunesse.

D. G.: Est-ce que vous vous êtes déjà senti «déformé», attaqué par la différence, menacé en voyage? Vous êtes-vous déjà senti contesté par l'autre? Comme si le voyage pouvait aussi être une agression?

G. G.: Il m'est arrivé deux fois, effectivement, d'être l'objet de pègreux. Une fois au Brésil et une fois en Égypte. Des jeunes qui, me sachant touriste, donc par définition plus riche qu'eux, m'ont amené à une remise en question fondamentale de mon monde, qui est un monde de respect de certaines valeurs. Ça n'a pas été négatif, en fin de compte.

Au Brésil, je me suis fait embarquer par deux changeurs au marché noir qui me proposaient des *deals* absolument invraisemblables, évidemment. Pour un dollar américain, ils me proposaient un nombre délirant de *cruzeiros* et, dans ma cupidité capitaliste de Blanc, j'ai voulu tenter de faire un coup d'argent avec eux. Évidemment, c'est eux qui l'ont fait avec moi. Au fond, j'ai été confronté à un monde de valeurs absolument invraisemblable. Je me souviens encore qu'ils m'avaient amené dans un petit café d'un quartier de Bahia et je me souviens encore des sourires incroyables des témoins de l'opération qui l'avaient probablement déjà vue avant. Un sourire que je n'oublierai jamais: le mépris, au fond, d'ailleurs très bien fondé, le mépris pour celui qui, croyant prendre, est pris.

En ce sens-là, se faire rouler en pleine rue par des gens qui ont l'air sympathique, c'est un phénomène qu'on vit peu à Montréal. Donc, c'est un autre monde, une autre planète. Ç'a été je ne dirai pas positif, parce que j'ai quand même laissé quelques utiles dollars dans la manœuvre, mais je me souviens encore des gestes pour ridiculiser à juste titre le touriste. J'ai compris aussi jusqu'à quel point ils méprisaient le touriste. Au fond, qu'est-ce qu'on est, nous, là-dedans? On est vraiment un microbe qui n'a pas affaire là, en fin de compte, parce qu'on s'en vient voler leur culture jusqu'à un certain point, et on espère, mieux que ça, ramasser encore plus de *cruzeiros* que normalement, donc les rouler aussi, rouler l'économie du pays. En ce sens-là, j'ai eu une bonne leçon de morale ou d'éthique dont je me souviendrai toujours, mais je me souviens surtout de leur humour face à ça qui n'est pas un phénomène qu'on connaît ici au Québec; même en Amérique du Nord, les gens ne sont pas tellement comme ça.

Et en Égypte, c'était au sujet d'une montre, trois jeunes gens qui voulaient me faire la peau, comme on dit.

Mais ce sont les seules expériences que j'ai vécues, je dirai, d'*estrangement*: me retrouver tout à coup face à une réalité, la violence, que je ne connaissais pas au Québec. Jamais face à la langue ou à la culture, sinon peut-être en Russie face aux noms des rues en caractères cyrilliques; il y a une espèce de dépaysement total mais qu'on peut compenser grâce aux cours de grec qu'on a suivis au collège classique. Le vrai dépaysement, je l'ai senti plutôt face à la violence des pègreux du Caire et de Bahia. Ce sont les deux seules fois.

D. G.: Vous avez été amené à évoquer la réalité du tourisme. Quelle différence faites-vous entre le voyageur, le voyageur que vous êtes quand vous allez justement dans ces pays-là, et le touriste? Est-ce que vous sentez que vous êtes un touriste, est-ce qu'on vous perçoit comme tel ou est-ce que vous cherchez vous-même à vous défaire de tout ce qui vous signalerait comme touriste aux yeux des gens du pays? Est-ce que vous avez un malaise face au tourisme?

G. G.: Je pense qu'on ne réussit jamais à laisser totalement chez soi d'abord le vêtement, ensuite l'accent québécois. Quand, il y a deux hivers, j'étais à Aix, je me suis senti extrêmement isolé: en fait, plus seul à Aix que dans n'importe quel pays du monde. Pourtant, c'est une ville française où, soi-disant, nos racines — le Québec et la France — se rejoignent. Mais je me suis rendu compte qu'on n'échappe pas à sa nature de touriste, à moins que ce soit du tourisme à une piastre par jour, comme mon fils peut le faire ou comme les jeunes le font: partir avec un «pack-sac» et se glisser dans la foule des démunis et des sans-abri, aux Indes ou ailleurs. Comme je ne voyage plus comme ça depuis fort longtemps, je n'ai pas réussi à laisser où que ce soit, dans quelque vestiaire que ce soit, ma peau de touriste, mes vêtements de touriste ou mon accent de touriste.

Au fond, qu'est-ce qui révèle le plus quelqu'un? C'est l'accent. Quand un Québécois dans un bar ou un bistrot à Aix demande un café ou une bière, immédiatement il est mis à l'écart. Il y en a qui, en prenant un coup, réussissent à surmonter ça en chantant des chansons puis en tournant en dérision leur accent et leur statut d'intrus, si vous voulez. Moi, je n'ai jamais réussi à faire ça, je ne suis pas assez extraverti pour réussir ça. Je me replie sur moi-même et c'est peut-être là que je deviens écrivain, dans ce repliement maladif, dans ce voyage que je fais qui est intérieur, à ce moment, et qui est également maladif, pas très sain en fin de compte.

D. G.: Pourquoi est-ce qu'il est maladif?

G. G.: Parce que la vraie manière d'être, c'est peut-être celle d'Hemingway à Venise qui était copain avec tout le monde au bar *Chez Ari* (et non Harry, à l'américaine), qui, étant un extraverti complet, avait réussi à «faire son show», comme on dit ici, et à devenir la vedette du bar. Et le bar se remplissait pour voir Ernest, monsieur Ernest.

D. G.: C'est un natif des Gémeaux, Hemingway, si je ne me trompe, une nature extravertie.

G. G.: Je ne savais pas ça. Il y a des natures qui s'extravertissent et qui réussissent partout dans le monde. Je me souviens d'avoir vu dans ce petit café, *Aux gâteries,* où se tenaient souvent Jutra, Miron et Denise Boucher, le comédien Donald Sutherland sortant de sa poche des billes de magicien pour donner — comme Hemingway — un spectacle, pour s'intégrer à notre petit milieu du carré Saint-Louis. Il n'a pas réussi parce qu'on le regardait comme une espèce de comique un peu cabotin. Les Américains ont tendance à faire ça. Et j'ai vu des Russes, à Cuba comme touristes, être aussi timides que les Québécois dans le monde.

D. G.: Ce qui serait malsain alors, dans l'écriture, ce serait la coupure, le fait de s'isoler. Mais c'est un peu paradoxal: vous cherchez à écrire, puisque vous êtes écrivain; alors vous voyagez, ça favorise votre isolement, donc vous pouvez écrire encore plus. Bref, l'écriture, ce serait une maladie qu'on n'a pas sans une certaine complicité, qu'on recherche, qui nous est nécessaire.

G. G.: Oui. En fait, on se découvre en voyage. Moi, j'ai redécouvert ce que je savais déjà, que je n'étais ni un être extraverti, ni un être spectaculaire, ni un être qui prend sa place dans la société, pas du tout. Je le savais déjà avant de partir d'ici mais, en voyage, c'est encore plus clair. J'ai vu des Québécois à Aix, à un bar de bistrot, un zinc comme on dit là-bas, être tout à fait chez eux, comme des poissons dans l'eau, une belle expression, alors que moi, j'étais comme un poisson sur la plage, avec mes branchies qui s'agitaient désespérément. Je n'ai jamais réussi d'ailleurs, à Montréal non plus, à «faire partie de la gang», si vous voulez. Et là-bas, je me prostrais, je me repliais sur mon intérieur, qui était le roman que je faisais, et c'était en même temps une défaite.

D. G.: Mais quel est le titre de ce roman?

G. G.: *Le faux Modigliani*[3].

D. G.: C'est quelque chose à venir?

G. G.: Oui. Il n'est pas terminé, il est encore en gésine, comme on dit à l'hôpital Saint-Luc. Je me repliais donc sur moi-même, sur mon roman. J'arrivais dans ma chambrette et j'écrivais, j'écrivais, j'écrivais pendant des heures, sans arrêter, pour recréer un univers dans lequel, surtout par un retour aux mots québécois, je me sente chez moi avec mes personnages, avec mon monde. Au fond, quand on se les prononce à soi-même à mille kilomètres de Montréal, les mots d'ici prennent une valeur affective absolument invraisemblable. C'est pour ça d'ailleurs, comme je vous le disais au début, qu'on chantait du Félix Leclerc à l'époque à Paris: c'était à cause des mots, ces mots-là étant pour nous comme des photos de nos parents, des photos du pays. J'ai découvert en voyage l'importance des mots d'ici. Ces êtres, ces objets étranges, pleins de vitalité et de vie, les mots du peuple québécois, deviennent, quand on est loin, des miroirs de ce qu'on est et des objets très vivants auxquels on s'attache encore plus parce qu'on est en manque de notre pays. L'exil donne aussi cet avantage de permettre de mieux mesurer la valeur des mots que l'on porte en soi et dont on se souvient quand on est loin.

D. G.: Tantôt on disait à peu près «on ne peut pas être en soi quand on est chez soi». Ça revient à dire: je m'en vais très loin, à un océan de chez moi, et j'éprouve la nécessité de recréer cet univers qui, quand j'y suis, fait que je ne suis pas moi; mais, en dehors de lui, j'ai besoin de le recréer pour redevenir moi.

G. G.: Je vais vous raconter une histoire indienne qui me vient d'Arthur Lamothe. Les Montagnais ont un jeu qui consiste à inventer de nouveaux mots pour de nouveaux sentiments. Un des jeux qui m'a été raconté est le suivant: «Quel mot prendriez-vous pour décrire telle situation?» Voici la situation: je quitte le village, le wigwam comme dirait Trudeau, le camp des Montagnais, mes copains, mes frères et sœurs, ma famille et tout, et je monte sur le plateau pour m'en aller vers le Grand Nord. Là, du plateau, je me sens très bien d'être seul et dans la nature, dans le cosmique qu'est chaque voyage dans le Nord ou dans le bois, et je regarde mon village en bas de la côte, avec le feu allumé et les gens qui s'agitent. Quel mot peut-on inventer pour décrire ce sentiment double et complexe du plaisir de partir et de l'ennui de ne pas être là? Je n'ai pas trouvé le mot, et lui non plus, mais je trouve que ce que vous venez de dire touche précisément cette démarche tout à fait double, et d'autant plus riche de signification qu'elle est double, de s'ennuyer et, en même temps, d'être content de partir.

L'attachement aux mots d'ici relèverait donc de l'expérience de voir le feu de camp au village et de l'excitation qui prend le voyageur qui s'en va vers une sorte d'inconnu dans lequel il espère se découvrir lui-même ou découvrir des choses qui vont l'enrichir ou pécuniairement, c'est le cas de Christophe Colomb, ou moralement, c'est le cas des voyageurs qui ont créé des œuvres à partir de leur voyage. Je pense à ceux qui ont vu la pyramide de Chéops pour la première fois: ils ont découvert un monde tout à fait nouveau qui les a nourris toute leur vie. Je pense aussi à Champollion, le découvreur du sens des hiéroglyphes égyptiens: il est un de ceux qui est allé se nourrir, à l'extérieur, de cultures nouvelles et qui les a ramenées chez lui pour les faire comprendre à ses contemporains. Et là, il y avait coexistence de deux réalités très fortes: l'ennui, d'une part, d'autre part, la découverte d'un monde nouveau.

D. G.: Pensez-vous que de nos jours, justement, alors qu'on a quand même fait le tour de la terre et davantage encore, on puisse voyager dans le sens où vous venez de le dire, c'est-à-dire faire des découvertes, quand on a peut-être juste à rester chez soi, s'installer devant le téléviseur où des documentaires nous présentent tous les coins de la planète, quand on a les livres et des magazines comme *Atlas*, *Géo* et *National Geographic*? Ne pensez-vous donc pas qu'on est toujours devancé dans le voyage? On s'en va en France, par exemple. La France, on la connaît par les films qu'on a vus, on la connaît par nos lectures. Est-il possible, à ce moment-là, d'être autre chose qu'un voyageur sans voyage, sans découverte, c'est-à-dire quelqu'un qui est partout plus ou moins en pays de connaissance — s'il est allé faire son tour à la librairie Ulysse avant son départ?

G. G.: Je pense qu'il y a encore moyen. Il faut être un peu canaille pour découvrir autre chose. Les quartiers dits mal famés, comme Pigalle à Paris ou à Bahia le quartier de la prostitution et des bordels, sont des quartiers où on peut découvrir des mondes nouveaux. On peut donc entrer dans Bahia et dans Paris avec l'aide d'une prostituée. On est dans un monde interdit, dans un monde inconnu, peu décrit parce que c'est un monde du péché et, comme on est encore très judéo-chrétien face à cette réalité-là, on ne connaît pas et on ne va pas chercher la réalité qui s'y trouve. Mais je pense qu'il y a là des continents inconnus, des *terra incognita*.

D. G.: Proust a dit que la vie est un voyage. Alors, à ce moment-là, dès qu'on est vivant, où qu'on soit, on voyage toujours. On peut voyager à Montréal, même si on habite Montréal depuis trente ans ou plus.

G. G.: Oui. Il y a un très beau livre de Xavier de Maistre qui s'intitule *Voyage autour de ma chambre*[4]. C'est un livre que j'ai beaucoup aimé à une époque où on était beaucoup plus heureux dans sa chambre. Comme j'achète beaucoup de livres et que j'en lis très peu parmi ceux-là, j'ai toujours quelque part dans la maison un rayon complet de livres que je n'ai pas encore lus. Quand je suis en vacances, je peux fouiller dans ce rayon et je redécouvre des livres que j'avais oublié de lire dans le temps: là, on peut effectivement voyager chez soi. C'est un voyage en dehors du risque, dans lequel il n'y a pas le beau risque dont ont parlé beaucoup de gens il n'y a pas si longtemps[5]. Ce n'est donc pas le vrai voyage.

D. G.: Le vrai voyage, c'est donc partir de chez soi et découvrir un pays ou une région qu'on n'a pas connus.

G. G.: On peut dire que le vrai voyage, ça peut être le divorce aussi. La séparation d'un couple, la vie après le divorce est un vrai voyage pour les deux personnes. D'ailleurs, combien de femmes m'ont raconté qu'elles sont apparues, après le divorce, beaucoup plus fortes que leur mari ou leur ami ne le prévoyait. Le voyage a ceci de bon aussi qu'il permet de voir les déficiences ou la vraie nature des voyageurs, mais également, dans certains cas, de nouvelles forces qui apparaissent au voyageur. À tous égards, le voyage est une merveille. C'est peut-être pour ça qu'on avait donné à l'émission de Radio-Canada le titre de *Pays et merveilles*, un beau titre que vous pourriez donner à votre numéro de revue.

D. G.: On avait pensé à *Heureux qui, comme...*

G. G.: Est-ce que vous faites allusion au Ulysse de James Joyce ou à celui d'Homère?

D. G.: À Homère.

G. G.: Je pense que le voyage est, par excellence, le décapant et le révélateur, comme lorsqu'on met la photo dans l'acide et qu'apparaissent les couleurs. Le voyageur est dans l'acide quand il voyage, sans jeu de mots.

D. G.: Justement, ce voyage-là, car vous avez connu comme moi cette époque où il y en avait qui «trippaient», ce voyage-là vous a-t-il tenté? Avez-vous connu, comme d'autres écrivains, des expériences hallucinogènes à l'aide de drogues?

G. G.: Oui. Un peu sur le modèle de Michaux, j'ai fait l'expérience à Paris de la psilocybine, qui est un champignon mexicain. J'ai fait un voyage, effectivement, dont il ne m'est rien resté, sinon quelques dessins peu intéressants. Après l'avoir fait, je n'ai pas poursuivi parce qu'à mon avis il n'y avait rien là. Il y a d'autres moyens de parvenir au voyage que ces supports techniques ou chimiques.

D. G.: Est-ce que cette époque-là, où justement beaucoup de gens, jeunes et vieux, «trippaient» de cette manière, vous achalait ou vous apparaît rétrospectivement comme un leurre, un mauvais bateau, un mauvais voyage qu'on aurait fait et qui nous aurait fait perdre contact avec des réalités concrètes qu'on peut administrer le plus sérieusement du monde, pour ne pas dire politiquement, par exemple?

G. G.: Au fond, la question politique se pose là-dessus, parce qu'après *Parti pris* il y a eu *Mainmise*[6]. Avaient quitté *Parti pris* Paul Chamberland et Pierre Maheu pour faire des expériences, des «trips» de commune ou d'autres formes de voyage dans une réalité nouvelle. Et, à l'époque, les vieux «politiques» comme Miron et moi, on déplorait beaucoup cette espèce de déperdition de l'énergie vers de faux voyages; pour nous, il y avait un voyage concret à faire: bâtir la maison.

D. G.: C'est l'individualisme *versus* le collectif.

G. G.: Oui. Ça nous apparaissait comme ça, mais remarquez bien que j'ai vu mon fils et ma fille — précisément le fils et la fille de ma compagne — faire ces voyages-là et, très tôt, retomber sur leurs pattes et revenir vers des voyages plus conventionnels, sans avoir rien perdu dans l'opération. Je ne pense pas qu'il y ait eu vraiment, comme on le craignait à l'époque, une déperdition de forces vitales dans ces expériences qui n'étaient que des expériences d'une génération, après l'*overdose* de politique que *Parti pris* avait été. Au fond, les gens, les jeunes et les peuples retombent toujours sur leurs pattes. Je suis optimiste, et c'est comme ça que je vois la chose. Je pense donc qu'il n'y a pas eu de drame entraîné ou provoqué par cette espèce d'époque de «trips» ou de voyages dans les ESP (*extrasensorial perception)* de Timothy Leary. Je ne pense pas que ce dernier ait eu une grosse influence ici. J'avais lu, à l'époque, les livres de Castaneda, espérant trouver des choses là-dedans, et je n'ai rien trouvé. J'ai plus trouvé dans Beckett, dans Michaux, dans Breton que dans Castaneda. C'est le même sujet, qui est l'importance des supports «cliniques» à des voyages intérieurs. Au fond, c'est une forme de moralisme que de condamner les jeunes qui «trippent», et le moralisme n'a pas sa place face au voyage.

D. G.: «Le moralisme n'a pas sa place face au voyage.» C'est une très belle phrase. Pouvez-vous élaborer?

G. G.: Le voyage est un bombardement d'atomes nouveaux sur la personne qui voyage. Et on doit les recevoir, ces atomes, crochus ou non, comme des dons du ciel ou des dons du monde extérieur, sans se poser la question: est-ce que c'est bien par rapport à des critères moraux, est-ce bon ou pas bon? Seulement prendre les voyages, les gens qu'on y voit, les expériences qu'on y vit, les prendre comme une pomme dans un arbre, tout simplement. La référence à Adam et Ève, peut-être. Le moralisme face au voyage n'a pas sa raison d'être et, par définition, est futile.

D. G.: Donc, il faut risquer.

G. G.: Tout à fait. Il faut risquer. En laissant chez soi ses critères moraux, ses valeurs morales, il faut s'ouvrir, que chaque pore de la peau soit ouvert — comme un port de mer — et qu'on absorbe tout ce qu'on peut absorber. Dans le cas d'un écrivain, ça se dépose dans son limon intérieur, dans son Nil. Parlant du Nil, parce que j'ai beaucoup été influencé par le voyage que j'ai fait en Égypte, je pense qu'il y a des analogies à faire entre le Québec et l'Égypte, le Québec traversé de haut en bas par le Saint-Laurent et l'Égypte, par le Nil. Le Québec serait l'Égypte du Nord. Il y avait le Haut-Nil des eucalyptus (que l'on voit dans les dessins) et le Bas-Nil des lotus. Je pense que le rêve des Québécois, comme celui de l'Égypte de l'époque, c'est de réunir les deux Québec, celui du haut et celui du bas, comme les pharaons du temps avaient réuni la Haute-Égypte et la Basse-Égypte. Il faut que nous fassions cela — et je tombe malheureusement dans la politique. L'analogie Saint-Laurent — Nil est importante à développer pour ceux qui veulent «tripper» un peu sur les mots, sur les rêves.

D. G.: Sur un fleuve, on voit des bateaux. Je voudrais qu'on parle d'un autre bateau, d'un autre rêve. Je parlais, avant l'entretien, du vaisseau «taillé dans l'or massif» de Nelligan. Le projet d'une nation québécoise, le projet d'un pays, est-ce aujourd'hui encore quelque chose dans quoi on peut s'embarquer comme sur un bateau? Est-ce un bateau qui va nous mener à bon port? Pensez-vous que ce projet va se réaliser un jour? Pensez-vous que c'est une question de capitaine? On vient d'en mettre un à l'eau ou dans une île déserte, et vous y avez contribué, si on peut dire.

G. G.: Comme ça se faisait à l'époque. On descendait les marins qui n'étaient pas corrects dans des îles désertes et on leur disait de se démerder. C'est comme ça que *Robinson Crusoé* a pu être écrit. Alors, maintenant que Johnson est devenu Robinson, on se cherche un nouveau capitaine pour le *Titanic*[7].

D. G.: C'est plutôt pessimiste comme vision.

G. G.: Ils l'ont retrouvé, le *Titanic*! Est-ce que le bateau a encore une chance de se rendre à bon port comme la *Nina* et la *Santa Maria* de Christophe Colomb? Je pense qu'il y a des chances. Mais la question n'est pas de savoir s'il va arriver à bon port. Le bateau de Christophe Colomb est-il arrivé à bon port? Colomb a découvert de petites îles du genre d'Haïti, de la République Dominicaine, dans les petites Caraïbes. Il n'a jamais atteint le continent. Et pourtant, c'est lui qui a découvert l'Amérique. Est-ce que le Québec, c'était ma thèse avant ce qui s'est passé à la mort de René Lévesque[8], est-ce que le Québec n'a pas découvert quand même, après une dizaine d'années d'expériences politiques considérables, un autre pays vers lequel les Québécois se dirigeraient? N'est-ce pas aussi important comme découverte que s'ils avaient découvert le continent qu'ils cherchaient, c'est-à-dire le Québec?

D. G.: Alors, c'est un nouveau Québec.

G. G.: Je me suis consolé parce qu'on se console toujours d'avoir raté sa vie. Je me suis consolé en me disant qu'au fond, les Québécois ont découvert en eux-mêmes une nouvelle forme d'être qui est ce que vous connaissez sûrement vous-même à votre âge et que vous observez chez vos compatriotes: le besoin hédoniste de se réaliser personnellement. C'est peut-être ça, le Québec nouveau. C'est peut-être ça, l'île où Colomb a atterri, qui n'était pas le continent mais qui est quand même l'Amérique. Les Québécois ont atterri dans une île qui est le développement individuel de soi-même: avoir sa business, sa liberté individuelle, etc. N'est-ce pas un résultat équivalent? Le rêve de Lévesque n'a-t-il pas été réalisé autrement, mais réalisé quand même? À la réflexion, c'est ce que je pensais jusqu'à il y a quelques mois, tout en appelant de mes vœux un retour, une recrudescence de la pensée qu'il faut vraiment atterrir en Amérique, c'est-à-dire aboutir à un Québec, à un pays, à un État avec tout ce que cela comporte de pouvoirs, la plénitude des pouvoirs.

En y réfléchissant, l'Amérique demeure encore l'objectif qu'on doit viser. Je veux dire par là qu'un peuple doit se doter de tous les moyens dont il a besoin pour occuper sa place dans le monde. Je crois que le «trip» va se faire beaucoup plus vite que je ne le pensais, puisqu'en me demandant, comme bien des Québécois: «Va-t-il y avoir un réveil de cette conscience nationale?», le réveil s'est fait. Il s'est fait après la mort de Lévesque, grâce à l'immersion totale de télévision qu'on a eue et grâce à des phénomènes impalpables, insondables, imprévisibles, qu'on appelle peut-être la conscience. Les gens rêvent-ils encore à la souveraineté du Québec? C'est le test que je veux faire. Je pense que oui, non pas parce que c'est un rêve, mais parce que c'est une nécessité absolue, comme dit Miron.

Miron me dit: «Un Danois se demande-t-il ce que c'est que le Danemark, s'il doit avoir un pays ou non? Ce n'est pas un projet, c'est une nécessité absolue sans laquelle le Danemark disparaît dans la mer du Nord.» Je crois que le Québec, s'il ne donne pas à son peuple tous les moyens de se développer et de se réaliser, va disparaître. Et de plus en plus, à douze ans de l'an 2000, parce que le «trip» de l'humanité se poursuit tout ce temps-là, nous serons, vous et moi, si Dieu nous prête vie, et que nous serons du petit groupe de personnes qui auront passé d'un millénaire à un autre. Elles ne sont pas nombreuses, ces personnes, dans l'histoire de l'humanité.

Au passage du premier millénaire, il y a eu la crainte de la fin du monde, l'époque de la *black death,* la grande peste qui a dévasté l'Europe et l'Angleterre. C'était, pour bien des gens, une punition de Dieu et l'annonce de la fin du monde. Aujourd'hui, des gens font l'analogie entre les maladies transmises sexuellement et la *black death.* Certains disent que c'est la fin du monde, les gens ne feront plus l'amour, ne se reproduiront plus, l'humanité va disparaître à cause des maladies sexuelles. Ça coïncide avec une sorte de millénarisme. Les gens n'en reviennent pas de vivre ça.

C'est un autre voyage, celui-là — l'arrivée du Québec dans l'an 2000 —, que l'on fait chez soi. Durant ces douze années-là, il m'apparaît clairement que tout peuple aura de plus en plus besoin de tous ses instruments pour «aborder aux rives», comme Lamartine dans son poème «Le lac», du troisième millénaire. Cette réalité apparaît de plus en plus aux Québécois.

Le goût du voyage individuel, comme je l'ai fait depuis plusieurs années, s'émousse à un moment donné, et on se dit très vite que ce n'est quand même pas ça, la vie, qu'il y a des choses plus importantes que ça. Selon mon expérience personnelle, mon voyage, je l'ai fait. J'ai visité bien des pays que je voulais visiter, j'ai écrit les trois quarts d'un roman, ce «trip»-là achève, mais il me manque fondamentalement quelque chose qui est de penser aux autres et de revenir aux raisons pour lesquelles je voulais, il y a vingt ans, avoir un pays. Ce n'était pas pour moi, c'était pour ceux que ça aiderait davantage: les démunis, les travailleurs, les sans pays, ceux qui ne peuvent pas aller, comme moi ou d'autres, «tripper» ailleurs. Ils ont plus besoin d'un pays que quiconque. Après deux ans d'opposition, à se pogner le cul comme on dit, je me ramène à l'idée du grand voyage qu'on doit faire tous ensemble sur le grand vaisseau «taillé dans l'or massif» dont parlait monsieur Émile. […]

Je pense que le mûrissement de l'idée du Québec dans la tête de tous les Québécois depuis l'échec du référendum, qui a été très utile pour lancer la réflexion, le fait que les Québécois aboutissent à ne pas découvrir, au bout d'une opération d'une dizaine d'années, un pays, est peut-être plus fort que s'ils l'avaient découvert. L'idée a mûri entre-temps, le peuple a mûri entre-temps, le contexte est changé, on est maintenant dans le libre-échange, plus américanisé que jamais, face à une situation où les Québécois ne font plus d'enfants ou presque pas, et comptent sur d'autres voyageurs — qu'on appelle immigrants — pour développer leur pays. Bien des gens se disent que ça n'a pas de sens que ce ne soit pas nous qui le fassions, ce pays-là. Mais on ne peut faire le pays que si on a tous les moyens en main — comme tous les peuples, d'ailleurs.

Il n'y a pas de peuple, à ma connaissance, qui renonce à être un peuple, qui renonce à ses pouvoirs. Un des derniers voyages que je veux me payer dans la fleur de l'âge, c'est précisément de convaincre les Québécois qu'il faut que nos bateaux aboutissent au continent québécois, comme ceux de Christophe Colomb; qu'on ne s'arrête pas dans ces petites îles des Caraïbes, qu'on cherche encore, avec l'aide des vents et du génie des navigateurs qu'on peut avoir, les nouveaux j'entends, qu'on aboutisse au continent québécois qui est celui où on pourra vraiment bâtir la société qu'on veut.

D. G.: Ce serait arriver au terme d'un grand voyage. Ce que vous souhaitez, on le souhaite avec vous.

G. G.: C'est ce à quoi je veux travailler dans les années qui viennent. Assez curieusement, ça m'a éloigné de mon roman. Ce réchauffement de l'idée nationale, de l'idée de pays au Québec m'a fait me poser la question: qu'est-ce que le roman, par rapport à ça? Et j'ai mis mon roman de côté pendant de longs mois, sinon deux ans, parce que je trouvais ça beaucoup moins important face à l'autre projet, à l'autre voyage, à l'autre roman qui est le roman d'un peuple à écrire pour qu'il aboutisse au continent québécois.

D. G.: Votre travail d'écrivain semble venir en second, mais c'est un travail important dans la mesure où il peut permettre la réalisation d'un rêve qui serait beaucoup plus importante que la simple écriture d'un écrivain. Vous définissez-vous plus comme un écrivain que comme un activiste politique, comme un «politique» justement?

G. G.: Je me définis comme quelqu'un qui, comme on dit au baseball, peut jouer toutes les positions: qui peut être un poète, qui peut être un romancier. Je me rends compte, en lisant la biographie de Picasso, de tout ce que ce gars-là a produit en quatre-vingt-douze ans. C'est invraisemblable. Je me dis qu'il faut envisager sa vie comme la possibilité de faire plusieurs voyages, de ne jamais arrêter d'en faire, de toujours songer aux autres voyages qu'on va faire plus tard, d'autant plus que l'un nourrit l'autre. Je me suis aperçu que j'ai souvent fait des poèmes «politiques» à l'époque collectiviste et, à la suite de mon opération au cerveau[9], j'ai fait des poèmes très intimistes où je me posais la question d'un alzheimérien qui cherche ses gants, ou la phrase qu'il se dit en allant chercher un livre dans une pièce: «Qu'est-ce que je suis venu faire ici?» C'est la question que chaque Québécois doit se poser: «Qu'est-ce que je suis venu faire ici, moi?» Moins on est politique, plus on l'est.

Une opération au cerveau te fait perdre une partie de ta mémoire et tu te poses la question: «Qu'est-ce que je suis venu faire ici?» Cette phrase est peut-être plus politique que tout autre poème que j'ai écrit. En fin de compte, la poésie m'a ramené — assez curieusement — à la réalité politique. Autrement dit, sur la mappemonde de la vie d'une personne, on peut tirer une ligne: je suis allé de telle place à telle autre, de Montréal à Salvador de Bahia, en suivant les alizés que suivaient Magellan et d'autres navigateurs portugais de l'époque. Il y a également une ligne qui décrit son cheminement en littérature et, tôt ou tard, les chemins se croisent. Pour moi, en poésie, la croisée des chemins réside dans la phrase: «Qu'est-ce que je suis venu faire ici?» Si je n'ai pas de réponse à cette question, il faut que je la trouve.

Qu'est-ce que je suis venu faire ici comme individu au Québec? Je suis venu trouver le continent québécois que je n'ai pas encore trouvé. Le distrait, le sans mémoire, l'alzheimérien se pose la question toute sa vie, quand il est malade. Pourquoi suis-je dans la cuisine tout d'un coup? Je suis venu éteindre un rond, chercher une tasse de café, éteindre la lumière? Il ne s'en souvient pas. Du fait qu'il l'a oublié, il est comme n'importe quel citoyen qui se cherche un pays. Sa réflexion sur sa distraction ou sur sa mémoire le ramène à la politique.

C'est ma conclusion, après mes multiples voyages de tous ordres. Qu'est-ce que je suis venu faire ici? Et si je n'ai pas de réponse à ça, ma vie est ratée, elle est un échec. Pour qu'elle ne soit pas un échec, il faut que je trouve une solution au problème. Il faut que je trouve le continent québécois dans ma vie d'être humain, dans sa plénitude. La poésie m'a ramené à mon grand vaisseau d'or massif. C'est ça qui est fantastique dans le voyage: les lignes se recoupent et c'est quand elles se recoupent qu'on se rend compte du sens profond de sa vie, du sens profond de ce qu'on écrit et du sens profond des raisons pour lesquelles on est là, dans tel coin de l'univers, à telle époque.

Mœbius, n° 35 (numéro intitulé *Le voyage*), hiver 1988

---

1. 1987.
2. *Ulysse* est écrit, en fait, à Trieste (1914-1915, 1919-1920), Zurich (1915-1919) et Paris (1920-1921) où il paraît en 1922. *Prochain épisode* est écrit, en fait, à l'institut Albert-Prévost (juillet-septembre 1964), institut psychiatrique montréalais qui sert de prison à l'auteur, et corrigé jusqu'en décembre 1964; il ne sera publié qu'en octobre 1965. (Voir, sur ce point, Françoise Maccabée-Iqbal, *Desafinado. Otobiographie de Hubert Aquin*, VLB éditeur, 1987, p. 257.) Aquin ira en Suisse, mais en 1966.
3. L'un des titres de travail de *L'ange exterminé*, qui paraîtra en 1990.
4. 1795.
5. Allusion au «beau risque» qu'a représenté, pour le gouvernement de René Lévesque, l'arrivée (4 septembre 1984) d'un gouvernement canadien dirigé par Brian Mulroney. Cette formule, surgie un peu plus de deux mois plus tard (dans l'exposé de René Lévesque à l'exécutif national de son parti, le 19 novembre), déchirera le gouvernement péquiste, cinq ministres démissionnant le 22 novembre (dont Jacques Parizeau, ministre des Finances, et Camille Laurin, ministre de l'Éducation et «père» de la loi 101). Gérald Godin, à cette époque, est en convalescence.
6. *Parti pris*: 1963-1968; *Mainmise*: 1970-1978.
7. C'est dans une entrevue parue dans *Le Soleil* (30 octobre 1987) que Gérald Godin conteste publiquement le leadership de Pierre-Marc Johnson, chef du Parti québécois; cette sortie, qui sera abondamment commentée, fera en sorte qu'effectivement Pierre-Marc Johnson quitte la politique (10 novembre 1987).
8. René Lévesque est mort le 1er novembre 1987.
9. En juin 1984.

Codas

Les extrêmes

À l'âge de vingt-trois ans, Isidore Ducasse, comte de Lautréamont, écrivait à son éditeur Verbœckhoven: «Vous savez, j'ai renié mon passé. Je ne chante plus que l'espoir.» Car le malheur, comme le bonheur, n'a toujours que vingt ans. Et la jeunesse est belle de ces extrêmes et ce sont eux qui la rendent si séduisante.

Les photographies de Pierre Gaudard sont les fenêtres sans rideau par où les voyeurs que nous sommes regardent les extrêmes. «Les extrêmes me touchent», disait André Gide. Ce qui nous semble des extrêmes ne sont probablement que les reflets naturels d'un monde inconnu de nous. Ce qui nous semble strident n'est probablement aussi qu'une conversation ordinaire entre gens d'une espèce inconnue de nous: les jeunes.

Et vous serez comme des dieux, dit la Bible. Jamais plus qu'aujourd'hui cette parole n'a semblé vraie. Les jeunes ont l'aisance des dieux, et leur malheur aussi, des fois.

Pierre Gaudard, qui a plutôt l'air du laboureur, est toujours là, Leica au poignet, pour établir sur la pellicule des cinq-centièmes de seconde avec l'air de déplorer manquer, dans chaque cinq-centième de seconde, les 499 parties qui passent et ne reviendront plus.

Quand ces cinq-centièmes de seconde appartiennent aux jeunes, plus vif encore est le sentiment du fugace et de l'irremplaçable. «J'ai été jeune aussi», disent-ils tous, en mourant à petit feu. On ne commence pas à mourir quand on vient au monde, ce n'est pas vrai. On commence à mourir quelque part entre quinze et trente ans, suivant les cas. Tout d'un coup, on se met à dévaler. C'est imperceptible au début puis, tout à coup, ça y est. Et le signe le plus clair, c'est quand on commence à trouver que le temps passe vite. Pour les jeunes, le temps est long. Le temps coule lentement.

C'est cette éternité que la plupart de ces photos de Pierre Gaudard montrent, cette éternité des moments inutiles, du temps à perdre à des choses «insignifiantes» comme s'embrasser, manifester pour la paix ou la liberté, achaler les filles ou attendre un miracle à Saint-Bruno.

Présentation de *Moins vingt,* photos de Pierre Gaudard, Bibliothèque nationale du Québec, 3-28 décembre 1968

La mort de René Lévesque

Le 1er novembre 1987, à onze heures du soir, le Québec fut frappé d'une panne de courant générale et universelle. À cette même heure, René Lévesque mourait d'une très violente crise cardiaque au cours de son transport ambulancier vers l'Hôpital général de Montréal, le plus rapproché de sa résidence de l'île des Sœurs.

Les employés d'Hydro-Québec n'avaient jamais rien vu de tel. En même temps que le courant qui s'arrêtait, tout le Québec pleurait, toutes formations politiques confondues. Le petit homme qui avait insufflé son énergie à tout le Québec n'était plus là. Le porte-parole d'Hydro-Québec avait déclaré que ce n'était pas une panne de courant, que c'était beaucoup plus compliqué que cela. On peut aller jusqu'à dire qu'il s'agissait d'une peine de courant.

Archives personnelles de Gérald Godin et Gordon Sheppard depuis 1987. Textes et images, Galerie Pink, 29 février - 15 mars 1992 (*fragment[1]*)

---

1. D'autres fragments de cette exposition sont repris dans *Les botterlots,* l'Hexagone, coll. «Poésie», 1993: voir «T'en souviens-tu, Godin?», «La langue du cœur» et «Arbre».

Table

Cet ouvrage composé en Times corps 11
a été achevé d'imprimer
le dix-sept février mil neuf cent quatre-vingt-quatorze
sur les presses de l'Imprimerie Gagné
à Louiseville
pour le compte des
Éditions de l'Hexagone.

Imprimé au Québec (Canada)